医療白書 2020年度版

国難から見えた
次世代社会への展望

ポストコロナ時代の医療再構築

監修● 寺崎 仁 一般社団法人日本医療・病院管理学会理事長　　企画・制作● ヘルスケア総合政策研究所

日本医療企画

巻頭言

コロナ禍を乗り越えた先に見えるもの
——医療と社会の変容のゆくえ

寺崎　仁
一般社団法人日本医療・病院管理学会理事長、
東京女子医科大学医学部医療安全科教授

　冬を前にコロナ禍で世情不安が増すなか、国内外の政治が大きく変わりそうな2020年秋を迎えている。在任期間7年8か月を超える戦後最長と言われた安倍首相の突然の退陣表明、そして米国の大統領選挙は、共和党から民主党への政権交代の可能性が高まっている。たとえ僅差でトランプが再選されたとしても、それはそれで世界情勢に大きな影響を及ぼすことは間違いないが、これ以上の政治の劣化が進行するのは何としてでも避けたいところである。しかし、有権者である国民は、「自らの程度に応じた政治しか持ちえない」ともいわれており、誰かの失言ではないが、まさに「民度」が政治の程度を決めるのであり、またその政治によって社会は良くも悪くもなり得ると思っている。

　翻って、新型コロナの流行は社会にどんな影響を与えているのであろうか。当然、社会経済活動には大きな影響を与えていて、このような状態がいつまで続くのか、専門家と言われる人たちもいまだに正解を見出せずにいる。ワクチン開発の進捗が決め手になるのだろうが、どうやって国民に行き渡らせるのかという問題も考えなければならない。それには政治の決断力が大きく影響するが、政治といえども国民の感情と乖離した決定が下せるはずもなく、やはり国民の程度が社会の在りようを決めることには変わりがない。そして、ワクチンが行き渡ったとしても、新型コロナウィルスが地球上から消滅してしまうわけではないので、ポストコロナという時代は永遠に来ないという見方もありそうだ。

　ところで、よく知られたことだと思うが、過去には「スペイン風邪」と名付けられた同じような感染症の世界的な大流行があり、それは約100年前の1918（大正7）-1920（大正9）年の出来事だったそうである。全世界の人口の3割近くが感染し、死者は数千万人にも及んだと推定されており、日本ではいまの人口の約半分だった当時でも40万人前後の死者が出たといわれている。今回はそこまで悲惨な状況にはならないと思うが、一時はわが国でも40万人規模の死者が出る

との予測が出たりして、必要以上に国民の恐怖を煽ったとの批判もあるが、何も対策をとらずに流行を放置した場合の恐ろしさを、わかりやすく伝える意義があったと考えたい。そして、スペイン風邪は流行の終息まで約3年を要したといわれているが、今回は、たとえワクチンが開発されたとしても、全世界に行き渡るには相応の時間が必要であり、しばらくは新型コロナへの恐怖と共存する覚悟が求められている。

では、いったいどれくらいの期間にわたって、今回の新型コロナの流行による社会経済活動への大きな影響が続くのであろうか。3年も経たずに流行が終息したとしても、人々の生活や社会経済活動への影響はそれ以上の期間にわたって続くであろうし、また経済が回復したとしても今回の経験が忘れ去られるわけではなく、多くの人々に生涯にわたる影響を及ぼすことが容易に想像できるのではなかろうか。そして、スペイン風邪が終息したあとに起こった大恐慌においては、経済が短期間で一気に破綻したのではなく、ジワジワと影響がゆっくりと社会全体に拡がっていき、最悪の状況に至るまで、これも3年を要したといわれている。したがって、いま我々が目の当たりにしている状況は、社会経済活動がどん底に陥る混乱の入り口を見ているに過ぎないのかもしれない。そして、大恐慌によって全世界のGDPが15％減少したとされているが、少なくとも今回の流行で日本の2020年4-6月期のGDPが、年率換算でマイナス27.8％を記録したことを考えると、これからどのような状況が生じて来るのか、誰にも正確に予測することはできないのではなかろうか。

さて、そのような状況のなかで『医療白書2020年度版』が刊行されたわけであるが、新型コロナウイルスの世界的な流行を踏まえて、その後の時代としてどのような社会が到来するのか、それに焦点を当てた企画が中心となっている。特に、一時は崩壊の危機に直面し、またこれからもその危機の再現はあるのかもしれないが、多くの課題が明らかにされたわが国の医療に関して、これをどのように再構築していくのか、多くの専門家の方々にそれぞれのテーマについて執筆していただいた。ここに改めて、執筆を引き受けてくれた先生方には、この場を借りて心から感謝の言葉を申し添えたいと思っている。そして、そのお力添えに報いるためにも、本書の構成について以下に簡単に紹介しておきたい。

まず、本書は全体で5部構成となっており、冒頭の第1部には、コロナ禍ならではのWEBを活用した座談会形式で、今回のパンデミックが医療と社会に与えた影響について、感染症の専門家と医療関連団体のトップ、さらに社会学者を交えて議論した内容が収載されている。そして、第2部では、新型コロナ流行の2つのピークを経験したなかで、いくつか見えてきたわが国の医療体制の課題、さ

らにはそれを乗り越えるための次なる展望についても、専門家の先生方に論じていただいている。とりわけ、差別や偏見など医療従事者だけではどうにもできない問題、そして、それに大きな影響を与える医療報道のあり方、加えて医療現場を裏方として支えている委託業者との関係など、医療従事者の視点から少し離れたところからの問題提起もなされている。

　後半の第3部と第4部は、医療を含めたこれからの社会がどう変化していくのか、今後の予測も含めながら、悲観論に終始せずに建設的な提言を盛り込むようにしている。第3部は、季節性インフルエンザの流行も懸念されるこの冬を、新型コロナとの同時流行を防ぎながらどう乗り切っていくのか、さまざまな医療現場での取り組みを紹介するようにした。第4部では、これからの医療の再構築に向けて、制度や自治体の役割の変化、また既定路線であった病床再編の行方、AI（Artificial Intelligence：人工知能）などの情報技術の活用など、幅広い分野にわたる考察が展開されている。そして、最後の第5部は、資料編として、世界と日本の感染状況、新型コロナをめぐる主な出来事をまとめた。大変盛り沢山な内容で読み応えもあろうが、是非とも一通り目を通していただけると幸いである。

　ところで、最後になってしまったが、本書の監修を西村周三先生から小生が引き継ぐことになった。医療経済学の大家である西村先生の後任としては、甚だ浅学非才であり大変に荷が重い役目を引き受けてしまったと思っている。本書が、これからも魅力的な企画を世に問えるように、西村先生から引き継いだ役目を果たしつつも、次はどなたに引き渡せばよいのか、それを考え始めたところである。

医療白書 2020年度版
ポストコロナ時代の医療再構築
国難から見えた次世代社会への展望

目　次

巻頭言　コロナ禍を乗り越えた先に見えるもの
──医療と社会の変容のゆくえ……3

寺崎　仁（一般社団法人日本医療・病院管理学会理事長、東京女子医科大学医学部医療安全科教授）

第1部　特別座談会
パンデミックが変えた世界 次世代医療と日本再生のあり方を考える……11

司　会：寺崎　仁（一般社団法人日本医療・病院管理学会理事長、東京女子医科大学医学部医療安全科教授）
出席者：猪口雄二（公益社団法人全日本病院協会会長）
　　　　岩田健太郎（神戸大学医学研究科感染治療学分野教授）
　　　　西田亮介（東京工業大学リベラルアーツ研究教育院准教授）

第2部　新型コロナ危機から見えた 日本の社会・医療体制における課題と展望……25

第1章　世界各国の感染防止対策 何が明暗を分けたのか……26

岩田健太郎（神戸大学医学研究科感染治療学分野教授）

第2章 地域の医療提供体制をどう守るか
遠隔ICUシステムの可能性 ……………………… 34
中西智之（株式会社T-ICU代表取締役社長、集中治療専門医）
鴻池善彦（株式会社T-ICU、集中治療専門医）

第3章 コロナ不安で分断された社会
差別・偏見・誹謗中傷の仕組みと対処 ……………… 42
中谷内一也（同志社大学心理学部教授）

第4章 メディアはコロナウイルス危機をどう伝えたか
医療報道のあり方を問う …………………………… 48
伊藤　守（早稲田大学教育・総合科学学術院教授）

第5章 コロナ禍における外部委託
病院と業者の信頼関係を再構築せよ！ ……………… 56
馬場園明（九州大学大学院医学研究院医療経営・管理学講座教授）

第3部 感染再拡大・新たな脅威に備えよ！医療崩壊を食い止めるための打開策 …… 63

第1章 新型コロナウイルスがもたらす
経営危機をどう乗り越えるか？ ……………………… 64
榎木英介（フリーランス病理医）

第2章 保健所の新型コロナ対応から見えた課題
わが国の感染防止対策はどうあるべきか …………… 72
山本光昭（東京都中央区保健所長）

第3章 ワクチン・治療薬開発の最前線
完全収束に向けたシナリオとは ……………………… 79
山田悠史（マウントサイナイ大学病院老年医学・緩和医療科フェロー）

第4章 コロナ禍における在宅医療・訪問看護
かかりつけ医の新たな役割とは ……………………… 88
長尾和宏（医療法人社団裕和会理事長、長尾クリニック院長）

第5章 新型コロナで規制緩和
オンライン診療は普及・拡大するのか ……………… 95
原　聖吾（株式会社MICIN代表取締役CEO）
桐山瑶子（株式会社MICINデジタルセラピューティクス事業部RAスペシャリスト）

第6章 医療機器・感染防護具の
供給体制を抜本的に改革せよ！ ……………………… 104
松尾未亜（株式会社野村総合研究所グローバル製造業コンサルティング部 Medtech & Life Science グループマネージャー）

第4部 ポストコロナ時代の日本はどうあるべきか 医療再構築・社会変革に向けた提言 …111

第1章 コロナ危機で揺らぐ社会保障
ベーシックインカム的政策の可能性 ………………… 112
山森　亮（同志社大学経済学部経済学科教授）

第2章 ポストコロナ時代の医療提供体制：試論 …………… 119
尾形裕也（九州大学名誉教授）

第3章 地方分権で問われる首長の指導力と地方のガバナンス …… 127
田中秀明（明治大学公共政策大学院教授）

第4章 AI感染伝播シミュレーションから見えたウイルス共生時代の生き方 …… 137
倉橋節也（筑波大学大学院ビジネス科学研究群教授）

第5章 感染症と自然災害 リスク多発時代の複合災害に備えよ！ …… 145
米田雅子（防災学術連携体代表幹事、慶應義塾大学環境・エネルギー研究センター特任教授）

第6章 競争力を見据えた価値転換によりデジタルトランスフォーメーション（DX）を加速せよ！ … 152
平　和博（桜美林大学リベラルアーツ学群教授、ジャーナリスト）

第7章 どうなる？　医療のグローバル化 コロナ後に期待される新戦略 …… 158
真野俊樹（中央大学大学院戦略経営研究科教授）

第5部 資料編 データと年表から読み解く新型コロナウイルス感染症 …… 167
牧　潤二（医療ジャーナリスト）

監修・執筆者

- 寺崎　仁（一般社団法人日本医療・病院管理学会理事長、東京女子医科大学医学部医療安全科教授）

執筆者・取材協力者一覧 （五十音順・敬称略）

- 伊藤　守（早稲田大学教育・総合科学学術院教授）
- 猪口　雄二（公益社団法人全日本病院協会会長）
- 岩田健太郎（神戸大学医学研究科感染治療学分野教授）
- 榎木　英介（フリーランス病理医）
- 尾形　裕也（九州大学名誉教授）
- 桐山　瑶子（株式会社MICINデジタルセラピューティクス事業部RAスペシャリスト）
- 倉橋　節也（筑波大学大学院ビジネス科学研究群教授）
- 鴻池　善彦（株式会社T-ICU、集中治療専門医）
- 平　和博（桜美林大学リベラルアーツ学群教授、ジャーナリスト）
- 田中　秀明（明治大学公共政策大学院教授）
- 長尾　和宏（医療法人社団裕和会理事長、長尾クリニック院長）
- 中谷内一也（同志社大学心理学部教授）
- 中西　智之（株式会社T-ICU代表取締役社長、集中治療専門医）
- 西田　亮介（東京工業大学リベラルアーツ研究教育院准教授）
- 馬場園　明（九州大学大学院医学研究院医療経営・管理学講座教授）
- 原　聖吾（株式会社MICIN代表取締役CEO）
- 牧　潤二（医療ジャーナリスト）
- 松尾　未亜（株式会社野村総合研究所グローバル製造業コンサルティング部 Medtech & Life Scienceグループマネージャー）
- 真野　俊樹（中央大学大学院戦略経営研究科教授）
- 山田　悠史（マウントサイナイ大学病院老年医学・緩和医療科フェロー）
- 山本　光昭（東京都中央区保健所長）
- 山森　亮（同志社大学経済学部経済学科教授）
- 米田　雅子（防災学術連携体代表幹事、慶應義塾大学環境・エネルギー研究センター特任教授）

第1部

特別座談会

パンデミックが変えた世界 次世代医療と日本再生のあり方を考える

司会
寺崎 仁
一般社団法人日本医療・
病院管理学会理事長、
東京女子医科大学医学部
医療安全科教授

出席者
猪口雄二
公益社団法人全日本病院協会会長

岩田健太郎
神戸大学医学研究科感染治療学分野教授

西田亮介
東京工業大学リベラルアーツ研究教育院准教授

（五十音順、敬称略、2020年9月3日Zoomミーティングを使用して収録）

医療や社会をどのように再構築していくべきか
感染症や病院経営、社会学の専門家が徹底討論

寺崎 本日はお集まりいただき、ありがとうございます。司会進行を務めます寺崎です。私はヘルスサービス・リサーチの研究者が主に集まる一般社団法人日本医療・病院管理学会の理事長をしており、東京女子医科大学では教授として医療安全を担当しています。

今回の座談会では、日本の医療や経済、そして国民の生活に甚大な被害をもたらしているコロナ危機から、われわれは何を学び、次世代の医療や社会をどのように再構築していくべきかについて、出席者の皆様との議論を通して考察していきたいと思っています。はじめに、皆様の自己紹介を兼ねまして、コロナ禍にある現在の状況をどのように受け止められているかについてお話しください。

猪口 東京都江東区で小規模の病院、訪問看護や健診センターなどを展開する医療法人財団寿康会寿康会病院の理事長をしています。3年前からは全国2,500以上の民間病院が加盟する公益社団法人全日本病院協会の会長、今年6月からは公益社団法人日本医師会の副会長を兼務しています。

新型コロナウイルス感染症に関しては、病院経営の悪化を危惧しています。コロナ患者の受け入れベッド数を全国的に見ると、公立病院と民間病院の割合は7対3ですが、東京都は逆転していて、病院3団体（全日本病院協会、一般社団法人日本病院会、一般社団法人日本医療法人協会）の調査では、いずれも経営が悪化していることがわかりました。きちんと補助金・助成金をつけていただきたく、メディアを通じて惨状を報告したり、交渉を重ねています。

岩田 神戸大学医学部附属病院の感染症内科をまとめている岩田です。他にも、新型コロナの入院患者を受け入れ、PCRのドライブスルー検査を主導する兵庫県立加古川医療センターに週1回、神戸市内のコロナ患者を最も多く診ている神戸市立医療センター中央病院でも、感染症対策のお手伝いをしています。

西田 東京工業大学の西田です。本日の出席者のなかで唯一医療関係者ではありませんが、どうぞよろしくお願いいたします。私の専門は社会学で、情報技術と政治や選挙、メディアと政治の関係を研究しています。そのほかに、テレビのコメンテーター、総務省「公共放送のあり方に関する検討分科会」の委員、マスコミ250社でつくるマスコミ倫理懇談会の研究会の学術顧問、一般社団法人セーファーインターネット協会の偽ニュース対策のフォーラムの委員などメディアの実務にもかかわってきました。今年7月には、コロナ禍における人々の意思決定、反応などを分析した書籍『コロナ危機の社会学 感染したのはウイルスか、不安か』（朝日新聞出版）を上梓しました。

場当たり的だった日本のコロナ対策
危機意識を緩めれば、すぐに感染再拡大は起こる

寺崎 では、本題に移ろうと思います。まずは、新型コロナが感染拡大したこれまでを振り返り、どのような課題が明らかになったかについて、皆様からご意見をうかがいたいと思います。感染症の専門家である岩田先生は、日本のコロナ対策の成否をどのように評価していますか。

岩田 現状、コロナ対策がうまくいっていない国は明らかで、アメリカとブラジルです。トランプ大統領や米国政府は成功したと言いたいのでしょうが、当初の思惑通りにはいかず、対策は失敗だったと認識すべきです。一方、台湾や中国、香港、タイ、ベトナムなどアジアの国々と地域、ニュージーランドは抑え込みに成功しています。中国は武漢で8万人以上が感染して数千人が亡くなりましたが、以降は対策が完璧で、人口当たりの死亡者数は日本に比べてはるかに少なくなっています。経済活動も回復していて、公表される数字を割り引いて考えないといけない前提を差し引いても、GDPは大きなマイナスになっていません。

このように、コロナ対策の成否が両極端にあるなか、日本は成功している国と失敗している国の中間くらいに位置づけられ、第1波を乗り越え、9月中旬時点で第2波の終わりに近づいている途中です。評価についてはさまざまな意見があるでしょうが、おそらく1～3月の間、日本政府や厚生労働省は、国内でコロナの死亡者を出さないと考えていたはずです。それが崩れ、別の方向に変わっていったというのが真実で、そういう意味では目論見通りにはなりませんでした。さらに、いまは何の目論見もなく、リフレクティブに対応するだけで、着地点が見出せない状態です。少なくとも第1波のときは感染症を抑え込むというビジョンが明確で、そのために何をするかを専門家が議論していました。

また、当初、日本ではPCR検査のキャパシティがなく、他の国に比べて検査数が圧倒的に少ない状況が続いていました。検査数を低く抑え込むことでクラスター対策に成功したという主張がありましたが、この主張は誤りであり、これは厚生労

寺崎　仁（てらさき・ひとし）

1956年岩手県生まれ。1982年日本大学医学部卒業。1986年日本大学大学院（医学研究科医療管理学専攻）修了、医学博士。その後、東京逓信病院勤務を経て、1992年日本大学医学部医療管理学講座・専任講師。2008年横浜市立大学附属市民総合医療センター・安全管理指導者（部長・准教授）。2011年同センター・健康管理室長（産業医）兼務。2016年東京女子医科大学医療安全科教授。現在に至る。2020年より一般社団法人日本医療・病院管理学会理事長。

働省関係者の証言でもわかっています。日本のPCR検査体制が整備されていないのは、2002～2003年のSARS（重症急性呼吸器症候群）、2009年の新型インフルエンザ、2012年のMERS（中東呼吸器症候群）の際に、感染症対策のキャパシティ・ビルディングを怠ってきたのが遠因です。保健所のマンパワーが足りない現状にもつながりました。ただし、幸か不幸か、武漢で原因不明の肺炎が流行し、このままだと春節にインバウンドがたくさん来るということで、一気に危機感が高まり、強固な感染症対策に移行したのが功を奏しました。

　ところが、第2波になると、「もう緊急事態宣言には耐えられない」という意見が多数を占め、専門家に対するバッシングが加速した結果、専門家による分析や見解が表に出なくなりました。そして、東京では感染者は夜の街関連、若者に多いが重症者は少ない、PCR検査をたくさん実施しているから増えたなど、事態を矮小化して気にしなくてもよいという風潮を醸成しました。沖縄でも米軍でクラスターが発生したのに、感染者は若者が中心で医療提供体制はひっ迫していないと言い続け、放置した結果、高齢者施設で若い職員から高齢者へ感染が拡大しました。神戸では老人ホームや長期療養施設でクラスターが起きて、たくさんの高齢者が市内の病院に入院しています。そのうちの相当数は認知症患者で、患者自身に隔離されている認識はなく、医療現場・病棟は対応に苦慮しているところです。その後は沖縄が独自の緊急事態宣言を出し、各自治体の首長も危機意識を高めたために、元に戻りつつある状況です。総括すると、日本は"ノリ"と"雰囲気"で対策を進めてきた印象です。

コロナ禍で急速に悪化した病院経営
10％減益が2か月続くと、カバーできない

猪口　病院の経営状況を振り返ると、3月は新型コロナの感染者が増えて大変だと言いつつも、患者数はまだ減っていませんでした。ところが、4月に入ると高齢者は家にこもるようになり、受診控えにより経営が急速に悪化しました。外出自粛の影響もあってか、高齢者に多い大腿骨の頸部骨折等の救急患者の件数が下がり、入院と手術が減りました。病院3団体が5月に公表した「新型コロナウイルス感染拡大による病院経営状況緊急調査（最終報告）」では、4月の経営状況を前年度と比較すると、コロナ患者を受け入れていない病院は6～7％、受け入れている病院は12～13％、一時的に病棟を閉鎖した病院は17～18％の減益だとわかりました。救急や呼吸器は忙しいのですが、一般の外来病棟では初診患者が半減という危機的な状況でした。4～5月は非常に悪く、6月は回復、7月以降は第2波で再び下げると思いましたが、コロナ対策が確立されたことから、少しのマイナスで済んでいます。ただし、コロナ患者を受け入れている病院は人手を割く必要があり、岩田先生のところのように重症患者を診ている病院は大変です。

今後は、2類相当に分類されている指定感染症の扱いを変更し、無症状者や軽症者の対応を変える見通しで、これにより10月以降の対策が決まっていくと思います。PCR検査ができず保健所がてんてこ舞いだった第1波で感じたのは、おそらく、新規感染者として毎日公表されていた数の4～5倍は実際の感染者がいたということです。高齢者施設でクラスターが発生しても病院に収容できず、施設で最期を迎えた方もいました。介護職員に感染防御を教えながら施設を見ていた医療関係者はとても苦労したと思います。今後もこうした状況は続くでしょうし、院内感染防止と経営を両立させないといけません。

寺崎　二次補正予算以降の補助金・助成金は手厚いようですが、まだ手元に届いていない病院が多いと思います。多くの病院が倒産するのは避けられそうでしょうか。

猪口　病院の収益がどれくらい下がったかはわかっていますが、どのくらいカバーできるのかは助成金が出ないことにはわかりません。病棟を1棟丸ごとコロナ対応にまわした重点医療機関にはまとまったお金が出ますが、2～3床ほどで対応した病院はそれほど出ません。おそらく、患者を受け入れて経営が悪化した分は補えるでしょうが、全体として需要が落ち込んだ部分は十分に補えないと思いますし、コロナを受け入れていない病院は補助金もほんのわずかでしょう。病院は年間2％の利益が出ると御の字なので、1～2か月間にわたり10％のマイナスがあると、減収分は取り戻せません。どこも資金繰りは厳しく、今夏の賞与は3割の病院が減らしています。メガバンクは特別な補償が付いた融資は受けますが、あまりにも対象が多いためか、通常の融資は積極的ではなく、独立行政法人福祉医療機構の無金利・無担保融資に頼った病院は2,000を下らないはずです。こうしたこともあり、目立った倒産は起きていません。

猪口雄二（いのくち・ゆうじ）

1955年生まれ。1979年獨協医科大学卒業後、同大リハビリテーション科臨床助手などを経て、1986年医療法人財団寿康会寿康会病院副院長、1987年より同院理事長。2017年より公益社団法人全日本病院協会会長、2020年より公益社団法人日本医師会副会長。日本病院団体協議会診療報酬実務者会議委員長、厚生労働省保険局中央社会保険医療協議会委員などを歴任。

政治不信が高まる出来事が重なり
支持率回復を狙ったコロナ対応に

寺崎　コロナ以前から医療機関の経営に余裕はなく、いまも楽観を許す状況でないことがわかりました。西田先生はお二人のお話を聞いて、どのように感じましたか。また、コロ

岩田健太郎（いわた・けんたろう）

神戸大学大学院医学研究科微生物感染症学講座感染治療学分野教授、神戸大学医学部附属病院感染症内科診療科長、神戸大学都市安全研究センター感染症リスク・コミュニケーション研究分野教授。1997年島根医科大学（現・島根大学）卒業。沖縄県立中部病院研修医、セントルークス・ルーズベルト病院（ニューヨーク市）内科研修医を経て、同市ベスイスラエル・メディカルセンター感染症フェローとなる。2003年に中国へ渡り北京インターナショナルSOSクリニックで勤務。2004年に帰国、亀田総合病院（千葉県）で感染症科部長、同総合診療・感染症科部長歴任。2008年より現職。米国内科専門医、感染症専門医。近刊に『新型コロナウイルスの真実』（KKベストセラーズ）、『感染症は実在しない』（集英社インターナショナル）などがある。

ナ禍における社会と政治の動きについて、先生のご意見をお聞かせください。

西田 先生方のお話を聞いていて、認知症高齢者のケアの問題など、医療関係者の間では当たり前のことが、一般にはなかなか伝わってこないことが改めてよくわかりました。

一方、社会と政治の動きについて評価すると、第1波の初期における対応は総じて事前の計画に沿ったもので、控え目にいっても、理由を理解できました。ところが、3月後半からは政治や行政の裁量による場当たり的な対応、明確な方針が見えない動きが増えていきました。当時は、いわゆる"モリカケ問題"に加えて、年始から続く桜を見る会や公判の始まった河井克行元法務大臣とその妻・案里議員の疑惑、検察庁法の改正など、政治不信が高まる出来事が重なり、内閣の支持率が急落していたときです。その影響を受け、支持率回復が新型コロナ対応の動機づけとして働くようになったと考えています。

3月中旬の新型インフルエンザ等特別措置法の一部改正をめぐる議論では、野党は私権を制限する緊急事態宣言への懸念から反対を主張していましたが、もともと緊急事態宣言は特措法に含まれているので改正しようがしまいが関係ありません。おかしな議論が繰り広げられました。一方、3月後半になると野党や、小池百合子東京都知事など国政に影響力のある自治体の首長が緊急事態宣言の必要性を訴えたのに対し、政府は慎重論を唱えるなど攻守が逆転しました。世の中の不満が高まり、人気取りのような政策が目立つようになります。専門家の提案よりも経済を優先し、アドホックに湧き上がる民意に関心が向かい、前倒しにも見える緊急事態宣言の解除に踏み切ったのです。

有事における日本の対応は後手で小規模と言われてきました。しかし、今回の新型コロナに関しては、これまでとは異なり、人口規模でみた補正予算額は世界でも屈指の規模になっています。失業率もそれほど悪化しませんでした。ただし、実際の政策の良し悪しと国民の認識には乖離があり、国民の不安や不信感は拭えなかった格好です。政府は基本的な国の方針を明確に掲げるべきです。大局的な方針を示すことで、国民の理解を促すことにつながるでしょう。

寺崎　われわれ医療者は新型コロナに関して、感染対策はどうなのか、医療提供体制は大丈夫なのかという話になりがちです。そのため、西田先生の見解はとても興味深いところです。ちなみに、岩田先生からアメリカの感染症対策は失敗だったというご指摘がありましたが、トランプ政権でなかったら違う結果になっていたと思いますか。

西田　アメリカは分権が進んでおり、コロナ対策も州ごとで異なります。連邦政府に対する不信感も強いため、トランプ政権でなくても、同じような結果だったかもしれません。

岩田　アメリカではすでに18万人超の方が新型コロナで亡くなっていますが、驚くべきことに、共和党はそれくらいの被害は構わないという見解を出しています。それでも、国民の分断が激しく、経済を優先するトランプ大統領の施策を理解して支持する層は相当数います。

　アメリカは従来から金の切れ目が命の切れ目で、貧乏人が死ぬのは自助努力が足りないからだという考え方が根強く残っています。オバマケアに反対する勢力もいて、世論は真っ二つに割れています。日本では許されない言動でもアメリカでは看過されます。

　一方、選挙を控えたトランプ大統領は人気取りのため、早々に中国からの渡航禁止を決めました。ところが、ウイルスはどこの国からでも入ってくるので、水際対策にはならなかったのです。日本でも神戸だとのちの抗体検査で、PCR検査で見つかった10倍の感染者がいると推定されていますが、ニューヨークはもっと酷くて数千倍です。私の友人が働く病院は手術室のベッドを病室にして、医師はごみ袋を医療用ガウン代わりにして診療にあたっているほどです。先進国とは思えない状況下で、感染者が増え続け、どうしようもなくなってから、トランプ政策が裏目に出たとやっと気づいたのです。

懸念されるコロナ×インフルの同時流行
２類相当から５類への変更は妥当なのか

寺崎　話題を日本に戻します。10月以降、新型コロナとインフルエンザが同時に猛威を振るう可能性がありますが、どのような対策が必要でしょうか。

猪口　昨年12月はインフルエンザの感染者が目立っていましたが、今年１月からは少なくなっています。新型コロナの感染予防としてマスクの着用や手洗い等を徹底しているので、インフルエンザに感染する人が減り、流行らなかったのでしょう。新型コロナが収束に向かうと、再びインフルエンザが猛威を振るい、そうでないならインフルエンザは流行しないかもしれません。一方、同時流行が起こると大変です。インフルエンザの検査はできても、新型コロナは抗原キットが行き渡らなければ検査が実施できず、鼻咽頭から粘膜を採取するのも技術が必要です。また、両方の検査が同時にできるところには、人が押しかけて混乱する恐れもあります。インフルエンザが陰性で新型コロナの疑いがあるならPCR検査にまわすなど、検査のフローを整備・構築しないといけません。

西田亮介（にしだ・りょうすけ）

1983年京都生まれ。博士（政策・メディア）。専門は公共政策の社会学、情報と政治。慶應義塾大学総合政策学部卒業。同大学院政策・メディア研究科修士課程修了。同後期博士課程単位取得退学。同助教（有期・研究奨励Ⅱ）、中小企業基盤整備機構リサーチャー、立命館大学大学院特別招聘准教授等を経て、2015年東京工業大学に着任。『コロナ危機の社会学』（朝日新聞出版）、『情報武装する政治』（KADOKAWA）、『メディアと自民党』（角川書店）ほか、著書多数。

岩田　2019〜2020年シーズンはインフルエンザの感染者が少なかったと、世界中で報告されています。来院した患者が新型コロナの感染者だったらどうしようと、各医療機関で検査を嫌がったのが一因で、患者が受診を控えたことも関係しました。それらの影響を差し引いても、インフルエンザの流行は小さかったと推測されています。インフルエンザも飛沫感染なので、ステイホームやソーシャル・ディスタンス、マスクの着用といったコロナ対策が有効です。そのため、今後もコロナ対策を徹底すればインフルエンザを抑えられますが、怠ればダブルで猛威を振るうことにもなりかねません。対策は同時に行うことが重要です。

　一方、新型コロナの指定感染症における位置づけを2類相当から5類にし、強制的な入院の措置などについて、運用を見直すかどうかの検討が始まりました。ここにはポジティブな面とネガティブな面がありますが、私は際どい政策だと思っています。軽症や無症状の患者でも入院させないといけないというのは、われわれも困っていて、「発症から9〜10日後の方を入院させなければいけないなんて、本気ですか？」となります。理解できない政策が延々と繰り返されていて、無駄が多く、保健所の方も気の毒だと思います。新型コロナの感染者だからといって全員が入院しなくてよいシステムのほうが合理的です。

　ただし、厚生労働省には危ういところがあり、建前的に筋が通ると本質を忘れて、市中のコロナ対策がおざなりになってしまうのではないかと懸念しています。そうすると、再び感染が拡大して重症者が増え、ICUが埋まってしまいます。皆さんは「そんなことはないだろう」と思うかもしれませんが、私は、厚生労働省の対応を何十年も見続けてきました。だからこそ、同じ過ちを犯すことを危惧しているのです。彼らは学習をしません。SARSや新型インフルエンザの報告書でも、アメリカのCDCのような組織が必要だと書いてあるのに、政権が変わり、医系技官が異動すると、なかったことになります。新型コロナの第2波で対応を誤ったのも感染者を放置したからで、沖縄なんてインフラが十分でないなか、大変な惨事になりました。今後も幾度となく同じことが繰り返されるのではないかと懸念が拭えません。

国民の不安を煽り続けたワイドショー
小中高の一斉休校に感染防止の効果はなかった

寺崎 コロナ危機は国民の生活や経済活動にも甚大な影響を与えました。国民は社会の混乱をどのように受け止めているでしょうか。

西田 情報が氾濫し過ぎていて、何を信頼していいのかわからない状況です。総務省が今年6月に公表した「新型コロナウイルス感染症に関する情報流通調査」によれば、新型コロナに関して、特に信用できる情報源やメディア・サービスは、「NHK」（43.7％）、「政府」（40.1％）、「民間放送」（38.0％）の順に高い結果となりました。NHKは品質がコントロールされた番組が多いのですが、民法のワイドショーなどでは検査の母数が異なるのに感染者数だけを強調して報じたり、ウイルスの写真を毒々しい色にして、低音のBGMをバックに重々しいナレーションで映すなど、視聴者の不安を煽る報道が目立ちました。さらに、政府や厚生労働省の具体的な対応策やWHOの方針など大局は伝えず、タレントや文系コメンテーターの見解を前面に押し出すなど、偏り過ぎていたように思います。第1波のときは、不安を煽る政治的なインシデントが重なり、不確かな情報が氾濫したことで、トイレットペーパーの買い占めや食料品の買いだめにつながりました。

寺崎 メディアの報道のあり方を見直す必要がありそうですね。

西田 先ほどの指定感染症の位置づけに関して岩田先生に質問があります。インフルエンザ対策とコロナ対策がおおむね一致するのであれば、2類相当から5類への変更は、それほど必要ではないとの認識になるのでしょうか。

岩田 コロナ対策を徹底するとインフルエンザ対策になるのは、その通りです。一方、例年のインフルエンザ対策では、コロナ対策にはなりません。現状のコロナ対策は非常に強固で、季節性のインフルエンザに対しては、そこまでしないからです。また、季節性のインフルエンザと新型コロナを比べると、圧倒的に恐ろしいのは新型コロナです。欧米の高齢者の死亡率は圧倒的に高く、日本でも70歳以上の高齢者の死亡率はイタリアと同じ水準です。日本人は死亡リスクが低いというのはデマで、単に感染者の数が少ないことがもたらした結果でしかありません。感染者数が増えれば、死亡者数も増えます。

西田 強固なコロナ対策がインフルエンザ対策になるのは、興味深いところです。ただ、2類相当から5類への変更は気の緩みを生み、強固な対策を解くことにつながってしまうのではないでしょうか。医師出身の政治家や文系コメンテーターもそうですが、全般的に緊張感を解いて経済活動を正常化させたい思惑が透けて見えます。

岩田 世界の情勢を見ていて明らかなのは、コロナ対策を緩めると感染者が増え、厳しくすると再び収まるということです。対策がうまくいっていると目されている国々は、ウイルスを抑え込んでから経済を回しています。中国や韓国、ニュージーランドなどがそうですが、ウイルスをなくすことで、ソーシャル・アクティビティを上げています。逆にウイ

ルスを蔓延させて構わないと公言しているのは、アメリカとブラジルぐらいです。日本でも一部の政治家、ICUの患者を治療したことのない医師、感染症が専門でない医師のなかには、「コロナは風邪と同じ」という人もいますが、放置してうまくいった国はありません。

　日本はデータやサイエンスをほとんど検証せず、政治や政局を動機づけにして、アドホックに物事が決まっていきます。2月下旬から始まった小中高の一斉休校も、新型コロナの感染抑制にはまったく役立ちませんでした。時系列解析の数値データから介入効果を検証すると、一斉休校により感染者が減ったという事実は認められません。政策の効果を解析する際、日本は「一定の効果があった」「それなりにうまくいった」など、やんわりとした枕詞をつけて何とでもとれる言葉で片づけがちです。

寺崎　一斉休校に関しては、社会の雰囲気を変える効果はありましたが、賛否両論が巻き起こりました。社会的なインパクトでいえば、むしろ、有名タレントの感染や死亡のほうが大きかったように思います。猪口先生は指定感染症の扱いを変えることについて、どのようにお考えでしょうか。

猪口　安倍晋三元総理が退陣を表明した少し前、政府のコロナ対策本部から出てきた話では、2類相当から5類へ移すのではなく、新型コロナは特別な扱いとして2類相当のまま現実に合わせて柔軟に対応していきましょうとのことでした。具体的なところは今後の分科会などで詰めていくのだと思います。

寺崎　インフルエンザ並みにするのではなく、コロナはコロナということで、軽症者まで厳格に病院へ隔離することを緩めるということですね。規制を緩める際は、情報の発信方法にも工夫が求められます。

西田　われわれの社会は、社会的・政治的な出来事を極めて忘れやすく、メディアも新型インフルエンザの蔓延や特措法改正のプロセスなどを丁寧に解説していれば、いまとは違った状況が生まれていたかもしれません。新聞やNHKは定期的にそうした"棚卸し"をしていますが、速報的には行われず、テレビはほとんどしません。背景には、ニュースバリューの問題や記者のローテーションが関係しているのでしょう。情報番組の制作現場では、データベースに入っている映像と記事を使用し、演出家の指導のもと、番組に合わせてMCとコメンテーターが発言するだけです。午前の番組の評判によって午後の番組で流す映像の順番を変えるくらいで、記者は制作の現場にさえいません。平時はさておき、感染症による危機がこれだけの規模で広がったのに、このままでよいのか。メディアと公衆衛生の問題を再考すべきです。新型インフルエンザの統括でも指摘されつつ、SNSの登場でさらに問題は複雑になっているようです。

当面はウィズコロナの状況が続く
冗長性のある社会へ変えていくことが重要

寺崎 今後、新型コロナを一定程度コントロールできたとして、ポストコロナ時代はどのような社会になっていると思いますか。

岩田 私の予測では、地上から新型コロナがなくなることは当分ありません。かなりの数のワクチン開発が進んでいますが、どれも症状を軽くする効果はあっても、天然痘ワクチンのように、病原自体をなくすパワフルなものができる可能性は低いでしょう。国民の大多数が免疫を持ち、抵抗力を備えるのは相当先になります。

　しかし、悪いことばかりではありません。社会のなかにある無駄があぶり出され、効率化が図られるなど、肯定的な変化が少しずつ見えてきました。大学は典型的に無駄の多い組織で、長らく無駄を放置してきましたが、前向きに変えようと動き出しています。企業によってはリモートワークを積極的に推進しており、神戸の街を歩いていても人の姿は減りました。世界的に見て、日本の企業や教育・医療現場の生産性は低く、夜遅くまで職場にいることが偉いとする大学病院もありますが、新型コロナはそうした意識や風潮が無駄であると理解するチャンスになると思います。

　現在の高校生のように社会に出る前から新型コロナを経験していれば、オンライン授業がない教育機関は非常識だと考えるようになるでしょう。われわれと常識の尺度が異なる、新しい発想を持った若手の台頭に期待したいところです。日本は若者がリーダーシップを取りにくい環境にあります。そうした点も改善できれば、社会はもっとスピーディに変化していきます。リモートワークが思うように浸透しないのは、官邸や省庁、地方の役所など、本来、真っ先に取り入れるべきところがそのままだからです。

猪口 私も岩田先生と同じで、ポストコロナはなく、ウィズコロナが続くと思います。そうしたなか、全日本病院協会の運営も大きく変わり、年間約200回開催していた集合研修や講習会、毎月約20回あった委員会はZoomに移行しました。その結果、講習会や研修会の収入は少なくなりましたが、講師や参加者の交通費が大幅に減り、なんとか回り始めています。研修や講習会は、リアルだと会場の関係で200人しか参加できませんが、オンラインなら1,000人でも2,000人でも受講できます。仮に新型コロナが収束しても効率的なシステムは残っていってほしいと思います。

　一方、医療の現場に目を向けて見ると、診察の間隔はしばらく空いても大丈夫だとか、この年齢ならこの手術は必要ないなど、患者側はいろいろなことを学びました。そのため、たとえ新型コロナがなくなったとしても、患者数は元に戻らないと考えています。

　加えて、地域医療構想の方向性は大きく変わっていくと思います。複数の病院が少数のコロナ患者を入院させるのは非効率的で、選択と集中、役割分担を進めることが大切です。感染症をどのように位置づけ、新たな脅威にどのように備えるかなど、医療法の改正

に向けた議論も必要でしょう。

西田 コロナ禍の教訓をなるべく忘れないように、メディアや政治はどうあるべきかを訴え続けることが大事だと思います。いまは総務大臣がNHKの年間予算をカットするように求めていますが、効率化一辺倒だと優秀なディレクターが育たなくなり、自己研鑽の時間もなくなります。医療にも同じようなことが言えるのではないでしょうか。

　一方、多くの人が不満を抱えるなか、本当に困っている人たちの声が届かなくなることを懸念しています。困窮者の状況は悪化していて、私は、その原因は困窮者を支援していた政党が困窮者の声に耳を傾けなくなったからだと考えていて、とても不安に感じています。もともと日本には生活保護バッシングがあるため、当事者は声を上げにくい環境におかれていますが、以前にも増して困窮者の実態が把握しにくくなりました。当初、特定定額給付金は困窮世帯と家計急変世帯に30万円を配る内容でした。ところが、多くの人の不平不満を受けて国民1人当たり10万円に変わりました。困窮家庭は世帯人数が少なく、1人10万円では不十分という意見もあります。多くの人たちの不満はケアできても、本当に困っている人が見放されてしまうのは危険なことです。

　こうした問題は過去40年間の行財政改革のなかで歳出を削減してきた問題とも直結していて、病院の機能分化・効率化とも関係しています。冗長性をどのように取り戻すのか——。コスト削減や効率化も結構ですが、もう1つの尺度として、冗長性の確保を提起しないといけないと考えています。

格差の広がり、分断の進行を食い止め誰もが希望を持てる次世代社会へ

寺崎 それでは最後に、座談会を総括して、読者の方々へのメッセージをお願いします。

西田 貴重な機会をいただき、ありがとうございました。座談会を通じて、感染症やインフルエンザに対する考え方、新型コロナの指定感染症における位置づけを変更して、社会経済活動を活発にしていこうという流れなど、先生方が当たり前に共有している基本的な知識がうまく社会全体に浸透していないことに課題を感じました。どうすれば解決できるのか、根は深いと思いますが、政治的・社会的な側面を含めた対策が必要だと思います。

岩田 西田先生のお言葉を聞くと、医療側が上手にコミュニケーションできていないところもあり、申し訳なく感じます。ただ、病院で院内感染があると、医師や看護師もパニックになります。専門職に対してであっても新型コロナのデータやファクトを伝えるのは困難で、一般まで対象を広げるなんて不可能ではないかという絶望感も漂います。ワイドショーでデタラメなことが伝わるのはつらく、何とかしたいところです。

　一方、新型コロナが社会の分断を加速させてしまうことも危惧しています。京都の観光スポットはどこもガラガラで、駅前の百貨店は客より店員のほうが多く、気の毒としか

えません。ところが、アメリカでは株価が上がり、コロナ禍で儲かった企業もたくさんあります。格差が広がり、分断はさらに進んでしまうのかもしれません。

いまの政治は3割の支持者をつなぎとめておけば、政権を維持でき、大多数の声を聞く必要がありません。すると、届かない声の持ち主はどうなってしまうのか。在宅医療、長期療養施設、老人ホームの現場は無防備で、どうしても感染症対策が難しい局面が生じますが、そうした人たちの声が政治に届くような気がしません。

また、冗長性は重要なキーワードだと思います。私は、感染症対策は消防署と同じだと考えていますが、消防車が出動してばかりの状況は不健全です。病院も同じで、感染症指定医療機関の病床稼働率が99％ないと経営的に維持できないのは無理があります。いまは病棟を減らして効率を上げて、選択と集中で余剰を減らす方向性ですが、無理が続けばスタッフが足りなくなり、疲弊がたまり、それが院内感染につながり、さらなる疲弊を生むという悪循環にしかたどり着きません。私は今回2度の院内感染を経験しましたが、まさに地獄です。冗長性を前提とした仕組みにしないと、コロナ対策は不可能です。

猪口　今日はさまざまなお話ができて、勉強になりました。私は長年、中央社会保険医療協議会の委員を務めていて、現在は退任しましたが、診療報酬改定があるたびに、全日本病院協会の支部を回り、改定のポイントを解説していました。今年はそれがなくなり、Zoomで全国の先生から病院の現状を聞いていますが、都道府県の格差には驚かされます。感染者が少ないところは10人ほどで、新型コロナの入院患者よりも用意したベッドのほうが多く、その代わり1人でも陽性者が出ると、風評被害でその人が生活できなくなるそうです。マスコミにはもう少し配慮のある報道を期待しています。

話は変わりますが、私は音楽が好きで定期的にライブを行っています。これもいつ再開できるかわからず、とても残念ですが、ライブや小演劇ができなくなると、プロが生まれず、文化が失われていくことになりかねません。人が集まり楽しめる場所がなくなることが心からさみしく、少しでも早い収束を願っています。

寺崎　コロナ禍において、さまざまな問題に直面している人たちがいます。格差が広がり、分断が進むと社会の混乱は深刻な状況に陥りますが、違いは違いとして認め、助け合う関係性ができると社会を強くするチャンスにもなります。そういう意味でも、新型コロナをきっかけに希望ある次の社会を築くことが、いまを生きるわれわれの務めだと感じました。本日はありがとうございました。

第2部

新型コロナ危機から見えた日本の社会・医療体制における課題と展望

第1章 世界各国の感染防止対策 何が明暗を分けたのか
岩田健太郎（神戸大学医学研究科感染治療学分野教授）

第2章 地域の医療提供体制をどう守るか 遠隔ICUシステムの可能性
中西智之（株式会社T-ICU代表取締役社長、集中治療専門医）
鴻池善彦（株式会社T-ICU、集中治療専門医）

第3章 コロナ不安で分断された社会 差別・偏見・誹謗中傷の仕組みと対処
中谷内一也（同志社大学心理学部教授）

第4章 メディアはコロナウイルス危機をどう伝えたか 医療報道のあり方を問う
伊藤 守（早稲田大学教育・総合科学学術院教授）

第5章 コロナ禍における外部委託 病院と業者の信頼関係を再構築せよ！
馬場園明（九州大学大学院医学研究院医療経営・管理学講座教授）

世界各国の感染防止対策 何が明暗を分けたのか

岩田健太郎
神戸大学医学研究科感染治療学分野教授

　新型コロナウイルス感染症対策の「成否」を論ずるときには、ヨコをキョロキョロ見るのが大事である。他国との比較だ。ただし、比較は簡単そうに見えて、案外難しく、技術が必要だ。まずはゼロベースに立ち、結論ありきの議論をしないのが肝心である。そうやって見ていくと日本のコロナ対策はうまくいっている部分と、そうでもない部分がある。そこを丁寧に検討して、得られる結論。それは「感染者を減らすべき」という月並だが、案外日本で看過されやすい感染症対策の大原則だ。

1　第1波における世界各国の感染防止対策の比較・検証

　本稿執筆時点（2020年8月26日）で、世界各国の様相は様々である。日本は第1波が終了し、第2波の真っ只中にある。もちろん、first wave, second waveというのは科学的定義があるわけではないが、それは時系列に観察すれば見えてくる「現象」なのである。現象は構造主義的に恣意的に規定されるものなので、「これは本当に第2波と呼べるのか」という類の不毛な観念論争には筆者は参加しない。

　日本の「第1波」は3月下旬からの急峻な感染者の増加として発生し、4月中旬には減少傾向となり、5月中旬にはほぼ終焉したと判断する（図1）。感染日、報告日、発症日などによる細かな「ずれ」は存在するが、大意に影響しないのでここではこだわらない。この間、新型コロナウイルス感染症（COVID-19）と診断された感染者は1万人以上、死亡者は1,000人程度であった。

　では、同期間の世界各国はどのような状況であったか。特徴的な国をピックアップして紹介する。

(1) 中国をはじめとするアジア諸国の状況

　まずは、このウイルス感染の「震源地」と見なされている中国である。

　中国では、武漢を中心に1月から感染者が激増し、8万人規模のアウトブレイクに至っ

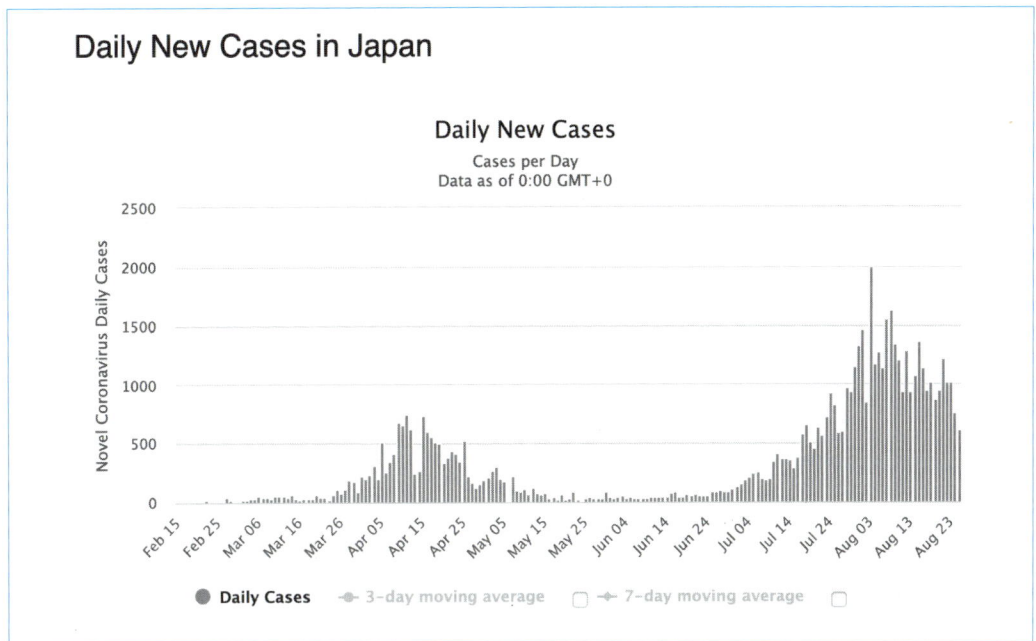

図1　日本の新規感染者数の推移
　　　出典：https://www.worldometers.info/coronavirus/country/japan/ より（閲覧日2020年8月26日）

た（図2）。しかし、武漢のロックダウンをはじめとする強力な感染対策が功を奏し、2月中には感染が下火になった。その後、散発的なクラスターは発生しているが、概ね感染は抑え込まれ続けている。本稿執筆時点で中国では4,634人のCOVID-19による死亡が報告されているが、人口100万人あたりに換算すると死亡者はわずか3人。日本のそれよりもずっと低いものになっている（9人/100万人）。

　COVID-19は調べ方、診断の仕方によって「感染者数」は大きく変わる。時系列でトレンドを見るときは、感染者数はそれなりに参考になるが、国別の比較は難しい。（問題は皆無とは言えないが）より信頼できる比較指標は人口あたりの死亡者数である。そして、本稿執筆時点で死亡者数が少ない国の多くはアジアの国々である。ミャンマー（0.1人/100万人、以下同様）、ベトナム（0.3）、台湾（0.3）、タイ（0.8）、マレーシア（4.0）、シンガポール（5.0）、韓国（6.0）、香港（10.0）といった国々だ。こうした国々は現在でも散発的な感染症アウトブレイクとその抑え込みを繰り返しているが、世界規模で言えば感染対策が概ねうまくいっているグループと考えてよいと思う。

(2) 西欧諸国の状況

　一方、こうしたアジアの国々よりも遥かに大きなダメージを受けたのが西欧諸国である。最初に流行が起きたイタリアでは、3月から急峻な感染者の増加が発生し、この「第1波」を抑え込んだのは6月になってからであった。本稿執筆時点で3万5,445人が亡くなって

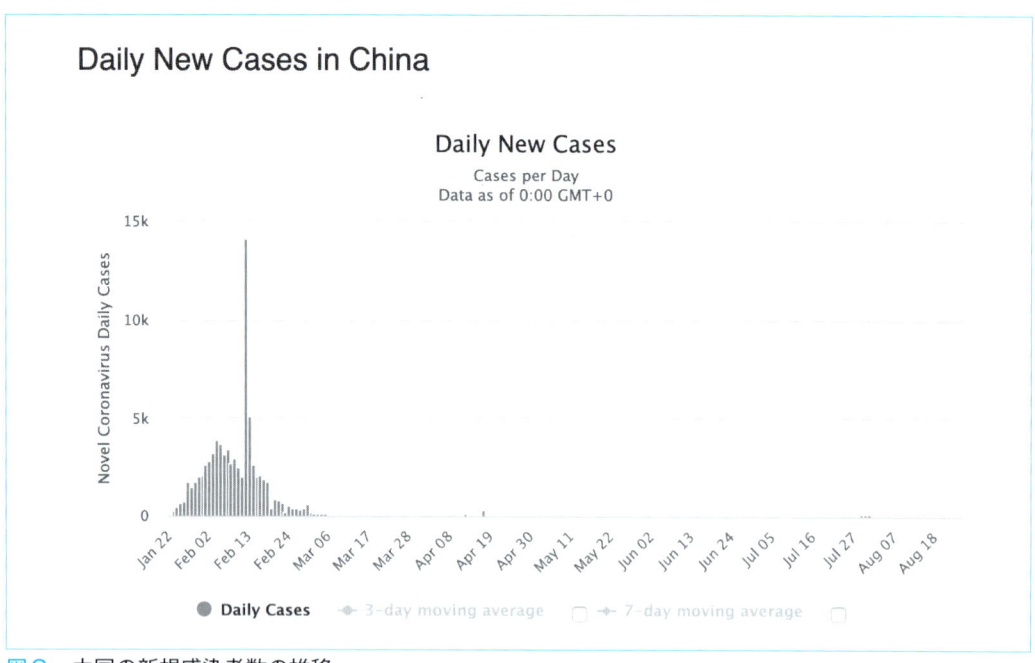

図2　中国の新規感染者数の推移
出典：https://www.worldometers.info/coronavirus/country/china/ より（閲覧日2020年8月26日）

おり、これは人口100万人あたりでは586人となる（図3）。前述のアジア各国に比べると圧倒的に多い。また、8月になって経済活動の活性化や観光旅行の奨励が災いして再度感染者が増加しており、「第2波」に至らないかどうかが懸念されている。

　同様に、COVID-19に苦しめられた国々には、英国（人口100万人あたりの死亡者数610、以下同様）、フランス（468）、スペイン（619）、ドイツ（111）、スウェーデン（575）、ベルギー（862）などがあげられる。

　ドイツは日本よりもPCR検査体制がしっかりしており、感染対策に成功した、と報じる向きもあったが、実際にデータを見てみると感染者数も死亡者数もアジア各国よりもずっと多くなっている[1]。

　日本ではなぜか検査論争が多く、PCR検査をするかしないかで感染対策の是非が決まると信じる向きが多いが、検査は感染診療や感染防御の手段の1つに過ぎず、これのみが国の感染対策の成否を決定するわけではない。ドイツのように積極的にPCR検査をやっても感染経路が有効に遮断されなければ、感染者は増え、感染者が増えれば結果として死亡リスクは増加する（後述）。

　スウェーデンは当初、強力な感染防御策をとらずに国民に免疫が普及するのを待つという異例な戦術をとったが、感染者、死亡者の増加のためにほどなくこの策は頓挫した（図4）[2]。スウェーデンでは図5で示すように現在、死亡者が減っているが、これはオーセンティックな感染対策のために感染者数が抑えられた結果であり、「野放図に感染させても免疫力

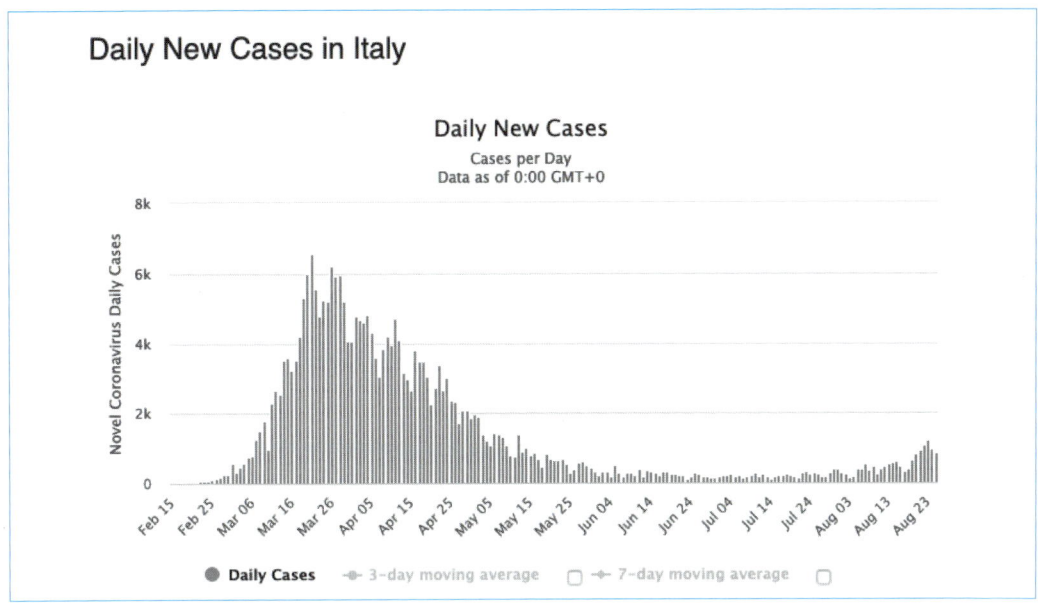

図3　イタリアの新規感染者数の推移
出典：https://www.worldometers.info/coronavirus/country/italy/ より（閲覧日2020年8月26日）

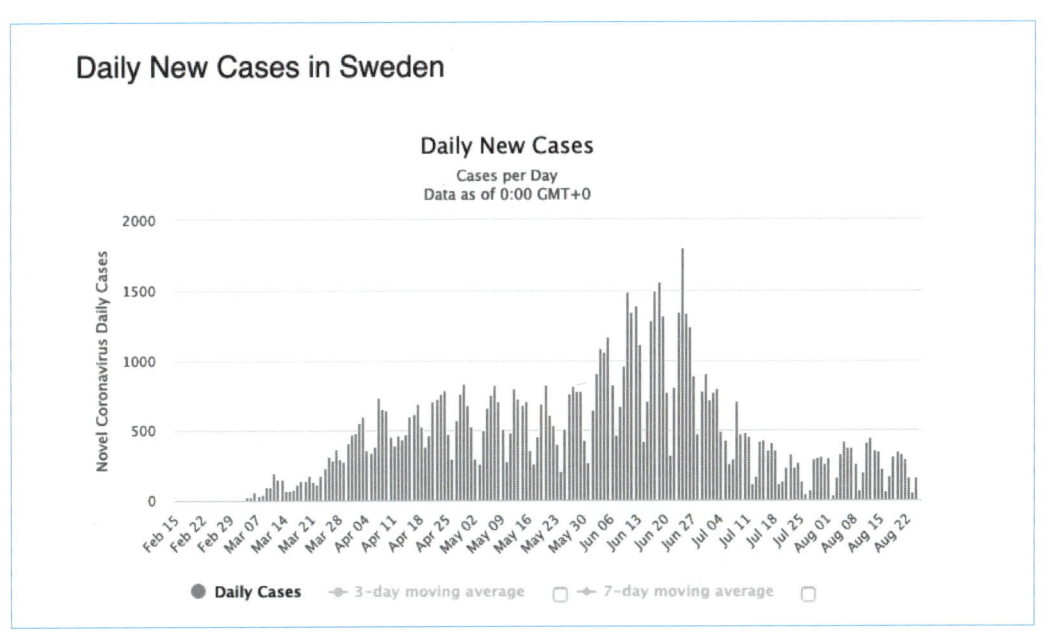

図4　スウェーデンの新規感染者数の推移
出典：https://www.worldometers.info/coronavirus/country/sweden/ より（閲覧日2020年8月26日）

で死亡者が減る」という話ではない。
　COVID-19に対してあれやこれやの「奇策」が提唱されている。素人が妄想する分には罪は小さいが、決して国家や自治体が採用すべきものではない。

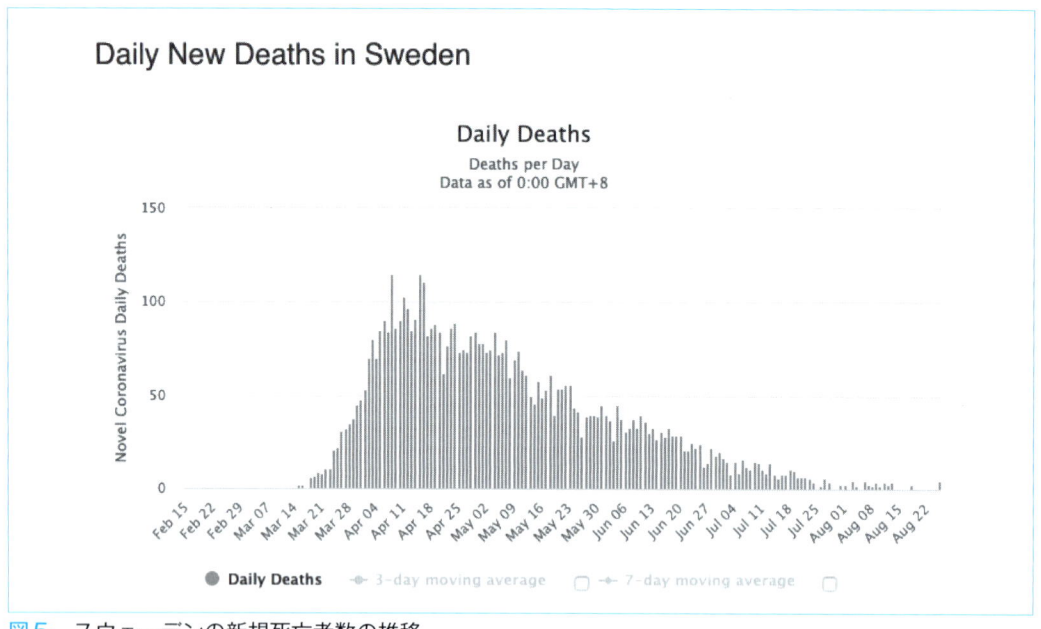

図5　スウェーデンの新規死亡者数の推移
出典：https://www.worldometers.info/coronavirus/country/sweden/ より（閲覧日2020年8月26日）

(3) 米国の状況

　次に、北米の米国を取り上げる。米国は現在、悲惨な状況だ。米国の場合はそもそも「第1波」を抜けきれておらず、死亡者は18万人を超え、人口100万人あたりの死亡者数も551。感染者数こそようやく減ってきたが、COVID-19の場合、長い闘病期間があり、死亡は1か月程度遅れて発生する。米国の死亡者はまだまだ増えるだろう。同様に感染が現在に至っても抑え込めていない国に、ブラジル、インド、ロシア、南アフリカ共和国、ペルーなどがある。

2　日本人の死亡率が低い要因（ファクターX）に関する考察

(1) 日本の70歳以上の患者死亡率は、イタリアと大差がない

　死亡「率」を論ずるのは難しい。率はわり算であり、その分子（死亡者）で間違えることは少ないが、分母は数えようによって相当の増減があるからだ。
　たとえば、日本の「第1波」と「第2波」では、後者のほうが診断感染者は多いが、これは端的にPCR検査数が増えたことが一因である。また、第2波は当初若い層中心に流行し、若年者は死亡リスクが低いために「死亡率」も当然低くなった。「日本のコロナウイルスは弱毒化した」という「素人説」が出回ったのもこのころだが、長いウイルス感染症の歴史に

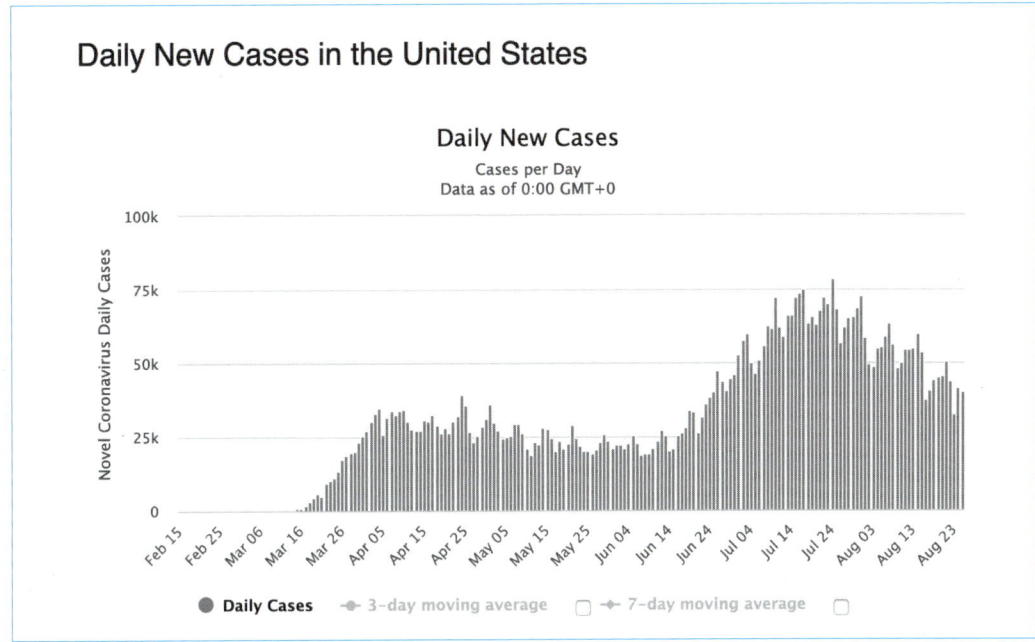

図6　米国の新規感染者数の推移
出典：https://www.worldometers.info/coronavirus/country/us/ より（閲覧日2020年8月26日）

おいて、多数の遺伝子突然変異があっても疾患そのものの特性が短期間で激変することは稀である。第2波でものちに高齢者などリスクグループでの感染が増え、その後、長い闘病期間のあとに（予想されたとおりに）死亡者も増え出した。「第2波」での70歳以上の患者死亡率は25.9％と「第1波」と変わらない結果となった[3]。この短期間にウイルスの属性は大きく変じなかったのである*。

　無症状者も多い若者を込みにすると、本当の意味での死亡リスクは比較しにくい。発症しやすく、重症化、入院可能性が高い高齢者でのデータがより参考になる。たとえば、イタリアでは70代患者の死亡率は26.7％と日本のそれと大差がない（Coronavirus (COVID-19) death rate in Italy as of August 11, 2020, by age group Statista https://www.statista.com/statistics/1106372/coronavirus-death-rate-by-age-group-italy/ 閲覧日2020年8月26日）。本稿執筆時点で、SARS-CoV-2の臨床的な特性や死亡リスクが地域によって異なる、あるいは死亡リスクが人種によって大きく異なるというエビデンスには乏しいのだ[4]。

（2）ファクターXは幻想である

　これまで得られたデータから推察するに、各国の成否を分けたのは人種や生活習慣、文化といった属性ではない。そう筆者は考える。

＊　その後、感染症研究所は第2波の高齢者死亡率の数字を訂正したが、ウイルスの属性変化が原因ではないと述べている。この訂正については本稿執筆時点で詳細が不明であり、確認できない点がある。

成否を分けたのは「数」である。感染者が増えると、死亡者が増える。感染者が減ると、死亡者も減る。単純な話だ。中国でも、韓国でも、日本でも、西欧諸国でも、米国でも、まったく同じ現象が見られている。

　日本が「ラッキー」だったのは、中国が隣にあり、武漢の肺炎リスクが喧伝され、春節のインバウンド輸入が懸念され、ウイルス持ち込み当初からクラスターを検知できていたからだ。感染者が少ないときは、COVID-19は御しやすい。日本では3月まで少ない感染者を上手に抑え込んだのである。よって、死亡リスクも小さかった。

　すでに下水などのサンプリングから、欧州各国では2019年からSARS-CoV-2感染が発生していたことが推察されている[5]。気づいたときには大量の感染者（その多くは無症状）が発生していたのだろう。しかし、オーセンティックな感染対策を行い、感染経路を遮断し続ければ感染症は減る。欧州の多くで感染者が減らせたのはそのためだ。これを怠り、感染を看過した米国やブラジルでは感染者が増え続けた。続いて、死亡者も増えた。簡単なからくりである。

　ファクターXなど幻想であり、そんなものは実在しない。筆者はそう考える。ひょっとしたら、日本人などではCOVID-19による血栓形成がされにくいといった属性は存在するかもしれないが[6]、前述のように日伊で死亡率が大きく違わない以上、それは臨床的に大きなファクターとは考えにくい。

(3)「命を救う」ためには、感染者数を減らすしかない

　日本がアジア諸国同様に「第1波」を上手にやりくりしたのは、感染者数を少なく抑え込むのに成功したからである。それ以上でも、それ以下でもない。

　本稿執筆時点で日本は「第2波」の只中にある。「第1波」の成功体験をきちんと吟味することなく、「ファクターX」のような怪しげな神話によりかかったため、「第2波」対策はもろくも失敗した。感染者が増加しても看過し、「あれは若者の間の感染だ」「重症者は出ていない」「医療は逼迫していない」と、感染増加そのものを許容してしまったのである。そのため、感染は日本各地に広がり、早晩、高齢者などのリスクグループでの感染が増加し、重症例が増加し、死亡例が認められるようになった。「第2波」が下火になってきたのは、人々がボランタリーに活動自粛を行い、各自治体が「新規感染者数を減らそう」と方針転換した結果である。繰り返すが、大切なのは感染者が減ることなのだ。

　感染が激増した沖縄県では、PCR検査のキャパシティが枯渇し、もともと潤沢でなかった医療リソースが逼迫した。感染が県外から入ってきて、それが増加するのを看過したためである。感染者数が増加したときはそれを減らすために検査を増やさねばならないのに、沖縄ではキャパシティが枯渇したために、むしろPCRを制限するという「逆目」をとった。「重症者の命を救うためのやむを得ない判断」だと説明されたが[7]、COVID-19治療の決定打がない現在、これは間違った判断であった。

「命を救う」ためには、感染者数を減らすしかないのである。

3 健全な感染防御こそ、健全な経済活動の前提

ゲームチェンジャーとなるワクチンや治療薬が開発されれば話は大きく変わるだろうが、現段階では我々に与えられた選択肢は、大きく分けて次の2つうちのどちらかである。

①新型コロナウイルス感染症対策＝感染者数を減らす、施策をとり続ける
②あきらめる

「感染者数を減らす」は、「経済をあきらめる」と同義ではない。むしろ逆である。健全な感染防御こそ、健全な経済活動の前提だからだ。

中国が好例だ。街のロックダウンを含む激しい感染対策で中国は感染を抑え込み、経済活動の再開を可能にした。感染者が出ればそこで強く、短期的な感染対策をする。感染を抑え込めば、また社会活動、経済活動は再開できる。日本のように感染者が増えているさなかに「Go To」のような見当違いな政策をとると、感染者はさらに増える。人々は心配し、旅行も娯楽も控えてしまう。結局、感染増加を看過したままでは人々は経済活動にコミットできないのである。

よって、日本の経済活動がしっかり回る状況をアウトカムにして「あきらめる」という第二の策をとるためには、「国民みんなで一斉にあきらめる」という大技が必要だ。ブラジルのような国がそういう決断をした。筆者はそれを好判断とは考えないが、読者の意見はどうだろうか。

■参考文献

1) 熊谷徹　日独のコロナ検査体制はなぜ大きく異なったのか？
https://business.nikkei.com/atcl/seminar/19/00023/060300171/
2) Sweden's pandemic no longer stands out. Financial Times. August 9, 2020.
https://www.ft.com/content/7acfc5b8-d96f-455b-9f36-b70dc850428f
3) 新型コロナ第2波、70歳以上の致死率 25.9% TBS NEWS
https://news.tbs.co.jp/newseye/tbs_newseye4061226.html
4) New coronavirus spread swiftly around world from late 2019, study finds – Reuters.
https://jp.reuters.com/article/us-health-coronavirus-evolution/genetic-mutation-study-finds-new-coronavirus-spread-swiftly-in-late-2019-idUKKBN22I1E3)．
5) Italy sewage study suggests COVID-19 was there in December 2019. Reuters [Internet]. 2020 Jun 19
https://jp.reuters.com/article/us-health-coronavirus-italy-sewage-idINKBN23Q1J9)
6) Nahum J, Morichau-Beauchant T, Daviaud F, Echegut P, Fichet J, Maillet J-M, et al. Venous Thrombosis Among Critically Ill Patients With Coronavirus Disease 2019 (COVID-19). JAMA Netw Open. 2020 May 1;3(5):e2010478–e2010478.)
7) 沖縄県がPCR検査範囲の見直し 「重症者救うためやむを得ない」 判断に至った背景　沖縄タイムス　8月8日
https://www.okinawatimes.co.jp/articles/-/613647

第2章
地域の医療提供体制をどう守るか 遠隔ICUシステムの可能性

中西智之（写真左）
株式会社T-ICU代表取締役社長、
集中治療専門医

鴻池善彦（写真右）
株式会社T-ICU、集中治療専門医

　新型コロナウイルスの感染拡大は医療提供体制にも大きな影響を与えた。重症患者の最後の砦であるICUでは、感染患者の急増のため、人、機材、病床などさまざまなものが不足する事態となった。そのうち最も重要な人材の不足を補えるのが遠隔ICUである。遠隔ICUは20年前に米国で生まれた新しい医療である。情報通信機器の発展を背景に、臨床現場で働く医療者のサポートを目的として活用されてきた遠隔診療の1つである。株式会社T-ICUは遠隔ICUを事業化した国内唯一の企業である。コロナ禍における地域の診療体制維持のため、兵庫県神戸市と協同で市内医療機関の支援を開始した。日本の遠隔ICUの現状と課題を総説する。

1　感染の第1波から見えたICUにおける課題

(1) コロナ禍のICUで何が起きていたのか

　日本では大病院を中心に、集中治療室（以下、ICU：Intensive Care Unit）という重症患者のための特別な病室がある。新型コロナウイルスの感染拡大で重症患者が急増したことにより、重症患者診療の最後の砦であるICUはにわかに社会の注目を浴びるようになった。実は日本のICUはさまざまな課題を抱えており、今回の新型コロナウイルスの感染拡大はその課題を浮き彫りにした。

　では、新型コロナウイルスによる重症患者が増えた結果、何が起こったのか？　1つ目は病床の不足である。新型コロナウイルスの患者は1日に何人も入院することがあるが、ひとたび重症化してしまうと簡単には治らない。数日から数週間入院している間に、患者は次々に増え、やがて病床が足りなくなった。

　2つ目は他の患者への影響である。病気は新型コロナウイルスだけではない。心筋梗塞、

脳卒中、がんなど他の病気はそれまでと変わらず発症する。交通事故やケガも起こる。通常ならそれらの患者が入院していた病床の一部を、今は新型コロナウイルス患者が使用している。つまり、新型コロナウイルスの感染拡大は、「普段なら助けられた患者を助けられない」という事態を招きかねない。

日本における新型コロナウイルスの感染者は、2020（令和2）年4月をピークに減少したが、引き続き第2波や第3波が懸念されている。

また、仮に今回の新型コロナウイルスの危機を乗り超えたとしても、次に同じような感染症が大流行した際には、同様の医療危機が起こる可能性もある。

つまり、今日におけるICUの課題は、新型コロナウイルスだけが原因で起こったものではなく、潜在的な問題が単に顕在化したに過ぎないと言えるだろう。

（2）日本のICUが潜在的に抱える3つの問題

では、日本のICUが抱える問題とは何か？　これには3つの要因が絡んでいる。

①ICU病床数の不足

1つ目の要因は、ICU自体の不足である。日本は医療大国であり、これほど高水準の医療を安く、かつアクセスよく受けられる国は多くない。その日本においても、残念ながらICUに関しては十分ではない。

2020年5月に発表された厚生労働省「ICU等の病床に関する国際比較について」によれば、人口10万人当たりのICU病床数は、米国34.7床、ドイツ29.2床、イタリア12.5床、フランス9.7床、英国6.6床、日本13.5床となっており、最多の米国と比較すると、日本は約3分の1である（表1）。

②集中治療専門医の不足

2つ目の要因は、集中治療専門医の不足である。現代医学では専門が細分化され、さまざまな領域が存在する。世界標準では、集中治療医学は1つの専門領域として認められているが、日本の集中治療は1990年代から発展してきた比較的新しい領域であり、その歴史の短さのため、一般はおろか医療従事者のなかでも十分に認知されていない現状がある。

日本には、日本集中治療医学会が認定する「集中治療専門医」という資格がある。集中治療の専門家であることを示す資格は、今のところこれ以外にない。しかし、日本にいる約32万人の医師のうち集中治療専門医はたったの1,950人であり、医師全体に占める割合はわずか0.5％に過ぎない。医師の育成には時間がかかるため、今後も集中治療専門医の不足が続くことが予想される。

③集中治療専門医の地域偏在

3つ目の要因は集中治療専門医の地域偏在である。少ない集中治療専門医は主に都市部の大病院に偏在している。そのため、特に地方の中規模病院には集中治療専門医がほとんどいないのが実情である。

表1　世界各国のICU病床数

ICU等の病床に関する国際比較について

	ICU等合計病床数	人口10万人当たりICU等病床数	（参考）死亡者数（5月3日18時）	（参考）ICU等合計病床数当たり死亡者数
米国[*1]	77,809[*2]	34.7[*3]	66,364	0.8529
ドイツ[*4]	23,890	29.2	6,812	0.2851
イタリア[*4]	7,550	12.5	28,710	3.8026
フランス[*4]	7,540	11.6	24,760	3.2838
スペイン[*4]	4,479	9.7	25,100	5.6039
英国[*4]	4,114	6.6	28,131	6.7884
日本[*5]	5,603[*5]	4.3[*6]	（-）	（-）
日本[*7]	17,034[*7]	13.5	510	0.0299

[*1～3]：米国集中治療医学会が作成した資料（U.S. Resource Availability for COVID-19（2020年3月）及び、その根拠となるDavidらの原著論文（Critical Care Bed Growth in the United States（2015年2月））からの引用。なお、当該論文では、分母となる人口を20歳以上としているため、全人口とした場合は、さらに小さくなると考えられる。
[*4]：ドイツ、イタリア、フランス、スペイン、英国については、日本集中治療医学会の理事長声明（2020年4月1日）で引用されているRhodesの論文（2012年）から一部を抜粋。なお、当該論文では、ICU病床数として、各国の公式情報等を元に作成したとの記載があるが、それぞれの病床の定義は明確になっていない。ただし論文中に、「新生児集中治療病床（NICU）、小児集中治療病床（PICU）、冠疾患治療病床（CCU）、脳卒中治療病床（SCU）、腎疾患治療病床は除いた」との記載がある。このため、日本の病床数を計算する際には、それぞれの病床数は、含めずに計算を行った。
[*5]：日本集中治療医学会の理事長声明（2020年4月1日）で引用されているN.Shimeの論文（2016年）から一部を抜粋。
[*6]：内野，我が国の集中治療室は適正利用されているのか，日集中医誌（2010;17:141-144）から一部を抜粋。
[*7]：日本については、特定集中治療室管理料（5,211床）、救命救急入院料（6,411床）、ハイケアユニット入院医療管理料（5,412床）の合計数を記載。

出典：厚生労働省医政局「ICU等の病床に関する国際比較について」（令和2年5月6日）

では、日本のICU全体のなかで集中治療専門医のいるICUはどれくらいあるか？　答えはたったの3割である。

2　集中治療医の役割と遠隔ICUの可能性

（1）遠隔ICUの普及を目指し、株式会社T-ICUを起業

　本稿の共同執筆者である中西智之は、医師であり、集中治療専門医である。中西は、キャリアのなかで複数の二次救急病院のICUを見てきたが、その多くは集中治療医のいない、いわゆる「open ICU」と呼ばれる形態であった。集中治療医が不在のICUでは最新のガイドラインから外れ、時流に遅れた医療が行われていることも多く、診療の質の違いを強く感じていた。そして、「日本の多くのICUにはサポートが必要だ」と考えていたときに、米国では遠隔ICU（Tele-ICU）という医療が進んでいることを知った。そこで中西は、「すでに有用性が認められていた遠隔ICUを日本で普及させ、集中治療医のいないICUの診療の質を向上し、患者と医療者の両者を支援すること」を目的に、2016（平成28）年10月に株式会社T-ICUを起業した。

(2) 米国における遠隔ICUの発展

遠隔ICUという新しい医療は2000年代に米国で始まった。当時の米国でも集中治療医の絶対的な不足があり、さらに日本の約25倍の国土を持つ事情から、集中治療医のいない「open ICU」が数多くあった。一方、2002（平成14）年には、専門のトレーニングを受けた集中治療医がICUにいることで死亡率が低下し、患者の予後が改善することが米国ホプキンス大学の集中治療医Pronovostらによって示されており、集中治療医の必要性は強く認識されていた。つまり、「Open ICU」の課題解決を目指して、情報通信機器（ICT：Information and Communication Technology）と遠隔医療（Telemedicine）の発達を背景に発展したのが遠隔ICUである。

(3) 遠隔ICUの仕組み

遠隔ICUとは、サポートセンターと複数の病院のICUをICTネットワークで結び、病状や検査データを含む多くの患者情報を共有して、サポートセンターに待機した集中治療医が24時間体制で支援するシステムである。「離れた場所から本当に十分な診療ができるのか？」と心配される方がいるかも知れないが、その答えは「イエス」である。なぜなら、集中治療医の最も重要な役割は、多くの情報を正確かつ多面的に把握することであり、十分な情報さえ得られれば、離れていてもできることはたくさんある。それは、新型コロナウイルスの治療として注目された人工呼吸器やECMO（Extracorporeal membrane oxygenation：体外膜型人工肺）に関しても同様である。扱いの難しさが報じられたECMOは、何が難しいかと言えば、実は操作性ではない。刻一刻と変化する病状に合わせて、適切なタイミングで、的確な設定に機器を調節することこそが難しいのである。

確かに、対面でなければできないことはある。気管挿管や中心静脈路確保といった処置、中には自身で手術を行う集中治療医もいるが、集中治療医にとって、それらはすべて副次的なものであり、本分ではない。集中治療医の本分は病状を読み解き、未来の変化を予測して治療を進めることである。集中治療医は多くの情報を処理し、そこに専門性の高い知識と深い経験を乗せることで高度な治療を可能にしている。

3 感染拡大時に地域の医療体制をどう守るか

(1) T-ICUが提供する遠隔ICUシステム「リリーヴ」の概要

株式会社T-ICUでは、遠隔ICUシステム「リリーヴ」を提供している（図1）。このサービスを利用すれば、導入したその日から集中治療専門医や集中ケア認定看護師による高度なサポートを受けることができる。当社では現在25人の集中治療専門医と、看護面で専

門トレーニングを受けた15人の集中ケア認定看護師が在籍している。彼らが24時間365日待機し、まずは電話で相談を受ける。さらに、必要に応じて、インターネットを経由した画面共有で相手の電子カルテ情報や検査データ、画像を共有しながら相談を続ける。

当社のシステムでは、ノートPCを1台お渡しし、それを病院既存の電子カルテ端末とHDMIで接続する。当社ノートPCに内蔵した画面キャプチャーソフトは、電子カルテ画面と同じ複製画像を生成し、それをMicrosoft Teamsのテレビ会議システムで遠隔へ転送する。当社システムは3省3ガイドライン*に準拠し、また扱う画像に関してはあくまで複製画像であり、生データは持ち出さない。病院の既存ネットワークに入ることもなく、高度なセキュリティを維持している。

(2) 神戸市における「リリーヴ」の実証実験

新型コロナウイルスの感染拡大は医療体制を大きく揺るがした。いわゆる第1波と呼ばれる今春、兵庫県神戸市では神戸市立医療センター中央市民病院（以下、中央市民病院）を中心に、新型コロナウイルスの重症患者の診療が行われた。次第に増える重症患者でICU病床は埋まり、ついには満床で次の患者が入院できない状態になってしまった。さ

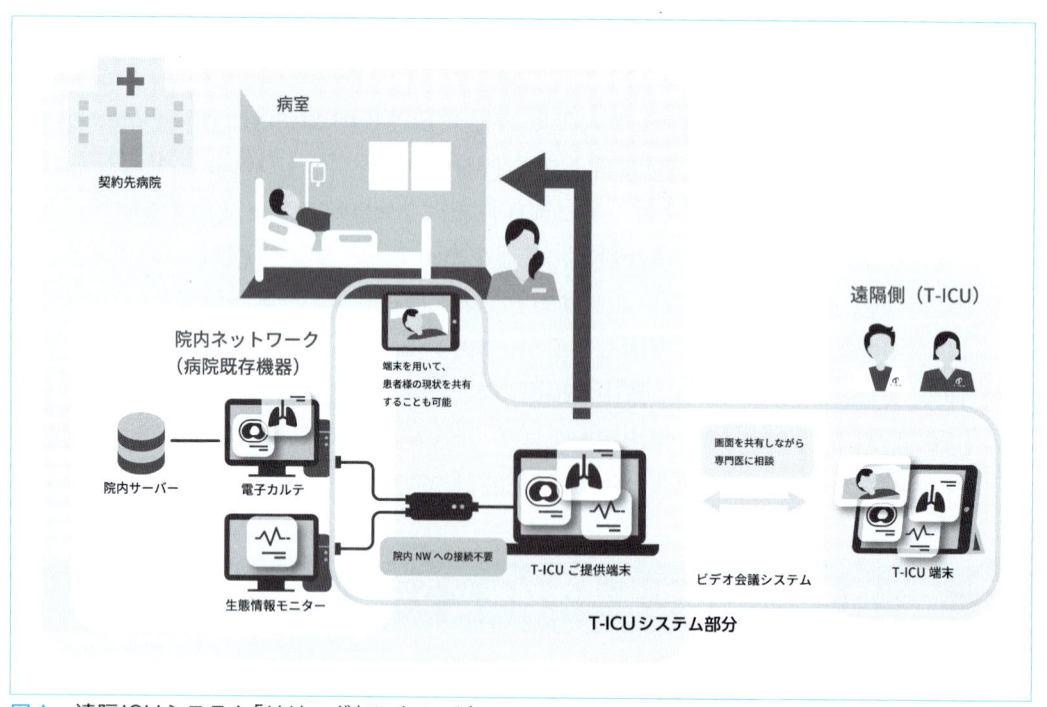

図1　遠隔ICUシステム「リリーヴ」のイメージ

* 厚生労働省「医療情報システムの安全管理に関するガイドライン　第5版」（平成29年5月）、②総務省「クラウドサービス事業者が医療情報を取り扱う際の安全管理に関するガイドライン　第1版」（平成30年7月）、③経済産業省「医療情報を受託管理する情報処理事業者における安全管理ガイドライン　第2版」（平成24年10月）の3つ。

らには医療従事者への院内感染が起こり、事態に追い討ちをかけた。

　周辺の二次救急病院で新型コロナウイルス患者およびその他の救急患者の診療をせざるを得なくなり、平時以上の数と重症度の患者を分担する必要が生じた。十分な準備もなく、増加する患者への対応を迫られた周辺医療機関にはサポートが必要であり、そこで検討されたのが遠隔ICUの導入である。

　2020年4月に中央市民病院を核とし、神戸市立医療センター西市民病院（以下、西市民病院）、神戸市立西神戸医療センター（以下、西神戸医療センター）の3病院で遠隔ICUの試験的導入が開始された。これまでの電話相談の枠を超えて、さまざまな患者情報がリアルタイムで共有され、3病院では一貫した連続性のある診療が展開された。また、事前に相談を重ねたことで他の2病院から中央市民病院への転院がより的確かつスピーディになり、地域の医療圏において適材適所の医療が実現できた。この結果を受け、神戸市における新型コロナウイルスの重症患者対策として、遠隔ICUが有用であると結論付けられた。

（3）T-ICU専門スタッフによる相談応需サービス

　9月からは神戸市と当社が協力し、神戸市内の二次救急病院において遠隔ICUの導入が始まった。ただし、実証実験と少し異なる点がある。実証実験では当社のシステムを利用し、中央市民病院が遠隔で西市民病院と西神戸医療センターをサポートする形をとっていたが、中央市民病院は今も最前線で診療を続けており、中央市民病院には市内の二次救急病院すべてをサポートする余力まではない。そこで本格導入に際しては、当社のシステムだけでなく、当社の専門家たちによる相談応需サービスも活用されている。

　われわれは中央市民病院と遜色のない支援が可能だと断言できる。なぜなら、そもそも当社はシステムを売るだけの会社ではないからである。「十分なトレーニングを積んだ集中治療専門医と集中ケア認定看護師が直接相談に応える」という充実した支援こそが当社の強みである。新型コロナウイルス診療の経験が豊富なスタッフも数多く在籍している。

4　遠隔ICUは次世代医療をどう変えるか

（1）遠隔ICUの活用によって救われる命がある

　今回の新型コロナウイルスは、さまざまな医療問題を引き起こした。そのなかで日本の重症患者診療で見えてきた課題は、日本には十分な集中治療を受けられる施設が不足しているという事実である。前述したように、その根底には、ICU自体の不足、集中治療医の不足、そして、それらの偏在という要因がある。遠隔ICUはそれらすべての解となり得る。

集中治療を行ううえで最も重要なのはトレーニングを受けたスタッフである。それこそが集中治療の質の明暗を分ける重要なファクターであり、決して機器さえ揃えればできるわけではない。十分なトレーニングを受けた者が直接介入すれば、多少の設備不足はカバーされ、ICUに近い水準の医療が提供できる。

　日本の集中治療の歴史は浅く、さらに医師の育成には時間がかかるため、集中治療医は急には増えない。すなわち、少ない集中治療医を有効活用する手立てが必要になるが、遠隔ICUなら集中治療医が現場にいる状況と極めて近い効果を得られる。集中治療医による診断と治療方針の決定、看護師を含むコメディカルとの連携、個々の患者のみならず病床全体を見た管理と運営など、その効果を挙げればキリがない。直接診療ができなくても遠隔ICUで代替できることはたくさんある。そして、それが24時間365日いつでも得られる。

　遠隔ICUはインターネットさえあれば、医師不足に悩む僻地や離島でも関係なく、どこでも展開可能で、導入されればすぐに支援が可能となる。医師の偏在を是正するにはさまざまな問題があり、たとえば、医師の待遇が挙げられるが、それは給与だけの問題ではない。医師の多くは自己研鑽を重要視している。そもそもの患者数が少なく、かつ疾病の幅が小さい僻地において、集中治療医は十分なトレーニングを積むことが難しい。また、勉強の場である学術集会へ参加するにもアクセスが悪く、かつ自分の代わりに勤務してくれる者がいなければ現場を離れることもできない。その他、家族の就労や養育環境など複数の要因が絡むため、医師の招聘にはどの地方も苦心していることが推察される。遠隔ICUであれば、それらの問題を解決できる。

　これまでの医療は他業種と同じく、都市部に機能が集中していた。医療を担う人、病院、企業を急に地方に分散することは現実的ではない。しかし、現代ではICTの発達を背景に、テクノロジーを駆使して機能を分散することが可能になった。遠隔ICUなら国内のどこへでも集中治療医による質の高い医療を届けることができる。そして、そのことによって救われる命が必ずあると考える。

（2）病院が遠隔ICUを無理なく導入できる体制づくりに向けて

　遠隔ICUが人材不足に悩む地方において、重症患者の診療体制維持に有用なことは疑いがないが、その普及は容易ではない。大きな課題の1つは、集中治療医そのものの認知の低さである。日本の集中治療は1990年代から発展してきた比較的新しい医療分野である。そのため一般はおろか医療現場でさえ、集中治療医の役割や優位性が十分に認知されていないのが実状である。近年、ようやく集中治療医という専門家がいることが認知され始めた段階である。

　今回の新型コロナウイルスは、皮肉にも「ICU」「集中治療」というワードや集中治療医の必要性が認知されるのに良い機会となった。一方で、個々の病院は新たな課題に直面し

ている。病院は新型コロナウイルス対策として、診療や感染予防のために多くの人手や手間、場所を割いて対応したが、これにより病院側の余力低下や受診患者数の減少を招き、多くの病院では経営状態が悪化する事態となった。残念ながら日本で遠隔ICUはまだ保険収載されていない。つまり、今の日本では、診療の改善を目指して遠隔ICUを導入した場合、病院経営上は支出増加にしかならず、コロナ禍で悪化した病院経営をさらに圧迫することになってしまう。日本の遠隔ICUが今後、普及していくためには、集中治療医の重要性の理解と、病院がそれを無理なく導入できる体制づくりが急務である。

今後当社では、サービスの根幹をなす診療支援そのものや情報通信手段を一層成熟させるとともに、遠隔ICUと集中治療医の必要性を社会に訴え、国内のどこでも高水準の重症患者診療が受けられる社会の形成を目指していく。そして、近い将来、国内のみならず、海外の発展途上国においても同様の診療支援を行う展望を持っている。

第3章

コロナ不安で分断された社会
差別・偏見・誹謗中傷の仕組みと対処

中谷内一也
同志社大学心理学部教授

　コロナ禍において医療従事者や感染者、それらの家族に対する差別や偏見、誹謗中傷が数多く報告された。感染患者を救うために奮闘する医療従事者が差別され、感染症に苦しむ患者が誹謗中傷を受けるのは、理不尽なことのように思われる。しかし、こういった差別・偏見は歴史的にも珍しいことではない。本章では、「世の中は複雑であるが、一方で人間の情報処理能力は限定的であり、そのため世界を単純化して低い負荷で理解し、対処しようとする」ことが差別や偏見の基盤にあることを説明し、関連する心理学モデルを紹介する。さらに、こうした問題にはどのような姿勢で取り組むべきかを考察する。

1　コロナ禍で起きた差別・偏見・誹謗中傷の事例

　新型コロナウイルスの感染拡大に伴い、コロナ対応の病院で働く医療関係者が来店を断られた、子どもを連れて公園で遊んでいると、「ここには来ないで欲しい」と言われた、より直接的には、「お前たちのせいでウイルスがまき散らされている」と罵倒されたといった事例が報告されるようになった。こうした事態を受け、政府の新型コロナウイルス感染症対策専門家会議・尾身茂副座長は、4月22日の記者会見で、「偏見や差別は絶対にあってはならない」と強調し、医療従事者の離職や休診などにつながっていることを指摘している。

　また、学生がヨーロッパへの卒業旅行で感染し、帰国後のパーティーを通じてクラスターが発生、関連する感染者が70人以上となった京都産業大学には、「大学に火をつける」「お前ら殺してやる」といった脅迫の電話やメールが寄せられ、京都産業大学生の入店を拒否する飲食店も現れた。8月には天理大学ラグビー部の寮でクラスターが発生し、部員171人のうち60人以上が感染したが、ラグビー部とは関係のない学生が教育実習の受け入れ先から見合わせを示唆されたり、アルバイト先から出勤を見合わせるよう求められたりした。ラグビー部は全員が寮生活を送っている一方、授業はすべて遠隔で実施され、すでに夏季休暇中でもあるので、一般の学生がラグビー部員から感染する機会はなかったにもか

かわらずである。

　こうした事態を受け、感染者やその家族、医療従事者を人権侵害から守るための条例を制定しようとする動きもみられた。東京都や岐阜県では春に条例が制定され、栃木県や那須塩原市は9月に開催される議会へ条例案を提出することになった。

　しかし、感染症の患者や関係者に対する差別や偏見は、今回の新型コロナ禍に特有の問題ではない。1998(平成10)年に制定された感染症予防法の前文では、「我が国においては、過去にハンセン病、後天性免疫不全症候群等の感染症の患者等に対するいわれのない差別や偏見が存在したという事実を重く受け止め」と述べられ、感染症患者等の人権尊重の必要性が謳われている。つまり、感染症患者や関係者への差別は今に始まったことではないし、次の新型感染症で生じないという保証もないのである。

2　差別・偏見・誹謗中傷はどうして起きるのか

(1) その差別や偏見は、筋違いか否か

　「差別や偏見はあってはならない」はそのとおりだが、教条的な訴求だけでは事態は変わらず、状況によっては差別が潜在化し、改善へのアプローチはかえって困難になるだろう。問題への対処にあたっては、まず、医療関係者への差別や感染者への攻撃がどうして起こるのかを理解すべきである。

　ここでのポイントは、それら差別や攻撃がまったく脈絡のない了解不能なものなのか、それとも、誤謬(ごびゅう)を含んだものであってもそれなりの論理があるのか、である。そして、考えるべきは、一般の人々にマスメディアやSNSを通して提供される情報から、病院は日常生活の他の場面（家庭、通勤・通学電車、会社や学校、街中）よりも感染リスクが低いとみなされるのか、高いとみなされるのか、である。もし、人々が病院内の感染リスクは他所よりも低いとみなしているのに医療関係者を忌避するとすれば、両者のつながりはまったく了解不能である。しかし、人々に提供される情報から考えると病院は感染リスクが高いとみなされるのが当然なら、人々が自分への感染リスクを低減させるために病院関係者を忌避するのはあながち筋違いではないことになる。

(2) メディア報道やSNSが植えつけた病院のイメージ

　そこで、コロナ禍において病院にまつわる報道事例を振り返ってみよう。まず、永寿総合病院（感染者数214名）、なみはやリハビリテーション病院（同133名）で起こった大規模感染の報道が挙げられる。さらに、院内感染の死亡率は20％で全感染者の4倍といった報道や、8月11日までに確認されたクラスター発生数は全部で847件、うち医療機関で165件、福祉施設で129件、飲食店で190件といった厚生労働省の発表もあった。こ

れらのように医療機関における大量の感染事例が報道されてきたが、さらに、それらの報道で示される統計量よりもいっそう強い印象を与えたのは、医師や看護師が防護服を身にまとい、あわただしく患者を治療する映像であろう。しかも、これらの報道では防護服やマスクの供給が逼迫し、混乱した現場で、感染リスクにさらされながら懸命に治療に励んでいるというコメントがつけられていた。

こういったことを考えると、人々が新型コロナ対応の病院に対してリスクが高いと感じるのは当然であり、新型コロナウイルスは人を介して感染することから病院関係者に警戒心を抱くことも理解できる。さらに、生活をともにする家族は濃厚接触するので、その子どもまでが警戒の対象となるのも不思議ではない。このようなことを述べるのは、医療従事者やその家族への偏見を正当化するためではなく、偏見を持つ側なりの論理があり、相手かまわず手当たり次第に差別的な行為を行っているのではないことを、まずは理解すべきだからである。

(3) 心理学モデルで考察する差別や偏見の本質

上記の議論に対して、おそらく2つの点から反論が寄せられよう。ひとつは、「ひとくちに病院と言っても感染リスクの高さは千差万別であり、新型コロナとは関連の低い病院の関係者までひと括りに感染リスクが高いと認識されるのはおかしい」というものである。そして、もうひとつは、「医療従事者や感染者、それらの家族に向けられる差別や偏見は単に感染リスクが高いという"認識"だけではなく、怒りや蔑みといった"感情"が含まれており、それこそが差別される側、偏見を持たれる側の心にダメージを与える」というものである。これらの反論はまったくそのとおりで、むしろ差別や偏見の本質を構成していると言える。ひとつずつ見ていこう。

まず、"ひと括り"については、「世界は複雑だが、人の情報処理能力は限定的であり、そのために世界を単純化して、低い負荷で理解しようとする」という人間像（Simon, 1956）を根底におき、それを人間理解に当てはめる（Hamilton & Gifford, 1976）と考えやすい。一人ひとりの医療関係者がおかれた状況、一つひとつの病院のありようはまさに千差万別であるが、それらを詳しく理解するには高い認知負荷が必要になる。そこで、対象をグループ化し、共通の性質を持つ集団として理解することで、低い認知負荷によってそのメンバーについて判断しようとする。このグループ化は主観的で大雑把なものなので、医療"関係者"グループに医師や看護師の子どもまで含まれてしまうことになる。天理大学のラグビー部は全員が寮生活なのだから、それを考えれば、接触機会のない天理大学の学生までひと括りにして教育実習やアルバイトを忌避する正当性はなくなる。しかし、そういった個別の状況を評価せず、対象をひと括りにしたほうが判断は簡便である。このようにして偏見が生み出される。

そのうえで、さらに医療従事者からの感染リスクを高く認識させてしまう心理学的要因

がいくつもある。たとえば、私たちは頭のなかに想起しやすい事柄の発生頻度や確率を高く見積もってしまうことが知られている (Tversky & Kahneman, 1973)。先に、混乱した現場で感染した患者を治療する医師や看護師の映像が繰り返し報道されたことについて述べたが、映像は抽象的な言説よりも記憶に残りやすい。このため、医療従事者の感染確率は過大視されやすくなると推測される。また、いったん「医療従事者の感染確率が高い」という認識を持つと、その後、事態が改善し、院内感染や医療従事者の感染率が低下しても、確証バイアス（たとえば、Wason, 1968）により人々の認識は覆りにくいだろう。

(4) 人は自分の考えの正しさを裏付ける情報を積極的に入手する

　図1をご覧いただきたい。ここで扱う4枚のカードの表面には必ず数字が書かれていて、裏面は縦縞か横縞である。さて、「表面に偶数の数字が書かれていれば、その裏面は横縞である」という仮説が正しいかどうかを確かめるためには4枚のうち、どのカードを裏返せば良いだろうか。

　答えは、「2」と「縦縞」カードである。ところが、多くの人は「2」と「横縞」と答える。偶数である「2」のカードを裏返して横縞なら仮説は生き残るが、縦縞ならその時点で仮説は棄却される。それで多くの人はまず「2」を裏返そうとする。ここまでは良い。もうひとつ、横縞のカードを裏返してみても、奇数が書かれていようが偶数が書かれていようが、仮説の検証には役立たない。奇数の裏が横縞であっても仮説を棄却できないからである。一方、縦縞のカードを裏返して奇数が書かれていれば、それによって仮説は棄却される。にもかかわらず、なぜ人は「2」と「横縞」カードを選ぶのか。

　それは、人がある考え（たとえば、医療従事者の感染リスクは高い）が正しいかどうか

図1　4枚カード問題

出典：Wason（1968）に基づき筆者作成

を判断しようとするとき、それが正しいという情報を積極的に手に入れようとし、それが間違っているかもしれないという情報を選ぼうとしない、という傾向があるからである。

（5）公正世界誤謬と置き換えられた攻撃

次に、「医療従事者や感染者、それらの家族に向けられる差別や偏見は単に感染リスクが高いという"認識"だけではなく、怒りや蔑みといった"感情"が含まれている」点について考えてみよう。コロナ禍のなか、最も厳しい労働条件におかれ、大きな負担を強いられている医療従事者やその家族が否定的な感情を持たれるというのは、いかにも理不尽であるが、それを説明する心理学モデルがいくつかある。

ひとつ目は公正世界信念と呼ばれる考えがわれわれにあるということである（Lerner & Simmons, 1966）。この因果応報的な信念は「世の中は公正にできていて、悪い人・悪行には悪い結果が返ってくるし、良い人・善行には良い結果が返ってくる」というものである。この信念を持つことは目標を立て、それに向けて努力することと関連している。そのこと自体に問題はなさそうに思えるが、この信念は正しい行いをしているのに理不尽にひどい目にあわされている人の存在を容認しにくくする。つまり、一見、理不尽な扱いを受けている医療関係者も何らかの自業自得に陥る理由があるはずだと、差別や偏見を正当化しやすくなるのである。このように、公正世界信念は被害者非難をもたらすことから、公正世界誤謬と呼ばれることもある。

また、医療関係者や感染患者を攻撃対象とし、怒りをぶつけてくることは、フラストレーション・アグレッション仮説、および、置き換えられた攻撃モデル（Dollardら, 1939）によって説明が可能である。フラストレーション・アグレッション仮説は欲求不満が攻撃行動を引き起こすというかなり古い研究であり、置き換えられた攻撃モデルはフラストレーションをもたらした源泉以外の対象に攻撃が向かうことを説明するものである。置き換えられた攻撃モデルについての研究は結果に一貫性がないと批判されていたが、過去50年間の研究結果をメタ分析したMarcus-Newhallら（2000）は、攻撃の置き換えは起こるものと結論づけている。

コロナ禍で人々は不便な自粛生活を強いられ、職を失う人も少なくない。多くの人がフラストレーションを経験したはずである。そのフラストレーションをもたらす本来の原因を取り除くことができれば良いのだが、現状においては新型コロナの感染を収束させることはできない。そこで、攻撃の矛先が新型コロナウイルスに関連性の深い医療従事者に向かい、誹謗中傷という形をとったと考えられるのである。

ここまで、今回の状況にいくつかの心理学モデルを当てはめ説明してきたが、本来はそのような説明が妥当かどうかを実証的に検証する必要がある。本稿は、あくまで暫定的な説明候補としてご理解いただきたい。

3 コロナ禍の経験を踏まえ、どのような社会を築くべきか

　「差別・偏見は許すまじ」と正攻法で訴え続けることは重要だが、それで差別・偏見がなくなると考えるのはナイーブに過ぎるだろう。「病院のなかで何をやっているかがわからないから不安」という声に対処するためには情報開示を進めることが有効だが、一方、医療はリスクに立ち向かうのが仕事なのだから、それを伝えることでかえって不安を高めてしまうかもしれない。顔が見える関係になることで不安が下がるなら、地元住民との交流も有益であるが、感染拡大期にそのような余裕は病院にも住民にもないだろう。情報開示や地域交流は普段から取り組んでおくことが必要である。

　ここでは差別や偏見に対処するため、2つの方針を示しておきたい。ひとつは、残念ながら、新たな感染症が拡大するなかで医療関係者への差別や偏見は生じやすく、それらをもたらす人々の心理的傾向は容易に変化しないことを前提とすべき、ということである。つまり、感染症が発生したら早い段階で先手を打って相談窓口を設けたり、差別的な行為者に働きかけたりすべきである。「京都産業大学生お断り」の張り紙を出していた飲食店もメディアの取材翌日にはそれを撤回している。もうひとつは、差別や偏見といったネガティブな側面の抑制ばかりを考えるのではなく、医療従事者に対する応援や感謝、できれば経済的援助といったポジティブな側面を促すことである。今回の新型コロナ禍でも人々の日常生活を支えるエッセンシャルワーカーへの感謝を伝えるさまざまな活動が報告されている。先述のように医療従事者の活動を生々しく伝えることはかえって人々の不安を高めるかもしれないが、一方では、感謝や敬意も高まるはずである。

　医療従事者も感染患者も一般市民も、ともに新型コロナを乗り超えようという価値を共有しているはずである。「病院関係者であることがわかると、すれ違う人が距離を開けようとすることにつらい思いをした」というコメントを目にしたが、私は、すれ違う人が距離を空けたくなる気持ちは理解するし、そうしつつもすれ違いざまに「ありがとう」と言えるような社会であれば良いと考えている。

■参考文献

1) Simon, H. A. (1956). Rational choice and the structure of the environment. Psychological Review, 63 (2), 129-138.
2) Hamilton, D.L., Gifford, R.K. (1976). Illusory correlation in interpersonal perception: Cognitive basis of stereotypic judgments. Journal of Experimental Social Psychology, 12 (4), 392-407.
3) Tversky, A., & Kahneman, D. (1973). Availability: A heuristic for judging frequency and probability. Cognitive Psychology, 5 (2), 207-232.
4) Wason, P. C. (1968). Reasoning about a rule. Quarterly Journal of Experimental Psychology 20 (3), 273-281.
5) Lerner, M. J., & Simmons, C. H. (1966). Observer's reaction to the "innocent victim": Compassion or rejection? Journal of Personality and Social Psychology, 4 (2), 203-210.
6) Dollard, J. ら (1939). Frustration and Aggression. New Haven, CT, Yale University Press.
7) Marcus-Newhall, A. ら (2000). Displaced aggression is alive and well: a meta-analytic review. Journal of Personality and Social Psychology, 78 (4), 670-89.

第4章

メディアはコロナウイルス危機をどう伝えたか──医療報道のあり方を問う

伊藤　守
早稲田大学教育・総合科学学術院教授

　新型コロナウイルス感染症は、ウイルス特性の未解明性による治療や感染拡大防止対策の不確実性を孕み、かつ人間の生死にかかわる緊急性の高い問題であるだけに、その報道はきわめて重要で、高度な判断を必要とする。本稿では、2020（令和2）年1月から5月までの報道を検証し、今後の課題を提起した。第1は、海外の研究機関の研究や各国政府の対策まで取材と報道の範囲を広げる必要性。第2は、データ重視、リスク評価を重視した報道スタイルが重要であること。第3は、未解明性、不確実性が高い事象であるだけに、「シングルボイス」ではなく、相異なる見解や主張をファクトに基づきながら検討する専門的能力を高めることが益々求められていること、である。

1　はじめに

　新型コロナウイルス発生を国内の報道各社が報じたのは2020（令和2）年1月9日からである。朝日新聞はその日の夕刊で「武漢肺炎、新型コロナウイルス検出」を伝え、翌日の10日の朝刊では「肺炎、新型コロナウイルス15人から陽性反応　中国・武漢」と報道した。11日の夕刊では「武漢の肺炎、初の死者」が出たことを伝える。読売新聞も同様に、1月9日の夕刊で「中国の肺炎、新型コロナウイルスか、現地報道、複数患者から検出」、10日の朝刊では「中国の肺炎新種か」との記事を掲載した。1月16日には、武漢市を訪れて1月6日に日本に帰ってきた中国人男性が感染していたことが確認される。

　この1月の報道から現在（2020年8月末）まで、新聞、テレビ、そしてインターネット上で、連日、新型コロナウイルス感染に関する報道が続いている。

2　2009（平成21）年のパンデミック報道

　ところで、日本社会は、今回はじめて、ウイルス感染を経験したわけではない。2003（平成15）年12月から2004（平成16）年の2月にかけてベトナムやタイで高病原性インフル

エンザ（H5N1）が発生し、ヒトの発病および死亡例が報告され、国内でも発生が確認された。また記憶に新しいところでは、2009（平成21）年4月にメキシコで発生した新型インフルエンザがある。当初、ブタ由来であったインフルエンザがヒトへ感染し、メキシコからアメリカ、カナダ、スペインへと瞬く間に拡大して、パンデミック（世界的規模で長期にわたる感染爆発）となった。国内でも感染が確認され、WHO（世界保健機関）世界インフルエンザ事前対策計画に基づいて、4月28日に「フェーズ4」が宣言され、同日空港での「水際対策」「検疫」が開始される。新聞やテレビは、この「危機」を連日報道した。「水際対策」の一環として空港で白い防護服を着た検疫官が検疫を行う映像を記憶している読者も多いだろう。この報道を検証した柄本（2015）は、当時の報道の特徴を次のように整理している[*1]。

　第1は、インフルエンザウイルスによる感染率や致死率、ウイルスの突然変異等、専門家も判断が難しい不確実性の高い事象であり、「分かっていないことが多々ある」ことを指摘しつつも、最終的には「正しい情報は厚生労働省のホームページで」と伝えるケースが多く見られた。福島第一原子力発電所の過酷事故の際の放射線汚染に関する報道と同様に、「シングルボイス」（情報の発信源が1つに絞られること）を重視する姿勢だった。

　第2は、テレビが「水際対策」を象徴する防護服を着た検疫官による検疫のシーンを「センセーショナル」に報道し、「外の敵から国民を守る」という分かりやすい図式を提供したことである。しかしながら、当時から、「水際対策」の効果については多くの疑問が存在し、その後政府もその効果が限定的であることを認めたという経緯がある[*2]。つまり、これらの映像や解説によって、感染者の潜伏期間を考慮すれば「水際対策」の有効性は限定的で、「国内から」の感染発生があることを視聴者が軽視することにつながったという。

　幸いにもこのケースでは感染拡大には至らなかった。だが、科学的な評価の不確実性、風評被害、そしてウイルス感染に対する無理解による感染者への中傷や非難など、リスクコミュニケーションの難しさが政府関係者や研究者にあらためて認識された事例であったと言えよう。

　今回の新型コロナウイルス（COVID-19）は、感染拡大の長期化と深刻度、それに伴う経済・社会活動や市民生活に与える多大な影響という点で、また複雑化した情報環境が成立した中でのはじめてのパンデミックであるという点でも、医療報道の在り方に関して、あらたな課題を提起している。検討すべき課題が多岐にわたることもあり、1月から5月までの期間に限定して、これまでの特徴を考察する。

[*1] 柄本三代子（2015）「新型インフルエンザ・パンデミックへのカウントダウン」伊藤守編『ニュース空間の社会学～不安と危機をめぐる現代メディア論』世界思想社
[*2] 2010年6月10日に開催された「新型インフルエンザ（A/H1N1）対策総括会議の報告書

3 新型コロナウイルス対応の改正臨時措置法成立（3月13日）

（1）ウイルス感染の「医学」と「政治」

　考察するにあたって、まず指摘しておくべきは、感染症とその対策が「医学」「治療」の問題にとどまらない、ということだろう。新型ウイルスの特性を医学的に問うことはできるとはいえ、その評価や解釈が多岐にわたり、確定的なことがいまだ言えない「トランスサイエンス」の状況では、いかなる医学的データや公衆衛生学的な判断を採用して対策が立案されたのか、さらに一般市民がそれをどう受け止めるのか、という問題が生起するからである。感染症とその防止に向けた対策は「医学」や「治療」の対象であるとともに、「政治」や「社会」の問題でもあるということだ。

　したがって、メディア報道機関は、ウイルスに関する医学的解明に関する最新のデータのみならず、感染防止に向けた複数の選択肢に対する政治的判断の妥当性、実際に対策が迅速に効果的に行われているか等々の多角的な視点から状況を分析して情報を提供することが求められる。今回、メディアは市民の期待に応える報道を行うことができたのだろうか。

（2）初期報道の特徴

　冒頭で言及したように、国内の新聞やテレビが新型コロナウイルスに関する報道を行ったのは、1月9日からである。中国政府は、19日にヒトからヒトへの感染を確認、21日にはCOVID-19を法定伝染病に指定して、23日には武漢を都市封鎖する。1月の国内報道の中心はこの中国・武漢の感染状況と都市封鎖に関する情報であった。この時期、中国以外の一部の国が国境での防疫政策をとりはじめ、日本政府も1月24日に湖北省に対する渡航中止勧告、31日には湖北省に2週間以内に滞在歴のある外国人と湖北省発行のパスポートを持つ中国人の入国拒否を発表している。だが、この時期の政府の対応、そしてメディアの取材体制は「対岸の火事」「楽観的認識」にとどまっていなかったか。

　たとえば、台湾は1月9日の時点で中国からの入境に対する検疫体制を強化するとの方針をいち早く打ち出した。また中央感染症指揮センター（CECC：Central Epidemic Command Center）を設立して各省庁を横断した協力体制をしいて、1月21日に最初の感染者が見つかった時点で準備は万全だったと言われている。その後も、よく知られているように、スマートフォンを活用して感染経路を突き止め、感染者と接触した疑いのある人たちへの警告メールを送るシステムを稼働し、感染拡大を食い止めた。韓国は、2015年のMERS（Middle East respiratory syndrome：中東呼吸器症候群）で186人が感染し38人が死亡した事態の後に、その経験を活かして感染者の接触者の追跡を実行できる体制を整備し、これが今回役立ったと言われている。

こうした近隣諸国の対応や事前の準備体制や対策に関する報道は、上記の１月９日の台湾の検疫強化の記事が掲載されて以降、初期の段階ではほとんどなされず、メディアの目線は国内にのみ向けられ、日本政府の対応を他国と比較して相対化する視点が希薄であったと言えよう（台湾の「封じ込め」政策の「成功」が詳しく報道されたのは３月からである）。

　第２は、１月23日に武漢の都市封鎖が行われ、市民生活や経済活動に重大な影響が及んでいる映像や情報が流れるなか、「もし日本でも感染拡大が起きた場合、医療、観光、教育など様々な分野における悪影響が波及的に及ぶ事態」を予期し、先制的に対応すべき事態であることをメディアの側が認識していたのか、という点である。

　この点で言えば、政府の認識が楽観的だったことが明らかになっている。１月から２月上旬にかけての時期における政府の認識を検証した朝日新聞の記事によれば、取材に対して政権幹部は「油断というか慢心があった」「インフルエンザと同じだから、大したことはない」との認識であったと述べている[*3]。こうした楽観論を一変させたのが、乗員乗客3,711人を乗せ、２月３日に横浜港に到着したダイヤモンド・プリンセス号における集団感染の発生であった。

（3）ダイヤモンド・プリンセス号の感染と専門家会議初会合（２月16日）

　２月５日、ダイヤモンド・プリンセス号で10名が感染、その日にうちに厚労省大臣から「14日間船内にとどまる」要請が行われた。７日には20名、８日には61名、11日には135名、そして12日には163名の感染者が発生、テレビ新聞とも連日、大黒ふ頭に着岸した大型クルーズ客船の映像を流した。「外」からの感染を防止する「水際作戦」を印象付ける映像であった。だが、いわばこの防波堤が決壊し、国内感染が「本格化」しつつあるとの報道が行われるのは２月15～16日頃からである。屋形船でのタクシーの組合支部の新年会で８名の感染者が発生し、厚生労働大臣が「以前と状況は異なっている」と発言したのは15日、政府の専門家会議が初会合を行ったのは16日である。その後の報道の中心は、クラスター（集団感染）対策と増加する感染者の数、そして政府・専門家会議からの情報とその解説にシフトしていく。

　２月16日の専門委員会の初会合以降、矢継ぎ早に政府・専門家委員会からの対策が出される。17日には、厚労省が「相談・受診の目安」を公表し、専門家会議は医療機関を受診する目安として「かぜの症状や37.5度以上の発熱が４日以上続く」などの指示を出す。24日には専門家会議が「１～２週間が瀬戸際」との見解を発表、25日には「新型コロナ対策」基本方針を政府が決定する。

　この時期、テレビや新聞に登場した専門家会議のメンバーは「今はまだ、流行の立ち上がりの段階、しかし今後集団感染が連鎖的に起きたり、大規模に起きたりすると、医療体

[*3] 朝日新聞2020年７月14日朝刊「楽観論クルーズ船で一変」の記事による。

制が崩壊して危機的状況に陥る。感染拡大のスピードを抑え、社会全体の感染リスクを減らすには、一人ひとりの行動が不可欠」と説明した。多くのメディアも、こうした専門家会議と政府からの情報を、ほぼそのまま伝えた。

　そして2月26日には、リスク管理という点でどの程度の効果があるか、十分な検討や協議もないまま「学校の一斉臨時休校の要請」が首相から出され、3月13日には新型コロナ対応の改正臨時措置法が成立する。

（4）ネット上の情報による政府・専門家会議とマスメディア報道への疑義

　2月下旬から3月にかけて政府・専門家委員会の方針に対する疑念や批判がインターネット上で提起されはじめる。具体的には、厚労省と関係の深い委員が専門家会議に多いなど会議の組織構成に偏りがあること、医療機関を受診する目安が供給サイド側の論理に偏っていることなど、様々な情報が入り乱れた。その中でもっとも重要と思われるのは、すでに市中感染が広がりを見せている状況下で、クラスター対策を重視して、PCR検査が進まないことへの批判であった[*4]。

　批判や疑念を要約すれば、第1に1月24日の段階で香港大学の研究者が無症状の感染者が存在することを報告していること、したがって従来のコレラなどを対象にした感染症法のやり方をそのまま踏襲しただけで感染を防止することはできず、無症状の感染者が周囲にうつすことを念頭に置いて、こうした感染者を早期に把握するためにもPCR検査を大規模に、早急に進めるべきであるとの主張である。

　第2は、この問題の背景として、1月28日に厚労省が新型コロナウイルスを感染症法の「二類感染症」に指定したことが指摘された。この指定によって、軽症者も入院させなければならず、病床の不足を招くことになると共に、自宅やホテルで療養するといった方針も打ち出せず、結果的にPCR検査の抑制につながった。第3は、大学の病院・研究施設等でもPCR検査が可能であるにもかかわらず、PCR検査が保健所と地方衛生研究所に独占され、それぞれの機関の過剰負担、特に保健所の混乱を招いたとの指摘である[*5]。

　こうした批判に対して、PCR検査の「特異度」（疾患が陰性であることを判定する確率を指す）を考慮すれば、経済的な費用の観点で見れば不効率である、との反批判がネット上で拡散したことも指摘しておこう。

　こうした対立する様々な情報が拡散する一方で、テレビや新聞といったマスメディアは、PCR検査が進まない状況を問題視する報道を行ったとはいえ、政府や専門家会議の方針に疑問を呈する意見を正面から取り上げ報道することはほとんどなかった（後日、新聞では7月に入り、「専門家会議でリスク評価の議論に偏りがあった」ことを指摘する識者の

---

*4　たとえば、https://www.youtube.com/watch?v=r-3QyWfSsCQ を挙げておく（4月6日取得）。
*5　なお、2月25日には、一般医療機関でも感染が疑われる人を受け入れ、軽症の人は自宅療養という方針になった。
*6　たとえば、朝日新聞2020年7月11日朝刊「オピニオン記事」を参照。

オピニオンを掲載した）[*6]。

　あらためてこの２月中旬から３月にかけての報道の特徴を整理する。第１に、政府と専門家会議からの情報が中心に報道が展開される一方で、それら政府の対策に疑義を呈するネット上の情報、そしてそれを批判する情報も日を追うごとに大量に流れたことである。そのどちらも専門家による主張であり、一般市民がどの情報が「正しい」か、判断が難しい情報環境が形成された。

　次に、新聞やテレビ、とりわけテレビは、スタジオからMCが専門家への質問や疑問を提起することはあっても、基本的には政府・専門家会議からの情報に依拠して報道した。もちろん、そのこと自体が非難されるべきではない。政府の方針なり対応を正確に報道することは重要である。しかし、相反する意見をもつ専門家の意見や議論も伝え、感染拡大を防ぐためにどのような選択肢があるのか、市民一人ひとりの判断を促す報道もまた重視されるべきだろう。不確実性、未解明性が高い事象であるからこそ、対立する見解や主張の根拠となるデータを提示し、一つひとつ丹念にファクトを押さえて検証し、情報提供することはほとんどなされなかった。

4　新型コロナウイルス感染症緊急事態宣言発出（４月７日）

　専門家や有名人による新型コロナウイルスについての見解が入り乱れるなか、政府は緊急事態宣言を発出する。その内容は、「三密を防ぐ」「都道府県からの外出自粛」して「人と人との接触機会を最低７割、極力８割、削減する」という内容であった（４月７日段階では７都道府県、16日に全国に拡大、当初５月６日までとされた期限が、５月４日に５月31日まで延長、５月25日に解除となる）。

　これ以降、報道は、感染者の年齢構成・感染した場所や施設、経済活動や市民生活への影響、市民への注意喚起、さらにイタリア、スペインなど欧州とアメリカの感染拡大と医療崩壊寸前の状況や、医療関係者を支援し社会的連帯を促すミュージシャンの活動の報道など、広範囲で、複合的な様相を呈することとなる。この時期の特徴を考える上で、ここでは２つの論点を提起しておきたい。

　第１は、４月７日という時点での緊急事態宣言の発出が妥当なものであったか、なぜこの時点だったのか、という点である。この問題は、「2020東京オリンピック」開催との関連で検証されねばならない。２月22日の段階ではIOC（国際オリンピック委員会）のバッハ会長は「予定通りの開催」との声明を発表、それが３月22には「延期を含めた検討をはじめ、４週間以内に結論」との声明を発表したものの、多くのアスリートや関係者からの批判を浴びて、24日には安倍首相との電話会談で「延期」を決定した。この間、安倍首相による「コロナに打ち勝った証としてのオリンピック開催」というスピーチが示すように、政府が強い開催意欲をもっていたことは明らかだろう。感染爆発を阻止するうえで、発出

が適切な時期であったか、より早い段階での発出の検討がなされたのかどうか、まだ不明な点が残されている[*7]。

　第2は、経済的リスクの評価や市民生活への影響、そして感染防止という2つの課題に照らして、政府の対応・対策がいかなる基準と判断で行われたか、その対策の効果はどうか、メディアがこれらの諸点について掘り下げて報道したのかという点である。この点で言えば、前者については今後の報道に期待することにして、後者について言えば、自粛要請に伴う各種の「補償」「支援策」が十分ではないといった対策の不備と国民の不満や要望など＜経済・市民生活問題＞、運輸・医療・介護・飲食分野の労働者や非正規雇用の雇用問題など＜労働・社会的問題＞、感染者の急激な増加に伴う医療機関の人員・設備の不足による疲弊や福祉や保育施設の切迫した状態などの＜医療・福祉問題＞など、新聞やテレビそしてポータル系のメディアでも精力的に報道が行われた。この点は評価できるのではないだろうか。

5　小括

　現在も続く新型コロナウイルス感染という人の生死にかかわる緊急事態において、メディアは過剰な不安や脅威を与えることなく、市民の判断に寄与する情報を提供するというきわめて困難な課題に直面した。5月までの限定的な検討であるが、そこから見えてくる課題を指摘しておきたい。

　第1は、報道がドメスティックな目線にとどまっていることである。たしかにインパクトのある諸外国の感染拡大や都市封鎖を映し出す映像、さらに過酷な医療現場の映像が流され、海外への目配りがなかったわけではない。しかし、各国政府の具体的な対策やその効果を地道な取材に基づいて報道する内容は少なかった。こうした特徴は、市民が日本政府の対応のみに目を奪われ、それを相対化し検証する力を削いでしまいかねない。

　第2は、専門家に対する独自の取材から得られた知見や専門家の間での異なる複数の見解を伝えることに消極的で、結果的には政府からの情報に依拠した「科学的正しさの一元化」に進む傾向がまだ見られることである。その背景には、異なる意見を出すことで、市民の間に混乱や不安が生ずることへの懸念があるのだろう。しかし、すでに市民がインターネットで様々な情報にアクセスし、情報の信頼度を自ら判断している現実を直視するならば、多様な情報の中から「信頼できる伝えるべき複数の見解」を選択する専門的能力をメ

[*7] 本文では言及できなかったが、政府と専門家会議との関係について6月以降、法的位置づけのあいまいさ、「会議」側の「先走り」、政府による「会議」への「責任転嫁」等の批判が起こり、「専門家会議が発展的に移行した形」として「新型ウイルス感染症対策分科会」が発足し7月6日に初会合が開催された。このことは専門家の知見と政治的判断との関係というきわめて重要な問題を提起するものであるが、専門家会議の議事録が作成されず議事概要のみであること、「分科会」の議事録の公開が10年経過した後となったことは、政府と専門家との関係のみならず政策決定の透明性と情報公開を担保し検証すべき責任を負うジャーナリズム活動にとって大きな障害となったことを指摘しておく。東洋経済オンラインの以下の記事を参照（9月3日取得）。https://toyokeizai.net/articles/-/372174

ディア自体が高めることがなにより求められる。市民の冷静な判断を促すためにも「シングルボイス」重視という報道のあり方を見直す必要がある。

　第3は、上述の第2の課題と密接にかかわる問題である。新型コロナウイルスに関する科学的知見やデータが各国の機関で日々更新されるなか、報道機関の独自の取材とともに科学者や各研究機関・組織とのネットワークの下でそれらのデータを幅広く検証し、リスク評価を行い、反対意見も議論する、データジャーナリズムの実践が決定的に弱いという点である。そのことは、既存のメディアのみならずデジタル技術に習熟しているはずのオンラインニュース版でも同様に指摘できる。専門家の「解説」や「説明」にとどまらず、データに基づく分析と評価を重視するスタイルへ、従来の報道の形式そのものを抜本的に再検討することが求められている。

　現在の情報環境では、残念ながら「感染源が中国武漢のウイルス研究所である」「中国が感染拡大の情報を隠蔽した」といった憶測やフェイク、あるいは国内でもいまだ確証のない「ポピドンヨードのうがい薬の効果」に関する大阪府・吉村洋文知事の発言、感染者やその関係者を中傷する情報が拡散するなど、混乱した状況がつねに生起する。だが一方で、新型コロナウイルス感染という事態を多角的に考え、社会的連帯を促す情報も存在したことを本稿では指摘した。このような過剰とも言える情報の渦のなかにいるからこそ、多くの市民は、デジタルメディアの特性を活かした地道な取材と丹念な検証に基づく新たな報道のスタイルをこれまで以上に求めている。

　今後も「いつ、どこで、また」パンデミックが起きるか予測できないとはいえ、こうした事態が再び生起することが十分想定できる未来に備えて、メディア報道機関は、新しい情報環境に対応した分析、取材、表現方法等、あらゆる点で新たな方向を打ち出していく時期に来ている。

第5章
コロナ禍における外部委託
病院と業者の信頼関係を再構築せよ！

馬場園明
九州大学大学院医学研究院
医療経営・管理学講座教授

　新型コロナウイルスの感染拡大に伴い、感染患者の寝具類洗濯や院内の清掃を外部委託先の業者に拒否される事例が相次いだ。理由は、委託先の従業員に感染のリスクが生じることと、感染予防策にコストがかかることであった。問題となるのは、そのコストを誰が負担するかである。患者の入院のために発生するコストであるので、診療報酬で手当するのが筋である。一方、緊急包括支援事業においては、病院・薬局等における感染拡大防止等支援事業が含まれている。これらの事業を活用できれば、感染予防策のコストの手当てをすることができる可能性がある。

1　感染の第1波で相次いだ外部委託業務拒否

　新型コロナウイルスの感染が拡大した3～5月にかけ、感染患者を受け入れた病院で、寝具類洗濯や院内の清掃を委託先の業者に拒否される事例が相次いだ[1]。従業員に感染のリスクが生じることと、感染予防策にコストがかかることから、断られたのである。

　1992（平成4）年7月1日付にて公布された医療法の一部を改正する法律では、感染症患者が使用した寝具類洗濯は、外部に委託する前に院内で80度以上の熱湯で消毒するなどとされている[2]が、全国約140業者が加盟する「日本病院寝具協会」（東京都）には3月頃から、病院から「委託先に未消毒の寝具類の回収を断られた」との相談が複数寄せられたと報道されている[1]。

　業者による拒否を重くみた、厚生労働省医政局地域医療計画課は、2020（令和2）年4月24日に通達を出し、「新型コロナウイルス感染症患者が多数入院し、消毒作業に過大な負担がかかり、医療提供に支障を生じる場合や、病院の職員が新型コロナウイルスに感染したことにより、消毒作業を行う人員の確保が困難である場合等においては、『病院、診療所等の業務委託について』のやむを得ない場合に該当するものとして、病院内の施設において消毒を行わずに、新型コロナウイルスに感染する危険のある寝具類の洗濯を外部委託して差し支えない」とした[3]。加えて、「病院内の施設において消毒を行わずに、新型コ

ロナウイルスに感染する危険のある寝具類の洗濯を外部委託する場合においては、感染の危険のある旨を表示した上で、密閉した容器に収めて持ち出すなど他へ感染するおそれのないよう取り扱うこと」と明記した[3]。

　新型コロナウイルスの患者を引き受ける病院は、感染予防のために時間やコストがかかり、寝具類の消毒をするためにスタッフを割く余裕はない場合が多い。消毒の工程では、ゴーグル、マスク、手袋を着用し、細心の注意を払う必要があるからである。外部委託先が見つからなかった病院のなかには、寝具類を廃棄処分したところもあったが、新しい寝具類を購入することによってコストが増え、病院経営も圧迫されることになる。

　一方、病室の清掃も、委託先にとっては、従業員に感染の恐れがあることやフェースガードや防護服が必要になるのみならず、室内の消毒のプロセスもより時間がかかることになる。そのために、多くの病院は外部委託業者から清掃を断られる結果となり、看護師がその業務をせざるを得ない状態となった。

2　外部委託業者にはどのような支援が必要か

（1）感染予防にかかるコストは誰が負担するか

　感染者の寝具類の消毒[2]や清掃の過程[4]については指針ができている。外部委託業者は、指針に従った過程を踏み、感染予防に努める必要があるが、コストに見合わない業務を引き受けることはできないだろう。一方、病院にとっては寝具類を廃棄して、新品の寝具類を購入することや、時給の高い看護師が清掃をせざるを得ない状況は、経営を圧迫することになる。問題となるのは、感染予防にかかるコストを誰が負担するかである。

（2）診療報酬の上乗せ

　まず、これらのコストは入院患者にかかるコストであるから、診療報酬に上乗せされるのが筋である。2020年5月25日に開催された中央社会保険医療協議会・総会（持ち回り開催）で、特定集中治療室管理料等を算定する病棟に入院している重症の新型コロナウイルス感染症患者に対する治療への評価（診療報酬）が3倍に引き上げられ、一般病床に入院した場合には、救急医療管理加算及び二類感染症患者入院診療加算が適応されている。しかしながら、これらの手当てのみでは、新型コロナ患者の感染対策にかかるコストをすべてカバーできるものにはなっていない。コストに見合った診療報酬が必要であるが、診療報酬の決定は支払い側の意向も反映されるために難航も予想される。

（3）緊急包括支援事業の実施

　また、医療・介護提供体制の維持・強化に向けて、病院による「空床確保」や「感染防止

策」「新型コロナウイルス感染症以外の小児・周産期・救急・がんなどの医療体制確保」などを総合的に支援する緊急包括支援事業（基金を都道府県に設け、そこから補助を行う）が実施されている。これらには、新型コロナウイルス感染症と闘う医療従事者への慰労金、新型コロナウイルス感染症を疑う患者受入れのための救急・周産期・小児医療体制確保事業、病院・薬局等における感染拡大防止等支援事業が含まれている。

　慰労金の対象者には、病院勤務者以外の外部委託業者の職員についても含まれ、患者との接触を伴う、継続して提供が必要な業務である場合に対象となり、病院等における勤務内容により判定されることになっている。したがって、清掃を行っている職員は対象となると思われる。

　一方、感染拡大防止等支援事業による給付金を得るためには、病院等から都道府県に対し、上記の感染拡大防止等に係る費用の見込み額（2020年4月1日から2021年3月31日）を申請して支援金の交付を受け、事業実施後に領収書提出による精算（支給額よりも実施額が少なければ返還）を行うことになっている。なお、すでに感染防止対策等の事業を完了している場合には、実際に要した費用を申請することもできることになっている。病院が感染予防策に必要な額を外部委託業者に算定してもらい、自治体に申請することができれば、問題解決に向かう可能性がある。自治体には、これらの申請が認められる助言を行う支援が求められる。

3 病院に求められる外部委託業者との信頼構築

(1) 外部委託の現状と課題

　一般財団法人医療関連サービス振興会は3年おきに、医療関連サービス実態調査を行っている。その目的は、病院および医療関連サービス事業者に対し、医療関連サービス全般に関するアンケート調査を行い、医療関連サービスの種類ごとに内包する現状の問題点を抽出、将来動向と課題の把握することにある。2018（平成30）年度は、4,000病院に対してアンケートを発送し、1,587の有効回答があったと報告されている[6]。その報告書から、外部委託率、病院側の満足度、委託先の問題を紹介する。

①外部委託率の推移

　図1に病院の外部委託率の推移を2000（平成12）年度から示した。寝具類洗濯は2000年度の段階で、すでに98.5％になっており、2018年度も98.4％と高く、すでにほとんどの病院が外部委託をしていることがわかる。院内清掃に関しては、2000年度は79.8％であったが、その後、徐々に上昇し、2018年度は87.5％に達しており、今後も上昇傾向が続くと思われる。

第5章 ● コロナ禍における外部委託　病院と業者の信頼関係を再構築せよ!

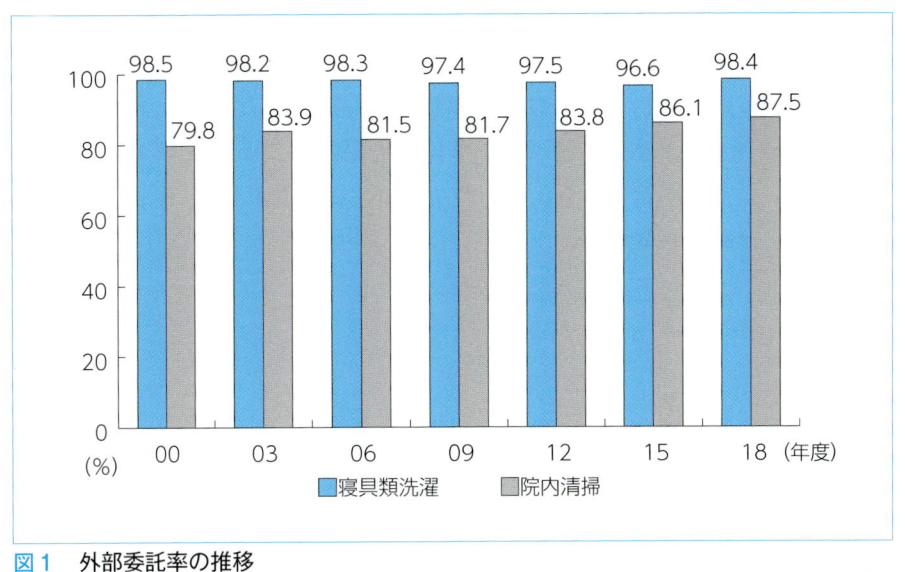

図1　外部委託率の推移
出典：一般財団法人医療関連サービス振興会「平成30年度医療関連サービス実態調査結果の概要」をもとに作成

② **病院側の満足度**

　図2に病院側の外部委託先の業務に関する満足度を示した。寝具類洗濯については、「満足」が24.3％、「まあ満足」が57.5％、院内清掃については、「満足」が24.9％、「まあ満足」が52.7％であり、両業務とも概ね病院側に満足されている現状が示されている。

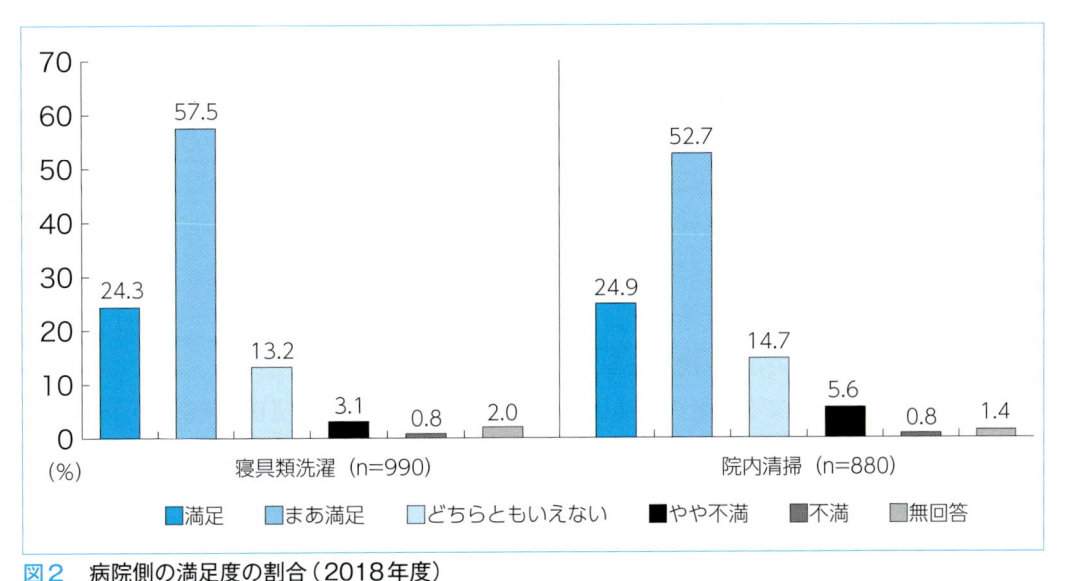

図2　病院側の満足度の割合（2018年度）
出典：一般財団法人医療関連サービス振興会「平成30年度医療関連サービス実態調査結果の概要」をもとに作成

③委託先の問題点

図3に委託先の業務遂行上の問題点について示した。寝具類洗濯に関しては、第1位が人材の確保（75.9％）であり、第2位が価格設定（70.4％）であった。一方、院内清掃も、第1位が人材の確保（86.2％）であり、第2位が価格設定（56.2％）であった。両業務とも人材確保が最も大きな問題であることがわかるが、価格設定も厳しいものであると受け止められていることが読み取れる。

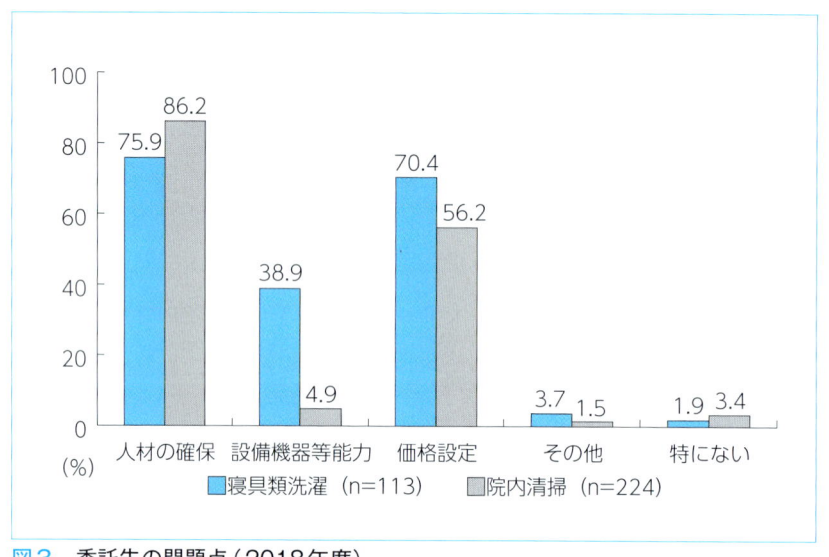

図3　委託先の問題点（2018年度）
出典：一般財団法人医療関連サービス振興会「平成30年度医療関連サービス実態調査結果の概要」をもとに作成

（2）現場従事者の現状と課題

2014（平成26）年度の「医療関連サービスにおける人材確保における調査研究」[7]によれば、寝具類洗濯の対象事業者の現場従事者数は、常勤は「30～50人未満」が24.7％と最も高く、次いで「10人未満」が20.0％、常勤の中央値は32人である。パートタイマーでは、「10人未満」が41.2％と最も多く、次いで「30～50人未満」が18.8％。パートタイマーの中央値は12人となる。一方、性別では「女性」が50.2％、年代では「40～49歳」が24.3％で最も多く、次いで「50～59歳」が22.3％であるとされている。これからの情報から、寝具類洗濯事業所の従業員数は50名以下で、常勤職がパートタイマーよりも多く、性別は半々であり、年齢は40代から50代が多いことがわかる。

一方、院内清掃の対象事業者の現場従事者数をみると、常勤は「10人未満」が48.2％と最も高く、次いで「10～20人未満」が18.5％、常勤の中央値は9人である。パートタイマーで最も多いのは「10人未満」で35.6％、次いで「10～20人未満」が16.2％。パートタイマーの中央値は14人である。性別では「女性」が62.4％、年代別では「60～69歳」が28.9％で最も高く、「70歳以上」（5.1％）を合わせると60歳以上が3分の1を超える。すなわち、

院内清掃の事業所の従業員数は30名以下で、パートタイマーが多く、高齢の女性に依存していることがわかる。

これらの情報を鑑みれば、委託先は零細事業所が多く、従業員の労働条件も良いとはいえず、人材を集めることも簡単ではないと思われる。病院側はこれらの状況を理解し、委託業者と契約において適切な仕様書を作成し、透明な価格設定を行っていく努力が必要であろう。加えて、従業員とのコミュニケーションを円滑にし、特に院内清掃の従業員は高齢者が多いことなどから、健康面に配慮するなどの対応を行いながら、病院は日頃から外部委託業者と信頼関係を構築していくべきであろう。

4 コロナ危機の経験を病院経営・管理にどのように活かすべきか

今回の新型コロナウイルスに対する感染予防策は、当初、クラスター対策が中心であった。しかし、感染拡大に伴い、多くの感染者が軽症、無症状であり、そのような患者からも感染することがわかってきた。また、指定感染症に指定されたために、感染者は原則として感染症指定医療機関の病床に入院しなければならないが、感染者の増加に伴い、感染症指定を受けていない一般の医療機関でも感染者を受け入れざるを得ない状況になった。加えて、高齢者などハイリスク者が感染すれば重症化しやすく、4月には重症者が増加したために、医療崩壊の危機にさらされる状況も生じた。

さらに、新型コロナにかかわる差別やいじめも社会問題となった。感染者発生の報道を手掛かりに、感染者やその家族、勤務先が特定され、嫌がらせを受けるといった事件や、新型コロナから回復した元患者などが、職場や学校に速やかに復帰できないといったケースも発生した[8]。差別やいじめは医療従事者やその家族まで対象となり、厚生労働省は医療従事者への差別、いじめの再発防止を地方自治体に要請した[9]。外部委託業者の業務拒否は、このような背景で起こったと考えていいと思われる。

新型コロナの感染者数は、7月に入って再び急増した。一方、厚生労働省は国民の新型コロナ抗体保有率が低値であることを報告しており[10]、集団免疫による予防は難しい。新型コロナを根治する治療法やワクチンが開発されるまでの間は、現状の感染予防策を徹底していくしか方法はない。病院は、これらの文脈を踏まえ、外部委託業者に感染予防策を行えばリスクをコントロールできることを説明し、委託業者を含めた感染予防策にかかるコストに対して、手当を行う必要がある。

まずは、診療報酬でコストの手当が十分になされることを、中医協で訴えていくことが必要である。そして、緊急包括支援事業を活用して、感染予防策のコストを外部委託にかかる分まで含めて手当をしていくことが、現実的な対策となろう。

■参考文献
1）讀賣新聞，シーツ洗濯を拒否される病院続々，業者が感染懸念…3か月分たまった例も，2020/06/21．
2）厚生省，病院，診療所等の業務委託について，平成五年二月一五日，指第一四号，各都道府県衛生主管部（局）長あて厚生省健康政策局指導課長通知）https://www.mhlw.go.jp/web/t_doc?dataId=00ta6374&dataType=1&pageNo=1．
3）厚生労働省医政局地域医療計画課，病院における新型コロナウイルスに感染する危険のある寝具類の取扱いについて，令和2年4月24日．
4）今村知明，厚生労働科学研究費補助金（地域医療基盤開発推進研究事業）標準的な院内清掃のあり方の研究，平成27年度総括・分担研究報告書，2016．
5）新型コロナウイルス感染症緊急包括支援事業の実施について，医政発0430第5号，健発0430第1号，令和2年4月30日，https://www.mhlw.go.jp/content/000627451.pdf．
6）一般財団法人医療関連サービス振興会，平成30年度医療関連サービス実態調査報告書，2018，https://ikss.net/about/research_list/h30-jittaichousakekkanogaiyou/
7）一般財団法人医療関連サービス振興会，平成26年度調査研究事業「医療関連サービスにおける人材確保における調査研究」，2014，https://ikss.net/wp-content/themes/ikss/pdf/research_list/research_list2.pdf
8）新型コロナウイルス感染症対策専門家会議，新型コロナウイルス感染症対策の状況分析・提言，2020年
9）厚生労働省，医療従事者等の子どもに対する保育所等における新型コロナウイルスへの対応について，2020年
10）厚生労働省，抗体保有調査における中和試験の結果について，2020年7月19日．

第3部

感染再拡大・新たな脅威に備えよ！医療崩壊を食い止めるための打開策

第1章 新型コロナウイルスがもたらす経営危機をどう乗り越えるか？
榎木英介（フリーランス病理医）

第2章 保健所の新型コロナ対応から見えた課題
わが国の感染防止対策はどうあるべきか
山本光昭（東京都中央区保健所長）

第3章 ワクチン・治療薬開発の最前線 完全収束に向けたシナリオとは
山田悠史（マウントサイナイ大学病院老年医学・緩和医療科フェロー）

第4章 コロナ禍における在宅医療・訪問看護
かかりつけ医の新たな役割とは
長尾和宏（医療法人社団裕和会理事長、長尾クリニック院長）

第5章 新型コロナで規制緩和 オンライン診療は普及・拡大するのか
原　聖吾（株式会社MICIN代表取締役CEO）
桐山瑤子（株式会社MICINデジタルセラピューティクス事業部RAスペシャリスト）

第6章 医療機器・感染防護具の供給体制を抜本的に改革せよ！
松尾未亜（株式会社野村総合研究所グローバル製造業コンサルティング部Medtech & Life Scienceグループマネージャー）

第1章

新型コロナウイルスがもたらす経営危機をどう乗り越えるか?

榎木英介
フリーランス病理医

　新型コロナウイルスの感染拡大は、医療機関の経営に深刻な影響を及ぼしている。感染患者を診察する病院では、感染患者に多くの医療資源が割かれ、かつその他の患者の受け入れを制限せざるを得ず、大幅な赤字を出している。一方、感染患者を受け入れなかった病院や診療所は、患者の受診控えに直面し、同じく大幅な収入減となっている。折しも公立・公的病院を中心とする病院の再編が取り沙汰されるなか、「黒船」新型コロナウイルスの感染拡大は、病院や診療所がどうあるべきかという根源的な問いを投げかける契機となった。
　この経営危機を医療機関はどう乗り越えればよいのだろうか。また、経営危機を乗り越えた先には何があるのだろうか。現場の視点から考察した。

1　第一波に直面して〜最前線の苦闘と後方の閑散

　新型コロナウイルス感染症（COVID-19）の広がりにより、医療機関は厳しい状況に追い込まれた。

　重症患者の急増により不足するベッド、人員不足、院内感染、マスクや防護服の不足……。こうした状況を戦争に例えるのは不適切だとの声もあるが、「第一波」と称される緊急事態宣言時には"野戦病院"とでも言わざるを得ないような状況が出現した。

　私の知人の中にも、こうした最前線の現場に身を置く人たちがおり、厳しい状況を訴える声がこだましました。一方、そんな最前線からやや距離を置いた一般の病院では、逆の現象が起きていた。患者が大幅に減ったのだ。

　外出が少なくなり、怪我や事故が減っているなど、様々な理由があるが、患者が新型コロナウイルスの感染を恐れて受診を控えたという理由がもっとも大きい。

　患者数の減少は、病理医である私も実感した。

　現在、私は常勤の医療機関を持たず、複数の病院に非常勤として勤務する、いわゆる「フリーランス」という形態で病理診断を行っているが、勤務するすべての病院で病理診断の標本の数が大きく減少した。これは患者数の減少を反映していると同時に、学会などが不

要不急の内視鏡検査や外科手術を控えるように言っているのも理由の1つだ[1]。

受診控えは検診にも及ぶ。日本医師会の調査では、2020（令和2）年5月にはすべての健診・検診の実施件数が前年と比べて半減、あるいは8割減、9割減となったことが示された[2]。

知人の病理医の中には、患者数の減少により、非常勤先の病院から雇い止めにあった者もいる。こうしたケースは病理医に限らず複数の診療科で報告されている[3]。

2　相次ぐ経営危機の声

こうした患者減は、病院の収入減につながる。経営破綻する病院や診療所が増えるのではないかとも言われている。実際、様々な調査が、新型コロナウイルス患者対応病院か否かに関わらず、患者減による経営状況の悪化を伝えている。以下その一部を見てみたい。

一般社団法人全国公私病院連盟のアンケート調査（全国の743病院が回答）では、2019（平成31・令和元）年の4、5月に比較して、2020（令和2）年4、5月の医業利益率がそれぞれ9.8％、11.3％減少したことが明らかになった[4]。中でも新型コロナウイルス患者を受け入れた病院の医業利益率の減少が大きく、2020年4月では受け入れ病院が12.1％減（未受入病院では5.5％）、同5月では13.6％減（未受入病院では8.3％減）となっている。

全国医労連が実施したアンケート調査（第三次）では、外来患者の減少によって収入減となった病院が89.2％、空床確保のために収入減となった病院が44.2％、院内感染発生による体制縮小による収入減となった病院が16.7％、新型コロナウイルス患者受け入れのための工事、設備のための負担がかかった病院が28.3％、手術や検査の延期があり収入減となった病院が52.5％など、病院経営に極めて深刻な影響が出ている[5]。

大学病院でも同様だ。一般社団法人全国医学部長病院長会議が公表した調査では、前年同月に比較して、2020年4月、5月において、入院患者、外来患者とも大幅に減少したという[6]。病床利用率は4月で11.6％減、5月に至っては16.4％減となった。大学病院はほぼすべての病院が新型コロナウイルス患者を受け入れている。

日本医師会による、医師会病院72病院に対する調査では、医業利益率は3月から5月までの6.4％減から、緊急事態宣言が開けた6月を加えると15.5％減とさらに悪化したという[7]。

全国自治体病院協議会の調査では、新型コロナウイルス患者を受け入れても受け入れなくても、患者急減による減収、手術の制限による減収、受け入れ待機または一般病床受け入れによる空床分の減収、外来休止による減収、陽性患者への対応で医師、看護師が不足し、一般病床の閉鎖を余儀なくされることによる減収という各種の減収の影響を受ける上に、施設改修、物品購入による費用の増加、陽性患者受け入れによる費用の増加があり、経営により深刻な影響が出るという[8]（図1、図2）。

○財政的影響について既に影響が生じている点や今後生じる懸念の点に関し、新型コロナウイルス感染症入院患者数の階級別（入院・累計）で見ると、概ね陽性患者数に比例して「収益の減少」や「費用の増加」等の各項目に該当する病院の割合が高い傾向にあった。

新型コロナウイルス陽性患者数の階級別（入院・累計）		全体 (n=250)		陽性患者がいない病院 (n=128)		陽性患者が9人以下の病院 (n=84)		陽性患者が10～49人以下の病院 (n=30)		陽性患者が50人以上の病院 (n=8)	
収益の減少	患者急減による減収	210	84.5%	95	74.2%	80	95.2%	27	90.0%	8	100.0%
	手術の制限による減収	139	55.6%	41	32.0%	64	76.2%	26	86.7%	8	100.0%
	受け入れ待機または一般病床受け入れによる空床分の減収	130	52.0%	46	35.9%	55	65.5%	21	70.0%	8	100.0%
	外来休止等による減収	80	32.0%	40	31.3%	20	23.8%	14	46.7%	6	75.0%
	陽性患者への対応で医師、看護師等が不足し一般病床の閉鎖を余儀なくされることによる減収	57	22.8%	22	17.2%	22	26.2%	10	33.3%	3	37.5%
費用の増加	施設改修、物品購入等による費用の増	191	76.4%	88	68.8%	68	81.0%	28	93.3%	7	87.5%
	陽性患者受け入れによる人件費等の増	64	25.6%	24	18.8%	25	29.8%	14	46.7%	1	12.5%
	患者増による人件費等の増	5	2.0%	3	2.3%	2	2.4%	0	0.0%	0	0.0%
その他	キャッシュ・フローの悪化による当面の運転資金の確保	49	19.6%	20	15.6%	21	25.0%	6	20.0%	2	25.0%

※陽性患者数（入院・累計）が無回答の病院は除外しているため、前頁の【病床規模別】の母数（n）とは一致しない

図1　財政的影響について既に影響が生じている点や今後生じる懸念の点
※陽性患者数（入院・累計）が無回答の病院は除外

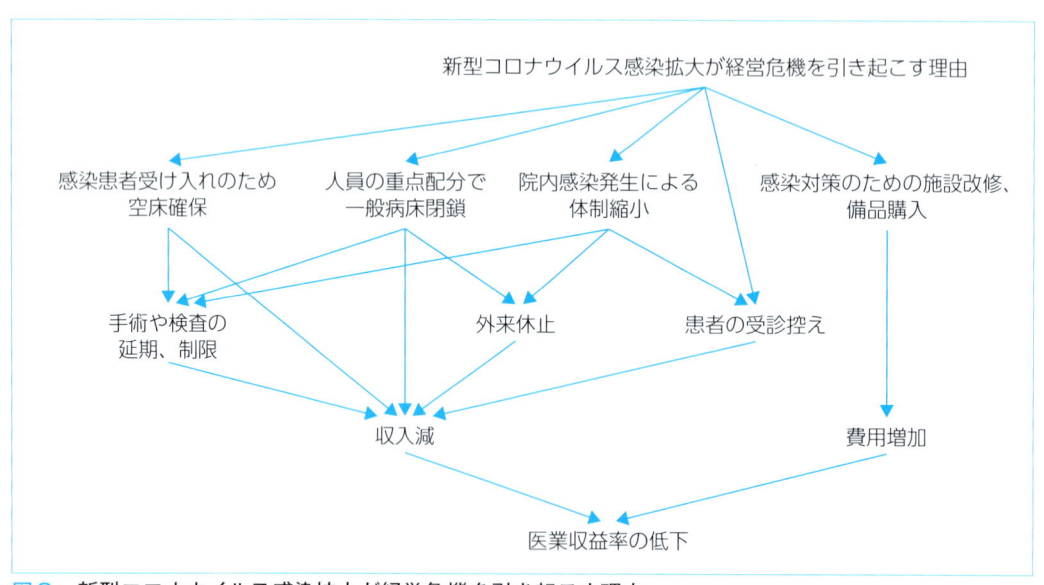

図2　新型コロナウイルス感染拡大が経営危機を引き起こす理由

3　財政支援は不十分

こうしたなか、厚生労働省（以下、厚労省）は診療報酬上の臨時措置を行い対応している[9]。しかし十分とは言えない。

日本医師会を含め、様々な医療関係団体が、赤字に苦しむ医療機関に対する国の財政的な支援を求める声明を出している。

全国医学部長病院長会議は以下のように述べる[10]。

「大学病院はもちろんのこと、診療所、病院を含むすべての医療機関において新型コロナウイルス感染症対策のため業務内容を変更した場合、例えば集中治療室確保のための手術件数制限や、院内感染防止ための外来診療制限、侵襲的検査の制限などの、診療内容変更に伴う診療報酬減少等への損失補填をしていただきたい」

署名キャンペーン『国は赤字の病院を救ってください！』（SaveMedSaveLives－医療を守ろうプロジェクト－）は、国会議員への陳情などの活動を行っている[11]。

まず、財政支援は喫緊の課題だ。しかし、こうした緊急措置が終われば、その先を考えていかなければならない。

4　病院の再編と機能分化を見据えて

2019（令和元）年9月、日本の医療界は揺れていた。

厚労省が第24回地域医療構想に関するワーキンググループにおいて、急性期病院を中心に、公立・公的病院の再編の必要性を名指しで示していたからだ[12]。

そして日本における新型コロナウイルス患者が初めて報告された2020（令和2）年1月16日の翌17日、厚労省は都道府県に対し「公立・公的医療機関の具体的対応方針の再検討要請」を発出した[13]。これにより、都道府県は公立・公的病院を地域の事情も踏まえ機能分化、再編、統合を行うことを求められることとなった[14]。

その後の新型コロナウイルスの感染拡大は、あらゆる病院に経営危機をもたらしたが、機能分化、再編が不可避であることを強烈に印象付けた。新型コロナウイルスの感染拡大を受け、医療機関の機能分化による医療者や医療資源の適正配分が強く求められたのだ。大阪府では、一時的に大阪市立十三市民病院（淀川区、263床［一般病床224床、結核病床39床］）を新型コロナウイルス治療に特化させた[15]。また、愛知県も岡崎市立愛知病院（151床［一般病床120床、結核病床25床、感染症6床］）を新型コロナウイルス専門病院にすることを決定した[16]。降って湧いたように強烈なニーズに基づく緊急的な機能分化が行われたのだ。

しかし、こうした動きは自治体病院で行えるのみだ。医師会主導で開業医などを新型コロナウイルスの検体採取に動員するといったケースはあったが、私立病院や診療所なども

含めた医療機関全体を見通した人員、物資、病床の配分はできない[17]。

　患者減になって余力ができた医療人材を、計画的に、あるいは強制力を持って新型コロナウイルスの治療や看護、検査の最前線に投入する権限を持つものは日本にはいない。緊急事態宣言時、新型コロナウイルス受け入れ病院は野戦病院と化したが、それ以外の病院では、むしろ患者が減って暇になったという声もあった[18]。それは多くの医療者が実感していただろう。暇を持て余し、収入減を黙ってみているしかなかったもどかしさを。前線の疲弊、前線も後方も経営破綻、配置転換もできない……。新型コロナウイルス感染症は、日本の医療体制が抱えてきた弱みにつけ込んで広がったと言えるのだ。

5　医療は、果たして「ブルシット・ジョブ」だったのか？

　しかし、現在のところ受診控えが市民の健康を大きく毀損したという声は聞かない。新型コロナウイルスの感染拡大にもかかわらず、超過死亡が大きくは増えていない。もちろん受診が遅れたためにがんが進行した状態で見つかったといった問題は生じている。人々の「病院離れ」がどの程度社会に影響を与えたかに関しては、今後検証が必要だろう。アメリカでは急性心筋梗塞を含め、あらゆる患者が減少したという[19]。今後こうした状況がどのようなアウトカムを引き起こしうるのか、慎重に見ていく必要がある。

　一方で、日本の医療現場においては、新型コロナウイルスの受診控えは、職員の雇用や経営のために「作り出された」患者が減ってよかったのではないかという声も一部で聞かれた。

　最近1冊の本が話題を呼んでいる。社会人類学者デヴィッド・グレーバーが書いた『ブルシット・ジョブ　クソどうでもいい仕事の理論』（岩波書店）だ[20]。

　グレーバーによれば、世の中にある仕事の多くが、社会のために役立っていないし、かつ従事している人々自体がそれを自覚しているという。これをグレーバーは「ブルシット・ジョブ（クソどうでも良い仕事）」と命名した。そして、「ブルシット・ジョブ」の多くが、本当に社会に役立っている仕事より高給だという。

　医療は患者を救うという目的があり、決して「ブルシット・ジョブ」ではない。人々の命を守るために日夜働くエッセンシャルな仕事である。

　しかし、「集患」という言葉が示すように、少なからぬ病院や医療機関が、様々な理由をつけて患者を集め、経営を維持しようとしている。診療所を巡り、何かあったら自分の病院に紹介してほしいと「営業」を行い、患者を奪い合う。救急患者はたとえ軽症でも断らず入院させる、必要性に乏しい加算をとる、採算が合わない診療科や患者は切り捨てる、すべては経営のために……。

　新型コロナウイルスは、こうした作り出された需要、いわゆる「医師誘発需要」[21]を減

らした側面があるのではないか。

「医師誘発需要」の存在に関しては諸説あるが、私立の中小医療機関が乱立しているため、経営のために、雇用維持のために患者を作っているとしたら、本来は入院や治療の必要のない患者のために多忙に陥っているとしたら、医療資源の多くが作り出された需要に割かれ、必要不可欠である新型コロナウイルス感染症などの疾患に対峙できないとしたら、それは患者のための医療ではない。医療の一部は「ブルシット・ジョブ」と呼ばざるをえないのかもしれない。

6　アフターコロナの医療資源配分へ

　今回のパンデミックで明らかになったのは、「儲からない」感染症に対峙するためには、市場原理が通用しないということだ。儲けを考えたら、患者を受け入れる選択肢はない。しかし、患者を受け入れても、受け入れなくても、コストはかかり受診控えや風評被害の影響を免れない。

　市場原理は、「完全競争」「外部性がない」「完全情報」といった前提条件が揃った時に機能する[22]。医療においては

　①不完全で非対称な情報（Imperfect and asymmetric information）
　②不完全な競争市場（Non-competitive market）
　③多くの病気は緊急性が高く、予測不能である
　④医療保険による市場のゆがみ（Market distortion due to health insurance）
　⑤外部効果（Externalities）

があるため、市場原理が通用しないと言われている[23]。

　患者が医療機関の「実力」を正しく評価できないこと、疾患の多くは緊急性があり、地域の枠を超えて医療機関を選択することができないことなどは、理解がしやすいだろう。新型コロナウイルスの蔓延は、正の外部効果があるため十分に市場が発達してこなかった感染症専門病院を直撃した。

　こうした市場原理の歪みの中に、病院や診療所が乱立しているにもかかわらず新型コロナウイルスにうまく対峙できないという日本の医療がある。

　アフターコロナの時代には、公立・公的急性期病院の集約化とそれに伴う医師の過重労働の緩和、そしてそれを超えた先の民間医療機関を含めた医療再編を見据え、場当たり的ではない本質的な議論が求められていると言えるだろう。

　具体的には「市場の失敗」を受け止め、医療体制を抜本的に再構成する必要があるということだ。

　医療機関の経営危機を、大胆な集約化の契機とし、医療を警察や消防などと同様の「社会的共通資本」に近づけなければならない。

経営危機に陥った病院に単純に資金を供給するだけでは、「ゾンビ企業」を生き残らせるようなもので、行き詰まった日本の医療に未来はない。危機に陥った私立病院、診療場を、医師や職員の雇用を保障した上で公的病院化し統合するといった大胆な取り組みも視野に入れるべきではないか。

　新型コロナウイルスの影響は今後数年続くと言われている。各医療機関の経営危機は続くだろう。しかし、こうした非常時だからこそ、日本の医療体制を見直すチャンスとも言える。

　明治維新、太平洋戦争と、日本はスクラップアンドビルドで新しく生まれ変わり、飛躍を遂げてきた。今回も第3のスクラップアンドビルドとして、既得権益にがんじがらめになった日本の医療を、いや、日本そのものを生まれ変わらせようではないか。

（本稿は、「Yahoo！ニュース個人」に執筆した記事に大幅な加筆を行ったものである）

■参考文献

1) 新型コロナウイルス感染症（COVID-19）への消化器内視鏡診療についての提言（2020年4月22日版）は以下のように述べていた．
「日本消化器内視鏡学会は以下のように提言していた．
さらには条件に該当しない方（臨床的にCOVID-19を疑わない症例：ローリスク患者）からのウィルス感染の報告も相次いでいるため，このような方に対しては，適応を慎重に勘案した上で緊急性がなければ延期も含めてご検討ください．特に，新型コロナウイルス対策の特別措置法に基づく緊急事態宣言が全国に拡大された現在，感染拡大を防ぎ，かつ医療従事者を守るためにも，少なくとも緊急事態宣言の期間中は緊急性のない消化器内視鏡診療の延期・中止を強く勧めます．このことは，個人防護具の節約のためにも極めて重要なことです．」
2) 新型コロナウイルス感染症対応下での健診・検査センターの医業経営実態調査の結果（確定版）を公表
https://www.med.or.jp/nichiionline/article/009507.html（2020年9月6日閲覧）
3) 「月8億減収で冬ボーナスなしか」「非常勤先を解雇」勤務医から寄せられた現場の厳しい実態
https://www.m3.com/open/iryolshin/article/794663/（2020年9月6日閲覧）
4) 新型コロナウイルス感染症に関する病院経営影響度緊急調査集計結果（2020年7月27日）
http://www005.upp.so-net.ne.jp/byo-ren/pdf/0727sono3.pdf（2020年9月6日閲覧）
5) 「新型コロナ感染症」に関する緊急実態調査　2020年9月1日　全国医労連
http://irouren.or.jp/news/8c67a37bbfe5f44787cae693b0bdcd1f5abec502.pdf（2020年9月10日閲覧）
6) 新型コロナウイルス感染症に関する大学病院の経営状況調査結果（2020年7月20日）
https://ajmc.jp/pdf/20200720_1.pdf（2020年9月6日閲覧）
7) 新型コロナウイルス感染症の医師会病院経営への影響（2020年3〜6月）を概説
https://www.med.or.jp/nichiionline/article/009547.html（2020年9月6日閲覧）
8) 第2回新型コロナウイルス感染症に係る調査結果　全国自治体病院協議会
https://www.jmha.or.jp/jmha/statistics/info/101（2020年9月10日閲覧）
9) 新型コロナは日本全国のすべての医療機関に影響，診療報酬の算定・届け出に係る柔軟措置を充実・拡大―厚労省
https://gemmed.ghc-j.com/?p=35829（2020年9月6日閲覧）
10) 新型コロナウイルス感染症（COVID-19）の医療実施に関する声明
https://ajmc.jp/pdf/20200420_02.pdf（2020年9月6日閲覧）
11) 署名キャンペーン『国は赤字の病院を救ってください！』（SaveMedSaveLives―医療を守ろうプロジェクト―）https://www.change.org/p/%E5%86%85%E9%96%A3%E7%B7%8F%E7%90%86%E5%A

4%A7%E8%87%A3-%E5%AE%89%E5%80%8D%E6%99%8B%E4%B8%89-%E5%9B%BD%E3%81%AF%E8%B5%A4%E5%AD%97%E3%81%AE%E7%97%85%E9%99%A2%E3%82%92%E6%95%91%E3%81%A3%E3%81%A6%E3%81%8F%E3%82%8C%E3%81%95%E3%81%84（2020年9月6日閲覧）

12) 第24回地域医療構想に関するワーキンググループ
https://www.mhlw.go.jp/stf/newpage_06944.html（2020年9月6日閲覧）
13) 公立・公的医療機関等の具体的対応方針の再検証等について
https://www.mhlw.go.jp/stf/newpage_08964.html（2020年9月6日閲覧）
14) 「公立・公的病院の再編統合」の再検証を厚労省が通知．対象病院は約440に増加─厚労省
https://gemmed.ghc-j.com/?p=31978（2020年9月6日閲覧）
15) "コロナ専門病院" となり3億円超の赤字……病院長の想いは？ 十三市民病院が外来診療再開へ
https://www.mbs.jp/mint/news/2020/07/10/077906.shtml（2020年9月6日閲覧）
16) 新型コロナウイルス感染症の専門病院を開設します
https://www.pref.aichi.jp/soshiki/iryo-keikaku/shin-aichibyoin.html（2020年9月6日閲覧）
17) 森田洋之【日本のコロナ対策病床は全病床の僅か0.7%】世界一病院が多いのにオーバーシュートでホテル入院に頼らざるを得ない『日本医療の不都合な真実』
https://www.mnhrl.com/coronabeds-2020- 4-22/（2020年9月6日閲覧）
18) 突然の「外勤禁止令」．医療現場で何が起きているか 働きたいけど働けない──日大医師の苦悩
https://www.j-cast.com/2020/04/24384966.html?p=all（2020年9月6日閲覧）
19) コロナがコロナ以外の疾患に与える影響
https://news.yahoo.co.jp/byline/kutsunasatoshi/20200816-00191694/（2020年9月6日）
20) 私たちが「クソどうでもいい仕事」に忙殺されてしまう意外な理由
https://gendai.ismedia.jp/articles/-/56414（2020年9月11日閲覧）
21) 医師誘発需要（Physician induced demand）
https://healthpolicyhealthecon.com/2014/07/23/physician-induced-demand/（2020年9月6日閲覧）
22) 市場の失敗
http://kisoken.org/webjiten/shijyonoshippai.html（2020年9月10日閲覧）
23) なぜ医療に市場原理は通用しないのか？
https://healthpolicyhealthecon.com/2014/06/09/market-failure-in-healthcare/（2020年9月10日閲覧）

第2章 保健所の新型コロナ対応から見えた課題 わが国の感染防止対策はどうあるべきか

山本光昭
東京都中央区保健所長

　保健所は、地域保健法に基づき、地域における公衆衛生を担当する行政機関として、都道府県、政令指定都市、中核市、政令市、特別区に設置され、2020（令和2）年4月現在、全国に469か所ある。新型コロナウイルス感染症（以下、新型コロナ）の対応では、保健所は第一線の行政機関として、感染症法に基づく感染拡大防止対策とともに、検査体制や医療提供体制の確保に向けた調整機能を発揮してきた。本稿では、保健所の対応と課題を概括するとともに、筆者の私見も交えて、新型コロナがもたらしたさまざまな論点とわが国における今後のあるべき方向性について述べる。

1　新型コロナの感染拡大に伴い過大となった保健所業務

　保健所は、感染症、精神保健、歯科保健、難病対策、栄養指導や受動喫煙防止等の健康づくり活動（市や特別区立の場合、予防接種、母子保健や高齢者保健等も所管）などを担う「対人保健」部門と、食品衛生、環境衛生、医事薬事という施設の営業許可や立ち入り検査、違反施設に対する指導等や動物愛護行政（狂犬病予防を含む）などを担う「対物保健」部門とで構成されている。近年は、大震災や風水害等の災害時対応を含む地域の健康危機管理拠点としての機能も有している。

　保健所における新型コロナ対応の主な業務は、表1に示すとおりであるが、これらの業務を「対人保健」部門の感染症担当者だけで処理することは、当然不可能である。筆者のいる東京都中央区保健所では、たとえば、食中毒調査の経験が豊富な食品衛生監視員を動員した積極的疫学調査の実施、医師会をはじめ医療機関や衛生検査所と日頃から接点がある医事薬事担当者を動員した医療機関との連携やPCR検査体制の確保など、保健所職員を総動員して新型コロナ対応にあたった。加えて、区役所内の他部門や東京都庁からの応援、非常勤の専門職や派遣職員の採用・確保など、緊急的にさまざまな支援策を受け、業務をこなしてきた。

　保健所は、感染症法に基づく感染拡大防止対策とともに、医療提供体制の確保に関する調整機能を発揮している。そうしたなか、感染者の急増に伴い、通常の法令に基づく業務

表1　新型コロナ対応に係る保健所の主な業務

○相談・指導・助言に係る業務
・帰国者・接触者相談センター業務、コールセンター業務（保健所への電話やメール等の対応）
・事業所や各種施設、飲食店等（陽性者の職場、利用施設等も含む）に対する相談対応・指導・助言
・消毒方法等衛生管理に関する指導・助言、患者宅等の消毒指導
・医療機関の医師からの発熱患者等の診療に関する問い合わせへの対応　など

○検査に係る業務
・行政検査（PCR法やLAMP法）受付・調整及び検体採取や検査の実施
・地方衛生研究所等への検体搬送、PCR検査センターの設置・運営
・PCR検査実施のための帰国者・接触者外来への受診調整　など

○発生届受理及びそれに伴う業務
・患者・疑似症患者の発生届受理（HER-SYSへのデータ入力）
・陽性者等発生時に医療機関との連絡調整、陽性者本人への体調確認や連絡
・入院調整、入院勧告及び就業制限、軽症者等の場合の療養宿泊施設への入所調整、自宅療養の場合の注意事項の説明等、感染症診査協議会の開催、入院医療費の支払い業務　など

○積極的疫学調査（クラスター対策を含む）に係る業務
・患者や家族等に行動歴を聞き取り、濃厚接触者を確定、感染経路の探索
・入院患者の病状把握（医療機関からの患者情報の聴取等）
・陽性患者（疑い患者含む）の医療機関等への搬送、流行地域・国からの帰国者の健康監視
・濃厚接触者、自宅療養中の軽症者・無症状者等の健康観察・ケア　など

○関係機関との連携・調整に係る業務
・管轄内の医療体制確保等について、医療機関・医師会等との協議、各種会議等の開催等
・関係部局、都道府県庁及び他の保健所との連携、情報共有、業務調整
・議会対応やマスメディアからの取材対応　など

○管理的業務その他
・医療用資器材の需要・在庫調査・確保・配布、各種統計資料の作成
・広報対応（ホームページ更新や周知文書等の作成・配布）
・補助金申請に係る調査・報告、国からの通知・事務連絡の管理
・さまざまな機関等からの各種調査や問い合わせ、要望等への回答作成　など

（注）保健所は、都道府県や政令市など設置主体の違いに加え、各地方自治体により本庁との役割分担が異なること、また、管轄地域の人口・地勢・保健医療資源の差異などにより、その機能は大きく異なるため、表1に示す業務のすべてを実施しているわけではない。

に加え、地域住民や事業者等からの相談件数が急増し、さらには、法令に基づく業務以外の業務が付加され、過大業務となった。この課題に対する解決策としては、リスク評価等の科学的知見を踏まえ、法令を適時適切な運用に見直す必要がある。また、地域によって保健医療資源の差異はあるものの、たとえば、検査業務や搬送業務など委託可能な業務（たとえば、PCR検査などは本来、医療機関でも実施が可能）は積極的にアウトソーシングしていくべきである。

2　感染防止対策・検査体制等におけるさまざまな論点

（1）新型コロナは封じ込め可能なウイルスなのか？

新型コロナは、検査及び積極的疫学調査がそれぞれに抱える限界により、封じ込めが困

難なウイルスだと筆者は考えている。

　まず、検査の限界に関しては、いったん陽性化すると生涯陰性にならない病原体であれば、いずれすべての陽性者の把握・管理が可能になる。しかし、新型コロナの場合は、陰性→陽性→陰性を繰り返す。無症状あるいは軽症で本人が感染者だと自覚していないこともあり、検査を全国民に毎日実施できない限り、感染を拡げる可能性は否定できない。また、検査には、検査検体の採取段階でのミスを含め、一定数の偽陰性（見落とし）や偽陽性（濡れ衣）が常に発生している。

　次に、積極的疫学調査の限界に関しては、①把握した感染者が必ずしも「初発（原発）」とは限らないことと、②非協力的な感染者が存在すること——の2点がある。

　前者は、同居家族同士などの飛沫等が飛び交うような濃厚接触関係の場合において、陰性者と陽性者が混在することが多々あるが、陰性者が実は初発で先に陰性化していると、当然のことながら、陰性者の積極的疫学調査は実施しないため、真の感染経路が把握できない。これは、結核のような潜伏期や治癒経過が長い感染症とは異なり、潜伏期も治癒経過も短い新型コロナの特性といえよう。

　後者は、大変残念なことではあるが、本ウイルスに関しては無症状者も多いため、保健所からの連絡に対して、プライベートに関わる行動履歴を答えたくない、喫煙や飲酒を禁じられるホテル療養を拒否するといった事例が多発し、現場の担当者のストレスは高まった。この場合も、感染経路は不明になる。さらに行動制限や就業制限が確実に遵守されるかどうかも課題となっている。

(2) 何を目的として検査するのか？

　通常の医学・医療における検査の目的は、一義的には患者を適切に診断して治療するということである。副次的には院内感染を防止するという感染制御の意義もある。すなわち、治療法の的確な選択や除外診断として、たとえば、抗インフルエンザ薬の適応可否のためのインフルエンザ検査や抗菌剤の適正使用のための菌検査などを実施したり、想定される鑑別診断から当該疾病でないことを除外するための検査を実施したりする。インフルエンザをはじめ、いくつかの感染症検査では、陽性が出れば治療を進める一方、日常生活や就業等の注意事項について副次的に助言している。

　さらに、通常の医学・医療においては、疾病診断にあたり、必ず複数の検査を実施し、総合的な判断のもと、診断・治療を実施する。たとえば、悪性新生物で、血液検体検査（CEAやPSA等の腫瘍マーカー）のみで診断することはありえず、画像検査や病理組織検体検査など、複数の検査を行うなかで診断していく。また、感染症法で2類感染症である結核の場合は、血液検体検査（インターフェロンγ遊離試験）、画像検査（胸部X線やCT）、喀痰検体検査（塗抹検査や遺伝子増幅法検査）で診断し、診断に至るまでは、医療機関において自己負担を伴う保険診療として実施されている。

ところで、検査にはLAMP法、抗原検査などがあるなか、PCR法のみを絶対視するのも課題といえる。抗原検査またはLAMP法で陽性であるが、PCR法では陰性となる事例もある。検体が同一でないことや採取時点が異なるためとはいえ、PCR法が正しいのか、抗原検査やLAMP法が正しいのか（PCR法の偽陰性の可能性）、わからないのである。これが、通常の医学・医療なら、CT画像におけるスリガラス様の特徴的な肺炎像の有無なども検査しながら、総合的に診断がなされていく。

　このことからも、新型コロナについても、本来の疾病診断として、自己負担ありの保険診療として画像検査や血液検査結果などから総合的に診断を行い、診断されたのちに発生届を保健所が受け、医療費の公費負担、公衆衛生上の対応をしていくという、通常の医療・公衆衛生としていくべきではないかと考えている。

　なお、本来、行政検査の目的とは、地域の感染状況を把握し、適切な対策の戦略を策定するという公衆衛生や政策立案のためのものであり、「無料」を目的化しているともいえる現在の運用については、今後検証が必要であろう。

(3) 感染の拡がりを抑えるものは何か？

　本来、感染拡大のリスクを軽減できるのは、日頃からの感染予防策に加え、感染の不安があって検査を受ける前後の行動の自粛である。このため、本区のPCR検査センターでは、検査受検者に「PCR検査の感度には問題があり、結果が陰性だったとしても偽陰性の可能性があるため、10日間は外出の自粛及び自身の体調に留意してください」「濃厚接触者の場合は、保健所から指示のあった日まで健康観察を継続し、出勤を自粛してください」といったお願いをしている。

　また、区内の医療機関で従事者が院外で感染したと考えられる事例がいくつかあったが、院内での拡がりは見られなかった。日頃から院内感染対策の意識が高い医療機関では、「標準予防策」が徹底され、陽性の従事者が執務していても院内で感染が拡がらないのであろう。すなわち、感染の拡がりを防ぐために必要なのは、無症状者に対して検査を実施することではなく、会話時におけるマスクの着用や手洗い、手指消毒等の標準予防策を徹底することである。一番危険なのは、ある時点での陰性結果を受け、安心しきり、標準的な予防行為を疎かにしてしまうことであろう。

　風俗営業店では、その業態上、会話時における従業員のマスク着用の徹底は困難な場面があり、それがゆえに安全証明的な検査を求めていることも想定されるが、これでは検査すること自体が感染リスクを高める可能性すらあることを否定できない。また、「COCOA」などの接触アプリで、陽性者との接触可能性があるという通知があれば、検査結果が陽性か陰性かの前に、まずは、外部との接触を自粛することで感染の拡がりのリスクを減らすといった行動が優先されるべきであろう。

（4）健康のトレードオフをどう考えるのか？

　新型コロナ対策において、「人の命や健康」と「経済」のどちらが優先なのかという議論がよくなされる。しかし、筆者は、そのような二者択一ではなく、「人の命や健康」のなかにおける「トレードオフ」が大きな課題だと認識している。

　院内感染対策をしっかり実施している医療機関にも関わらず、新型コロナに感染するかもしれないという誤解から、医療機関への受診抑制が起きており、悪性新生物をはじめ糖尿病など他疾病の早期発見の遅れやコントロール不良による重症化の危険性が懸念される。

　また、「Stay Home」というキャッチフレーズは、一部の高齢者に対して外出するだけで感染するような誤解を与えた可能性がある。その結果として、家に引きこもることによる認知症の悪化やフレイルによる転倒から横臥、誤嚥性肺炎による死亡、さらにはうつ症状が悪化しての自殺、経済苦による自殺、あるいは死亡保険金との引き換えのための自殺の誘発もありえよう。

（5）ワクチンや抗コロナウイルス薬が開発されれば、克服できるのか

　季節性インフルエンザや結核は、ワクチンや治療薬が存在している。しかし、高齢者を中心に続発する細菌性肺炎や多剤耐性菌などによって死亡することも多く、わが国においても「撲滅」されてはいない。また、ワクチンは、そもそも健康体に接種するので、わが国では諸外国と比較して、副反応に対して過敏となっていることにも留意が必要である。さらに、特に身体の疾病がなくても、突然、動悸、呼吸困難、眩暈などを繰り返す「パニック障害」という病態もある。新型コロナでは、この障害が起きないという知見が出てくれば別であるが、これもワクチンや抗コロナウイルス薬が開発されても解決は困難であろう。

3　わが国における今後の新型コロナ対応のあるべき方向性

　筆者が考える、わが国における今後の新型コロナ対応のあるべき方向性は、表2にそのポイントを示した。以下にその考え方を述べる。

（1）新型コロナによる死亡者数の最小化

　小児の死亡は世界的にも非常に少なく、若年者も無症状か軽症者が中心、重症化や死亡のリスクは、高齢者を中心にコントロール状態が良くない基礎疾患を合併している患者という知見が確立しつつある。このようななか、感染者数の全数把握から、死亡者数の最小化を目指す方向へ注力する段階と考えている。

　このため、高齢者等（ハイリスクグループ）と病原体の接触リスクを低減するとともに、重症化予防のための迅速かつ的確な診断、適切な治療へのアクセスを確保していくことが

表2　わが国における今後の新型コロナ対応のあるべき方向性

①新型コロナによる死亡者数の最小化
→高齢者等（ハイリスクグループ）と病原体の接触リスク低減とともに重症化予防のための的確な診断、適切な治療へのアクセスを確保
→地域の医療機関での検査の実施も含め、アクセスが良く質の高いわが国の通常の医療の提供

②感染機会のリスク軽減
→地域別の発生動向の情報発信による予防行動の促進
→他の疾病リスクを考慮して、会話時等のマスク着用、咳エチケット、手洗い、消毒などの標準予防策の実施

③偏見・差別、風評被害の回避
→感染のリスクはすべての人にあり、感染自体を恐れるべきではない
→「恐怖の病原体」という疾病イメージの払拭

重要であろう。たとえば、高齢者入所施設では、新規利用者に対して、いきなり大部屋ではなく、一定期間ショートステイ用の一人部屋に入っていただければ、新規利用者によるウイルス侵入は偽陰性の可能性がある検査陰性証明よりも、ほぼ確実に防げることとなる。流行期には、スマートフォンのテレビ電話機能を用いた家族との交流などを活用し、面会も飛沫飛散防止のためのマスク着用を徹底して短い時間とすることにより、感染機会のリスク軽減を図れるだろう。

また、重症化予防のための迅速かつ的確な診断、適切な治療へのアクセスのためにも、検査は地域の医療機関での実施を中心とすることが望まれる。初期診療における検査を行政検査の枠組みに組み込む意味はない。積極的疫学調査による患者との濃厚接触者に対する検査は、当然、行政検査であるが、医療提供が必要になる可能性があることを考えれば、保健所からの委託により医療機関で実施するほうが連続性の担保がなされ、より望ましいであろう。

（2）感染機会のリスク軽減

季節性インフルエンザでも同じであるが、全国一律に均等の感染流行が起こるわけではなく、地域別、少なくとも都道府県別での感染者の発生動向は、全数でなく定点医療機関からのものだけであっても重要な情報であり、この情報提供により、地域住民に予防的な行動を促すことが効果的と考えられる。

データ化は難しいが、積極的疫学調査における筆者の経験では、執務中のマスクの着用や手洗い、手指消毒が徹底しているような事業所や医療施設、学校では感染の拡がりがないという印象を持っている。一方、拡がりがあるのは、同居家族同士、マスク非着用での会話が行われている会合や風俗営業店などであった。感染リスクの軽減のために最も効果的なことは、唾液などの飛沫が飛び合い、吸い込むような状況を避けることであり、すな

わち、会話時等のマスク着用による飛沫飛散防止を確実にし、さらに、咳エチケット、手洗い、消毒などを意識し、励行することである。

(3) 偏見・差別、風評被害の回避

　もともと、「恐怖の病原体」は社会から隔離（排除）すべきという意識と、根強い「偏見・差別」意識とは連動するものであり、これは、ハンセン病やHIV感染症での経験そのものである。筆者が広島県庁に勤務していた1990年代前半、HIV感染症は新型コロナと同様に大きな社会問題になっていたが、「恐怖の病原体」かつ「不治の病」という状況のなか、激しい偏見・差別問題が続いた。

　しかしながら、その後、多剤併用療法の確立等によって、「恐怖の病原体」「不治の病」ではなくなり、その疾病イメージも変わり、偏見・差別問題は改善していく。高齢者などでは続発する細菌性肺炎等で死に至ることがある風邪症候群や季節性インフルエンザなどは罹患しても、偏見・差別を受けることはほぼない。それは「恐怖の病原体」というイメージがつくられていないからであろう。このため、新型コロナに対する疾病イメージを変えて、感染のリスクはすべての人にあり、感染自体を恐れるべきではないという政策を進めない限り、偏見・差別、風評被害をなくすことはできないであろう。

第3章 ワクチン・治療薬開発の最前線 完全収束に向けたシナリオとは

山田悠史
マウントサイナイ大学病院
老年医学・緩和医療科フェロー

　新型コロナウイルス感染症（COVID-19）の感染が拡大し、WHOが「パンデミック」を宣言したのは、まだ3月のことである。しかし、9月初頭の時点ですでに2,600万人を超える人に感染が広がり、88万人もの命を奪った。一方、この感染流行の早さに負けず劣らぬ早さでワクチン・治療薬の開発も進行している。ワクチンではまったく新しい形の核酸ワクチンを中心に異例のスピードで第3相試験まで歩みを進め、治療薬もすでに少なくとも2種類の薬剤でCOVID-19に対する有効性が示唆されている。COVID-19克服の鍵は、やはりこのワクチン・治療薬の進歩にあると言ってよいだろう。本稿では、その現状について概説する。

1　世界各国におけるワクチン・治療薬の開発状況

（1）人類史上最速となるワクチンの開発速度

　パンデミックの最中、経済活動が制限される日々を送るわれわれにとっては、ワクチン開発速度はとても遅く感じられるかもしれない。しかし、実際にはその速度は現在までのところ、人類史上最高記録を塗り替え続けている。

　米国モデルナのワクチンは、病原体が中国で特定され、世界に共有されてから、わずか45日で作製が完了し、臨床試験用に届けられている。そして、66日で実際に人の被験者に投与された[1]。これらは、いずれも歴史的な快挙であり、本来ワクチン開発は何年もかかるプロセスであったことを忘れてしまうほどの異例の速さである。

　また、モデルナが作製した「核酸ワクチン」は、技術としては存在していたものの、これまで人に用いられたことのない新技術である。開発中のワクチンの分類との違いは、表1のとおりだ。こうしたことがすでに当たり前のように各社で行われ、人への投与が開始となっていることもまた、驚異的な事実である。

　現在、モデルナの他にも、英国のオックスフォード大学とアストラゼネカ、中国のカンシノなど数多くの企業・学術機関がワクチンの臨床試験を開始している。人への臨床試験

表1　ワクチンの種類と特徴

種類	特徴	開発企業例
ウイルスベクターワクチン	アデノウイルスなど、別のウイルスの増幅能を失わせ、そのウイルスにコロナウイルスの遺伝子情報を組み込む。生産コストが比較的安い。	アストラゼネカ（英国）カンシノ（中国）
核酸（DNA/mRNA）ワクチン	ウイルスの一部をコードする情報をDNAまたはmRNAに載せ、ドラッグデリバリーシステムに乗せて投与する。迅速な製造が可能である。	モデルナ（米国）ビオンテック（独国）
不活化ワクチン	感染力を失わせたコロナウイルスを原材料とする。ウイルスの培養が必要となり、時間がかかる。	シノバック（中国）シノファーム（中国）
タンパクサブユニットワクチン	ウイルスの特定のタンパク質を分離して投与する。安全性は高いが、効果が不十分なことも多い。	ノババックス（米国）サノフィ（仏国）

が行われているワクチンは37種類（2020年9月4日時点）にも上り、そのうち9つは最終試験である第3相試験のフェーズまで進んでいる。この数字は、今後も増加し続けることは間違いない。

また、人への臨床試験にはまだ至っていないものの、動物実験の段階のワクチンは91種類（2020年9月4日時点）にも及ぶ。1つの病原体に対してこれだけ多くのワクチンが活発に研究されている事実は、人類にとってこの病原体がいかに脅威であり、ワクチンがいかに求められているかということを強く物語っている。

(2) モデルナ、アストラゼネカの臨床試験結果

次に、これら多数のワクチンのうち、モデルナ、アストラゼネカの臨床試験の結果を示す。ここまではとても有望な結果となっている。

モデルナの第1相試験では、45人の健常な成人を対象にワクチン接種が行われた。被験者15人ずつに投与量それぞれ25μg、100μg、250μgが投与された[2]。このワクチンは2回接種を必要とし、1回接種のあと、1か月後に再度接種を受けるスケジュールとなっている。

結果として、2回接種を行った1か月後に血液検査を行い、被験者全員に中和抗体が認められた。また、その抗体価（抗体の量や強さ）を、実際の感染者に見られる抗体価と比較すると、多いほうから上半数の患者に見られる抗体価を示した。

最高投与量の250μgを接種した被験者のうち3人で比較的重度の副作用が報告されたが、100μgの接種では、40％の被験者に短期間の発熱が認められたものの、重度の全身の副作用は報告されなかった。

これらの結果から、100μgでの臨床試験の続行が決定され、現在第3相試験まで進行している。

アストラゼネカのワクチンでも同様に、第1・2相試験の結果が公表されている[2]。モデルナのワクチンとの大きな違いは、ウイルスベクターワクチンという点である。

試験結果を報告した論文によれば、ウイルスに対する抗体はワクチン接種後2週間から認められ、4週間後にも高い値で維持されていた。また、抗体だけではなく、T細胞活性を含むその他の免疫系についても評価されており、いずれも有効性を期待させる結果であった。

主要な副作用はモデルナのワクチンと同様で、注射部位の発赤や疼痛、そして発熱が報告された。他の病原体のワクチンと比較すると総じてやや比率の高い印象はあるが、いずれも予想を超えるものではなかった。

このように、有効性、安全性ともに現時点までは期待値を下回らない状況で臨床試験が進行している。

(3) 有効性が期待される治療薬

①レムデシビル

新型コロナウイルスの治療薬として最初に認定を受けたのは、米国のギリアド・サイエンシズの作製したレムデシビルという薬剤であった。

レムデシビルは、もともと今から10年ほど前にC型肝炎ウイルス感染に対する薬剤研究のなかで誕生した薬であった。残念ながらC型肝炎ウイルスには有効性を示すことに失敗したが、その後、エボラウイルスに有効な可能性が示唆され、期待を集めてきた。

このC型肝炎ウイルスとエボラウイルスの共通点は、RNAウイルスであるという点で、レムデシビルは、ヌクレオチドアナログのプロドラッグ(体内で代謝されてから作用を及ぼすタイプの薬)であり、ウイルスのRNAポリメラーゼの働きを抑制し、増殖過程を抑える薬剤である。

その後、同じRNAウイルスであるSARSやMERSに対しても動物モデルで有効性が示され[3]、今回の新型コロナウイルスでもその有効性を検証される運びとなった。

レムデシビルは、1,000人を超える感染者を対象にプラセボ対照の比較試験が行われ、治癒までの期間が4日ほど短縮されることが示された[4]。また、致死率では統計学的な有意差は示されなかったものの、14日後の致死率にレムデシビル群で良い傾向が見られた。

こうした試験結果を根拠に、多くの先進国で使用が承認されることとなった。しかし、致死率には必ずしも有意差が認められていない状況であり、決定的な治療薬とはなり得ていない。また、現在のところ、このレムデシビルには注射薬しかなく、バイオアベイラビリティ(投与された薬がどれだけ全身循環血中に到達し作用するかの指標)が低いことから、現在「吸入薬」を開発中である。

②デキサメタゾン

レムデシビルの報告のあと、多くの治療薬で有効性の証明ができないなか、デキサメタゾンが有効性を示したことが報告された。デキサメタゾンは、ステロイド薬の一種である。薬の立ち位置がレムデシビルとは大きく異なり、抗ウイルス薬としての効果ではなく、ウ

イルス感染が招く過剰な炎症を抑制することが期待される薬である。

　デキサメタゾンの有効性を検証する試験では、デキサメタゾンを投与した患者で、致死率の低下が示唆された[5]。ただし、注意が必要なのは、全体として約17％の致死率の低下が認められたものの、改善を示した患者の詳細を見ると、酸素投与を必要とした患者や人工呼吸器を必要とした患者など、中等症や重症の患者に効果は限定されていた。当然と言えば当然であるが、酸素投与も不要な軽症の患者には効果を確認できず、むしろ致死率悪化の傾向すら認めていた。

　事実、ステロイド薬は諸刃の剣であり、症例を選べばとても有効な薬だが、副作用も多く知られている薬である。適材適所で用いる必要がある。

　これらの試験結果から、現時点での最善の治療法として、軽症の患者に対しては対症療法中心、中等症から重症の患者に対してはレムデシビルやデキサメタゾンを組み合わせた治療が考えられている。

③回復期血漿療法

　回復期血漿療法は、1世紀も前からさまざまな感染症に対して試みられてきた治療法である。これは、すでに感染し回復した患者のうち、一定以上の抗体価が確認できた患者から血漿を採取し、それを新規の感染者や暴露後発症予防（感染症の病原体が体内に進入した可能性が生じたあとに行われる発症を防ぐ治療行為）を目的として投与するという治療法である。

　中国で行われた103人の重症患者を対象としたオープンラベルの試験（医療スタッフや患者本人がどのような治療を受けているのか知っている状態で行われる試験）では、標準治療と比較して72時間後の鼻咽頭のウイルスRNAの検出率の減少が示唆されたものの、致死率など患者に直結したより重要なアウトカムの改善は示されなかった[6]。

　一方、3万5,000人を超える患者の観察研究によると、重症患者ないし重症化リスクのある患者に対して、診断から3日以内に血漿を投与した場合に、4日以上経過してから投与した症例と比較して、7日目及び30日目の致死率の低下と関連していた[7]。ただし、非常に限界の多いデータであることは言うまでもない。

　これらの結果を背景として、米国ではFDA（Food and Drug Administration：食品医薬品局）が緊急使用を承認する運びとなっている。しかし、ランダム化比較試験による明確な有効性のデータはいまだにない状況にあり、今後のさらなる報告が待たれる。

④その他（ロピナビル・リトナビル、ファビピラビル、ヒドロキシクロロキンなど）

　その他の薬剤として、過去にはHIVに用いられてきたロピナビル・リトナビル、インフルエンザの流行に備えて国内備蓄されたファビピラビル（商品名：アビガン）、マラリアの治療薬として用いられてきたヒドロキシクロロキンなども期待されていたが、残念ながら今のところ有効性を証明できるには至っていない。

2　ワクチン・治療薬開発の今後の展開

　先述したように現在9つのワクチンが第3相試験まで進行している。第3相試験はランダム化比較試験で、それぞれ3〜5万人規模の被験者で行われる計画となっている。これらの試験結果は、早くて2020年10月から11月以降、今冬から来春までには判明する見込みである。ただし、その結果が一定の安全性と有効性を示すという保証はどこにもなく、ワクチンの今後の展望は現時点では「未定」と言わざるを得ない。

　本来はこれらの結果を待ち、有効性と安全性が確認できてから量産体制に入るのが理想的であり、実際に、過去の多くのワクチンはそのようなステップを踏んできた。しかし、今回は緊急事態であり、その結果を待っていては充足するのが遅れてしまうため、試験結果を待たずにワクチンの量産が開始となっている。こうすることにより、試験結果が判明次第、可能な限り多くのワクチンを供給できる体制を整えている。

　治療薬では、現在までのところ少なくとも2種類の薬剤に有効性が示唆されているが、新規の開発はもちろんこれで終わりではなく、現在も数え切れないほどの臨床試験が進行中である（表2）。

　たとえば、別の病気に使われてきた薬をCOVID-19にも試す、ドラッグリポジショニングと呼ばれる手法が盛んである。ドラッグリポジショニングでは、すでに使用されてきた経験のある薬剤を用いるため、副作用プロファイルが十分わかっており、開発コストも安く抑えられるメリットがある。"当たる確率"は決して高くないが、仮に見つかれば一から薬を開発するよりも早く臨床試験を開始できるという強みがある。

　また、新たな薬で現在有望視されているものとしては、「モノクローナル抗体」が挙げ

表2　主な治療薬と開発状況

分類	薬剤名	現在の開発状況
抗ウイルス薬	レムデシビル	人での有望なエビデンスあり、複数の国で承認
	ファビピラビル	臨床試験進行中
	リコンビナントACE-2	細胞レベルの試験のみ
	イベルメクチン	臨床試験進行中
	Oleandrin（キョウチクトウ抽出物）	細胞レベルの試験のみ
抗体・免疫賦活薬	回復期血漿	観察研究など中心、米国で緊急使用承認あり
	モノクローナル抗体	臨床試験進行中
	インターフェロン	臨床試験進行中
抗炎症薬	ステロイド	人での有望なエビデンスあり、複数の国で承認
	炎症性サイトカイン阻害剤（トシリズマブ、エクリズマブ等）	いくつかの薬剤は第3相試験で有効性示せず、臨床試験進行中
	幹細胞治療	臨床試験進行中
抗凝固薬	ヘパリン	臨床試験進行中

られる[8]。いまだ人の試験の結果が報告される段階には至っていないものの、有効性が示されれば、ワクチン普及までの橋渡し役としての役割も期待される。

3　ワクチンの早期実用化に伴うリスク・安全性

　ワクチンの製造企業、各国政府はすでに大きな「リスク」をとり始めている。ここで言うリスクとは副作用リスクなどではなく、有効性・安全性が明らかでないまま量産体制に入り、巨額の投資をして、すべてが台無しになる可能性が残されているという経済的リスクである。

　有効性に関して言えば、これまでの報告から、ワクチンの短期的な有効性は十分期待を持たせる結果であるものの、ワクチンの有効性がどの程度持続するかという点も懸念事項である。

　実際に、軽症の感染者の抗体価の推移を追跡すると、抗体価の半減期がわずかに10週程度であったとの指摘もある[9]。また、他の種のコロナウイルスに対する免疫の持続期間は数か月単位と報告されており、新型コロナウイルスでも懸念されるところである。一方、比較的長期の記憶免疫を示唆する報告もあり、この点はまだ不明なところも多い。しかし、現在行われている試験で、3か月後や6か月後の有効性が評価される予定になっており、今後明らかにされていくものと期待される。

　安全性については、これまでの第1・2相試験で重大な副作用が報告されていないものの、当然であるが、規模をより拡大した際のまれな副作用の出現や長期的な副作用の可能性は否定できない。実際、アストラゼネカの臨床試験のなかで、ワクチン接種後に発症した横断性脊髄炎と考えられる症例が報告され、試験が一時中断された[10]。「関連の有無の判定に十分な証拠が得られなかった」とされ試験は再開されたものの、関連がないとも断定できない状況ではある。核酸ワクチンなど新たな技術が用いられていることもあり、今後も注視していく必要がある。

　さらに、ロシアや中国で見られる早期の限定承認の動きも見過ごすことはできない。これまで報告された早期臨床試験で安全性が示唆されているとはいえ、第3相試験は未実施の状況である。そのような状況下で、一般への普及が開始され、安全性の懸念が報告された場合、たちまち反ワクチンの流れを生みかねない。これは、最大のリスクの1つと言っていいかもしれない。

　しかし、過去のパンデミックの歴史を振り返ってみると、人類が感染症を克服する原動力となってきたのは、いずれも「科学」だったということもよくわかる。この先、どのような未来になるかは知り得ないが、ワクチン開発こそが、今後のパンデミックの行く末の鍵を握っていると言っても過言ではない。

4　新型コロナの完全収束はあるのか

　未来予測については、いくつかの論文がすでに報告されているが、ここでは米国ミネソタ大学のCIDRAP（Center for Infectious Disease Research and Policy：感染症研究政策センター）が報告したレポートを紹介する[11]。

　まず前提として、このレポートは、過去のインフルエンザのパンデミックを参考にしている。インフルエンザウイルスとは、ウイルスの特徴という点では異なるものの、以下のような類似点もある。

　1つは、パンデミックを引き起こしたインフルエンザが今回の新型コロナウイルスと同様、当時は人にまったく免疫がない新たな病原体であったこと、そして世界中の人に感染が広がる可能性を持ち、実際に何十万、何百万という数の人に瞬く間に感染が広がったという点である。もう1つは感染経路で、飛沫感染を主体に感染が広がる点、無症状者からも感染が広がる点も共通している。

　こういった共通点から、少なくともパンデミックの収束の仕方という点で、過去のインフルエンザの経験を参考にすることができるとレポートの著者らは考えている。そのうえで、考えられる未来として3パターンほどあり得るのではないかと予測されている。

(1) 収束に向けた3つのシナリオ

①第1波より遥かに大きな感染流行が起こる

　3パターンのうち最も厳しいのがこのシナリオ1だ。そして、「最悪のシナリオを想定しておくべき」という意味では最も重要である。そのシナリオは、いったん今夏中に少し落ち着きを取り戻し、今秋から冬にかけて、第1波よりも遥かに大きな感染流行の波が来るというものだ。

　特に、夏から秋に移り変わり、寒さが増してくると、人が室内で密集しやすくなる。寒さによって環境中のウイルスの減衰速度が遅くなるなどの変化もあり、秋に再度の感染流行が始まり、油断をしていると各国で人口の半数程度にまで広がる感染流行が起こり得る。

　また、秋から冬にかけては、インフルエンザの流行も生じることが想定され、重複感染なども問題になるかもしれない。第1波の経験で気を緩め、油断からこのような状況が起こることも十分にあり得る。

　考えたくもないストーリーだが、このようなシナリオは実際、1918（大正7）年のスペインかぜや1957（昭和32）～1958（昭和33）年のパンデミックインフルエンザでも生じている。スペインかぜでは、3月に第1波が訪れ、夏にいったん収まり、秋に一気に感染爆発が起こったことが報告されている。このパターンはまだ記憶に新しい2009（平成21）～2010（平成22）年の新型インフルエンザでも見られ、このときも春に第1波、秋により大きな第2波となった。

これらのインフルエンザのパンデミックでは、第2波のあとは、小さな波が数年繰り返されるにとどまり、やがて季節性の感染症になっている。大きな第2波によって、「集団免疫」が完成するからだと考えられている。

②第1波と同じか、それ以下の感染流行が起きる

　シナリオ2は、現在と同じか少し小さな波が2年ほどにわたり繰り返されるパターンだ。たとえば、人口の10〜15％程度にまで広がるような感染流行があと3〜4回ほど起こるイメージである。流行のタイミングは、地域によりズレが生じるものと予想される。

　このシナリオの場合、流行の大きさによって、2年ほどは断続的な感染流行が見られる。その後は、集団免疫がある程度機能し、感染流行の波はなだらかになっていく。このようなシナリオは、先に紹介した以外のパンデミックインフルエンザで見られたシナリオであり、これもまた現実的なものかもしれない。

③大きな感染流行は起きない

　最後のシナリオは、そもそもこれまでのような大きな感染流行は来ずに、じわじわと感染が広がり続け、季節が変わっても特に大きく増えも減りもせず、だらだらと感染流行が続くというものである。このシナリオは過去のインフルエンザでは前例がないが、COVID-19ではまだ起こり得ることだと述べられている。

（2）終わりのないパンデミックはない

　いずれのシナリオを辿るにせよ、1年半から2年ほどは断続的な大きな感染流行を見込んでおかなければならないと推測される。感染の被害が大きくなり急速に悪化すればするほど短期間で収束することになりそうだが、その代償は計り知れない。

　しかし、感染拡大の結果であれ、ワクチンの結果であれ、集団免疫ができたあとは、人のなかで少しずつ循環し続け、感冒のウイルスのように季節性をとり、軽症な感染症になっていくことが予想される。このため、新型コロナウイルスの流行は「永遠に続く」とも言えるが、「同じ戦いは永遠には続かない」とも言えるのではないかと考えられる。

　また、紹介したシナリオは、あくまで有効なワクチンが入手できなかった場合のものであり、"prepare for the worst"は重要であるものの、有効なワクチンが普及した際にはこれよりも良い経過を辿る可能性が高い。

　実際、2009年におけるパンデミックインフルエンザでの経験は、ワクチンが人類を助けてくれる可能性を教えてくれている。このときのパンデミックでは、第1波から6か月後に米国でワクチンが入手できるようになったことにより、70〜150万人の感染を防いだと試算されている[12]。

　あるいは、ワクチン以外にも、感染者をすぐに同定し、感染者との接触を完全に防ぐようなイノベーションが大きな助けになるかもしれない。このように、ワクチン、科学のイノベーションが、このコロナウイルス・パンデミックに対しても感染の波を小さく、短く

することに一役買ってくれるはずである。

　そして何より、過去のあらゆるパンデミックでの経験が、「終わりのないパンデミックはない」ことを教えてくれている。出口のないトンネルはない、そんな希望を持ちながら、科学の進歩を待ちわびるばかりである。

■参考文献
1) Jackson LA, Anderson EJ, Rouphael NG, et al. An mRNA Vaccine against SARS-CoV-2 - Preliminary Report. N Engl J Med 2020; published online July. DOI:10.1056/NEJMoa2022483.
2) Folegatti PM, Ewer KJ, Aley PK, et al. Safety and immunogenicity of the ChAdOx1 nCoV-19 vaccine against SARS-CoV-2: a preliminary report of a phase 1/2, single-blind, randomised controlled trial. Lancet 2020. DOI:10.1016/S0140-6736（20）31604-4.
3) Sheahan TP, Sims AC, Graham RL, et al. Broad-spectrum antiviral GS-5734 inhibits both epidemic and zoonotic coronaviruses. Sci Transl Med 2017. DOI:10.1126/scitranslmed.aal3653.
4) Beigel JH, Tomashek KM, Dodd LE, et al. Remdesivir for the Treatment of Covid-19 ― Preliminary Report. N Engl J Med 2020. DOI:10.1056/nejmoa2007764.
5) Horby P, Lim WS, Emberson JR, et al. Dexamethasone in Hospitalized Patients with Covid-19 - Preliminary Report. N Engl J Med 2020; published online July. DOI:10.1056/NEJMoa2021436.
6) Li L, Li L, Zhang W, et al. Effect of Convalescent Plasma Therapy on Time to Clinical Improvement in Patients with Severe and Life-threatening COVID-19: A Randomized Clinical Trial. JAMA - J Am Med Assoc 2020. DOI:10.1001/jama.2020.10044.
7) Joyner MJ, Senefeld JW, Klassen SA, et al. Effect of Convalescent Plasma on Mortality among Hospitalized Patients with COVID-19: Initial Three-2 Month Experience. medRxiv 2020. DOI:10.1101/2020.08.12.20169359.
8) Wang C, Li W, Drabek D, et al. A human monoclonal antibody blocking SARS-CoV-2 infection. Nat Commun 2020; 11: 2251.
9) Ibarrondo FJ, Fulcher JA, Goodman-Meza D, et al. Rapid Decay of Anti–SARS-CoV-2 Antibodies in Persons with Mild Covid-19. N Engl J Med 2020; published online July 21. DOI:10.1056/NEJMc2025179.
10) https://www.astrazeneca.com/content/astraz/media-centre/press-releases/2020/statement-on-astrazeneca-oxford-sars-cov-2-vaccine-azd1222-covid-19-vaccine-trials-temporary-pause.html
11) Moore KA, Lipsitch M, Barry JM. COVID-19: The CIDRAP Viewpoint Part 1: The Future of the COVID-19 Pandemic: Lessons Learned from Pandemic Influenza. 2020 www.cidrap.umn.edu.（accessed Sept 8, 2020）．
12) Borse RH, Shrestha SS, Fiore AE, et al. Effects of vaccine program against pandemic influenza A（H1N1）virus, United States, 2009-2010. Emerg Infect Dis 2013. DOI:10.3201/eid1903.120394.

第4章 コロナ禍における在宅医療・訪問看護 かかりつけ医の新たな役割とは

長尾和宏
医療法人社団裕和会理事長、長尾クリニック院長

　コロナ禍により入院医療や外来診療のみならず、在宅医療・訪問看護も大きな影響を受けた。しかし、減収の割合という観点からは最も影響が軽微な領域であった。病院や施設では死に目に会えないからと在宅に戻った人もいた。軽症感染者は在宅医がPPE（Personal Protective Equipment：個人防護具）をして、ホテルや居宅、施設で診るという新しい流れも生まれ、「病院から地域へ」という大きな方向性が変わらないことを浮き彫りにした。今後は、新興感染症に対して十分な感染防御をしながらオンライン診療を取り入れることで、高齢者の希望に対応できる在宅医療を提供することが、かかりつけ医にとって必要条件になるであろう。

1　在宅医療・訪問看護の最前線では何が起きていたのか

（1）入院・外来に比べ、経営への影響は軽微

　第1波は、入院医療や外来診療に大きな影響を与え、軒並み大幅減収となった。そして、在宅医療・訪問看護にも大きな影響を及ぼした。日本訪問看護財団の「第2弾 新型コロナウイルス感染症に関する緊急Webアンケート調査 報告書」（2020年［令和2］年7月1日）によれば、減収となった訪問看護ステーションは約4割で、減収幅は「1割程度」が約6割を占め最多であった（図1）。減収の理由は、「利用回数の減収」のみならず、「利用者の減少」という回答もあった。
　しかし、在宅医療領域における医業経営への影響は、入院医療や外来診療に比べるときわめて軽微であった。外来と在宅の両方を手掛ける、いわゆる「かかりつけ医型の在宅医療」を提供している診療所においては、外来診療の落ち込み分を在宅医療が補う形になった。在宅医療専門クリニックのなかには、在宅特需のため増収というところもあった。

（2）風評被害による訪問拒否で利用者の症状が悪化

　そんななか、自宅にコロナを持ち込むことを恐れて訪問診療や訪問看護、訪問リハビリ

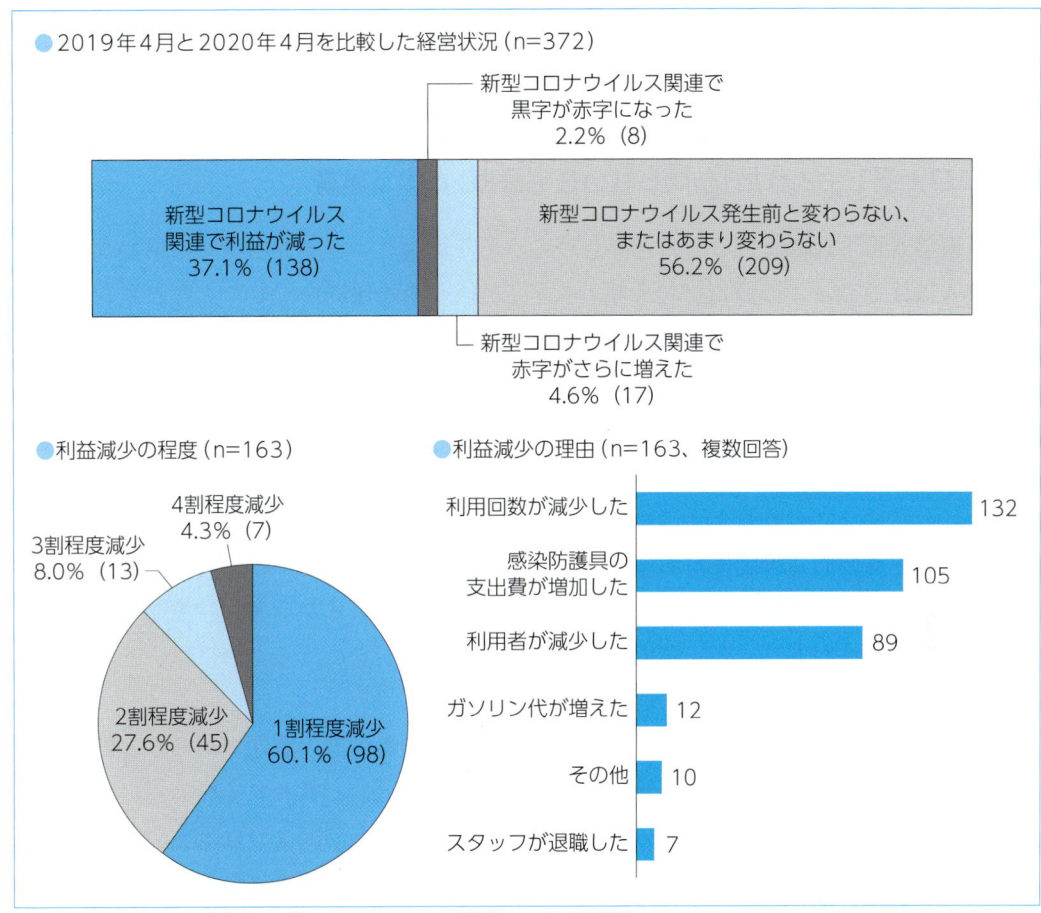

● 2019年4月と2020年4月を比較した経営状況（n=372）

- 新型コロナウイルス関連で黒字が赤字になった 2.2%（8）
- 新型コロナウイルス関連で利益が減った 37.1%（138）
- 新型コロナウイルス発生前と変わらない、またはあまり変わらない 56.2%（209）
- 新型コロナウイルス関連で赤字がさらに増えた 4.6%（17）

● 利益減少の程度（n=163）

- 1割程度減少 60.1%（98）
- 2割程度減少 27.6%（45）
- 3割程度減少 8.0%（13）
- 4割程度減少 4.3%（7）

● 利益減少の理由（n=163、複数回答）

- 利用回数が減少した 132
- 感染防護具の支出費が増加した 105
- 利用者が減少した 89
- ガソリン代が増えた 12
- その他 10
- スタッフが退職した 7

図1 新型コロナが訪問看護ステーションの経営に与えた影響
出典：公益財団法人日本訪問看護財団「第2弾 新型コロナウイルス感染症に関する緊急Webアンケート調査 報告書」をもとに作成

を拒否された、という話を全国各地で耳にした。また、介護施設においては医師や看護師の定期訪問を長期間拒否しているところもある。訪問看護が途絶えた途端に体調が悪化した患者もいた。しかし、入院しようにもPCR検査を受ける必要や、家族の付き添い禁止令があるため、精神症状が急速に悪化したケースもあった。在宅療養をしている高齢者の転倒・骨折は平時でも致命的な事態に陥ることがあるが、コロナ禍においては、入院→身体拘束（付き添い不可のため）→廃用症候群→肺炎による死亡、という経過をたどるケースが増えた。

マスコミは病院や施設におけるクラスター発生を連日報じたが、その影響はすさまじく、風評被害を恐れるあまり半年間も家族の面会禁止を続けている介護施設が少なくない。訪問診療医にもガラス越しの診察をお願いしている施設もある。肉親の看取りにも立ち会えないと嘆く家族のなかには、急遽、施設から在宅に戻した人もおられた。

また、デイサービスやショートステイにも少なからず制限がかかった。その結果、ステ

イホームでフレイルが進行し、認知機能の低下と周辺症状の悪化が目立った。介護負担が増加した家族はストレスから自らの体調を崩したり、要介護者を虐待するなど、急速に悪循環に陥ったケースもあった。

(3) コロナ禍で生まれた「訪問しない在宅医療」という言葉

　緊急事態宣言下、国は「月2回の訪問診療のうち1回はオンライン診療でも構わない」「月1回の人はオンライン診療だけでも構わない」という緊急通達を出した。たとえ、オンラインであっても医師が診察をしないことには処方箋を発行できないという医師法20条があるからであろう。無論、緊急事態宣言下の1〜2か月のみの限定措置であるが、「訪問しない在宅医療」という言葉が生まれた。

　現在、症状が落ち着いている在宅患者への訪問頻度は、月1回ないし2回という在宅医が多い。仮に月2回のうち1回はオンライン診療でも構わないとなった場合、在宅医療のあり方は大きく変わる可能性がある。一般にオンライン診療と聞くと、外来診療をイメージしがちだろうが、今後は、たとえ平時に戻ったとしても、オンライン診療が在宅医療に適応される可能性がある。在宅医療の敷居を低くして裾野を広げるためには、在宅医療におけるオンライン診療が大きな武器になり得るからだ。

　その場合、診療報酬をどの程度に設定して誘導するのかは国の課題であろう。外来診療におけるオンライン診療の診療報酬は対面診療に比べて低いと言われているが、今後は普及のために上がる可能性がある。一方、在宅医療においても訪問よりは低く設定されるはずだ。長期的にみて、ポストコロナの医療では、外来と在宅の境界は低くなることが予想される。

(4) 検討課題は、PPEの計画的な備蓄と合理的な配布

　個人的な経験を述べるなら第1波において最も困ったことは、マスクの調達であった。どうやっても手に入らないので結局、知人を通じて中国から高価（あとから考えれば法外な値段）なマスクを購入するしかなかった。最低限の武器なしでは感染症に対峙できないからである。

　日本在宅医療連合学会が実施した「在宅医療における新型コロナウイルス感染症の影響の調査」（2020年2月から5月の4か月間に、在宅医療が新型コロナウイルス感染症にどのように対応してきたのかをアンケート調査）によれば、約8割の在宅医療機関でPPEが不足したことがわかっており、今後、診療所におけるPPEの備蓄が課題として残った（図2）。マスクやガウンはどうしても病院へ優先的に配布され、在宅現場や介護現場は後回しになる。しかし、そこにも感染者や終末期の患者はたくさんいるわけで、今後は計画的な備蓄と合理的な配布方法を練っておくべだろう。

　今回のコロナ禍は、在宅医療が市民権を得てから初めて経験するパンデミックである。

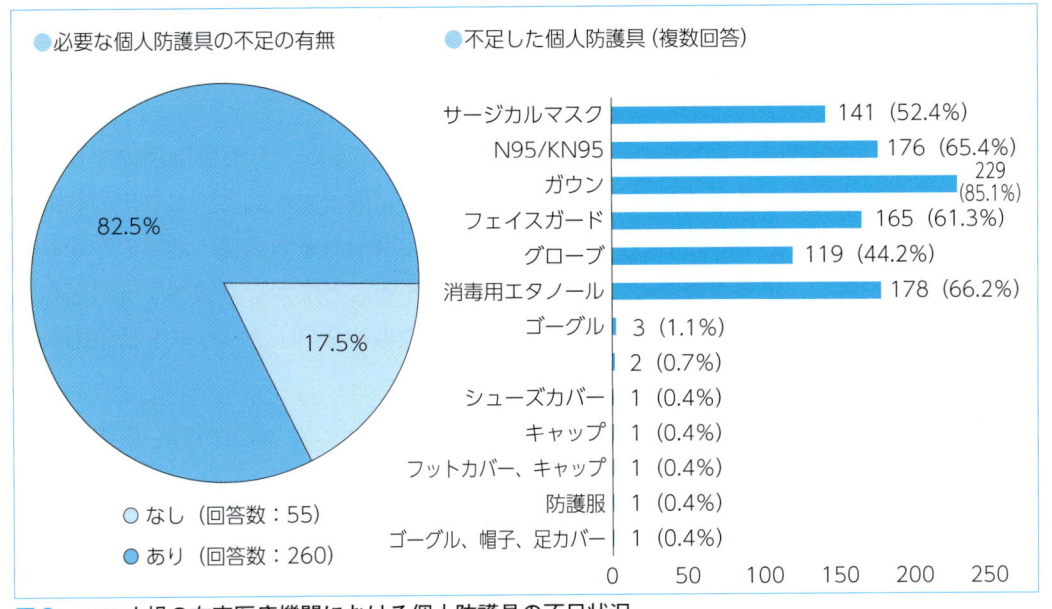

図2 コロナ禍の在宅医療機関における個人防護具の不足状況
出典：一般社団法人日本在宅医療連合学会「在宅医療における新型コロナウイルス感染症の影響の調査」をもとに作成

必要な個人防護具の不足の有無
- あり（回答数：260）82.5%
- なし（回答数：55）17.5%

不足した個人防護具（複数回答）
- サージカルマスク 141 (52.4%)
- N95/KN95 176 (65.4%)
- ガウン 229 (85.1%)
- フェイスガード 165 (61.3%)
- グローブ 119 (44.2%)
- 消毒用エタノール 178 (66.2%)
- ゴーグル 3 (1.1%)
- 2 (0.7%)
- シューズカバー 1 (0.4%)
- キャップ 1 (0.4%)
- フットカバー、キャップ 1 (0.4%)
- 防護服 1 (0.4%)
- ゴーグル、帽子、足カバー 1 (0.4%)

　第1波、第2波から得られた課題は、PPEの用具の備蓄とスタッフへの教育、オンライン診療の活用、よろず相談機能の強化などである。

2　地域住民の健康不安にどのように寄り添うべきか

(1) 急増するステイホーム症候群とシャムズ

　第1波に続き、第2波においてもテレビや新聞などのマスメデイアは連日連夜、感染への恐怖を煽るような報道を繰り返した。日々の感染者数だけでなく、有名人の感染や死亡を何度も報じた。医療機関や介護施設におけるクラスター発生の報道は、全国各地で差別や偏見を生み、長期間の面会や外出禁止令が続いている。「ステイホーム！」という号令のなか、1日中テレビを観ていた多くの地域住民や高齢者は過度な不安に陥った。その結果、コロナに感染していないのに「イライラ」「倦怠感」「うつ」など体調不良やメンタル不調を訴える人が出て、現在も持続している。
　南多摩病院総合内科の國松淳和先生は、そうしたコロナ禍におけるメンタル不調を、「シャムズ（CIAMS：COVID-19/Coronavirus-induced altered mental status）」と命名した。筆者も第1波の終盤からたくさんのシャムズの患者を多く見かけるようになった。また、通院を中断し、体調を崩した患者も少なからずいた。緊急事態宣言下、1か月のステイホームで多くの高齢者があっと言う間に要介護度が悪化した。高齢者はたとえ1週間

でも外出しないと見違えるように身体的・精神的機能が衰える。一方、比較的元気な人には「コロナ太り」と言われるような体重増加と、それに伴う生活習慣病の悪化も多くみられた。

　筆者はこうした病態を「ステイホーム症候群」と呼んでいるが、今も感染恐怖から外出できない人が多くいる。ステイホーム症候群やシャムズに陥った人数は、コロナの感染者数よりも1桁、いや2桁多いだろう。ステイホーム症候群やシャムズは、地域のかかりつけ医が丁寧に説明し、患者が冷静に自分の病態を理解することでかなり改善する。圀松先生は、『コロナのせいにしてみよう。シャムズの話』（金原出版刊）という本を緊急出版されたが、筆者はシャムズの患者にこの本を勧めている。

（2）インフルエンザとの同時流行に向けて

　2020年冬は、インフルエンザとコロナの同時流行が予測されている。そうなると患者の「監禁」がさらに長期間に及ぶ可能性がある。当然ながらコロナ死よりも監禁による認知機能悪化、サルコペニア、フレイル、ADL低下、そして、誤嚥性肺炎の懸念のほうが大きくなる。過度な不安に晒されている高齢者や介護職員には、今こそ「シャムズ」を啓発すべきだと考える。第2波が収束しつつある今、コロナそのものよりもコロナ関連疾患や自殺の予防に目を向けるべき時期だろう。

　第1波と第2波で得られた教訓を今後に活かすためには、重症化リスクの同定・周知と何よりも感染者の早期発見・早期治療に尽きる。幸い、筆者の診療所では9月1日から唾液によるPCR検査が可能となった。兵庫県尼崎市では医師会が行政と集団契約を結び、かかりつけ医が「帰国者接触者外来相当」になることで、行政検査が可能になった。初日から胸部CT検査でコロナ肺炎を認めた人の唾液PCR検査を行ったところ、翌日陽性が判明した。発症6日目に感染症指定病院に入院できたので、従来の保健所→PCRセンター方式よりも数日間短縮できたことになる。

　9月4日、政府は発熱相談の窓口を保健所からかかりつけ医に変更した。これにより発熱した市民のアクセスは格段に向上し、救命率は高まるだろう。今後は全国の在宅医療や介護施設においても唾液によるPCR検査が可能になることが予想される。

　この冬には、インフルエンザとコロナの同時検査に関する指針も出ると報道されている。しかし、感染が判明しても感染症指定病院への入院を拒否する超高齢の感染者やリビングウイルを書いて人工呼吸器の装着拒否を表明している高齢者がおられる。こうした場合は、普段よりも「人生会議（ACP：Advance Care Planning）」を丁寧に重ねたうえで、かかりつけ医が居宅や施設で診ることになるのだろう。最悪の場合、居宅や施設など地域の生活の場で看取るという事態も在宅医は想定しなければいけない。つまり、今後は感染予防に留まらず、検査法や治療法に加えて、"イザ"というときの心構えを地域住民に啓発することも在宅医の責務になってくる。

3 ウィズ／ポストコロナ時代におけるかかりつけ医の役割

(1) 外来患者の受診控えは長期間継続

　コロナ禍は医療界を根本から変えつつある。ただでさえ脆弱な病院の経営基盤をまさに破壊しつつある。診療所においても診療科によっては致命的な減収が続き、診療形態の抜本的変更を迫られている。

　そんななか、「ポストコロナの診療所に未来はありますか？」という質問をよく受ける。筆者は「在宅医療の需要が増えるので供給体制を強化すべき。必ずかかりつけ医の時代が来る」とお答えしている。対面診療による外来は、病院・診療所ともに受診控えが長期間続くだろう。もう元には戻らないという声が大半だ。一方、日本医師会が掲げてきた「かかりつけ医による午後から在宅」という方向性がより明確になるだろう。コロナ禍は在宅医療には底堅い需要があることを示した。

(2) 生き残るためには、「専門特化」か「在宅参画」しかない

　ポストコロナ時代の診療所は結局、専門性に特化するか在宅にも参画するか、の二者択一になるのだろう。専門性とは特殊な病気や内視鏡検査、白内障手術など、ある領域だけに特化した診療形態である。これはコロナ禍とは無関係に一定の需要があり、患者は専門性を求めるので長期的に見れば生き残る。

　一方、日本医師会が提唱してきた「かかりつけ医型の診療所」も生き残る。第1波は診療所を見事に二分した。発熱患者を断る診療所と逃げないで寄り添う診療所だ。たとえ、PCR検査ができなくても、オンライン診療でクライアントの悩みに寄り添うという姿勢がある診療所は生き残るだろう。患者の不安に寄り添おうという姿勢は、長期的には地域住民の信頼を得るはずだ。ウイズコロナのなか、診療所のよろず相談機能は極めて重要になる（写真1）。

(3) オンライン診療は在宅医療に不可欠な存在へ

　オンライン診療は、一時的にせよ驚くほど規制緩和され、外来診療と在宅医療の垣根を軽々と超えてしまった。外来も在宅もオンラインでカバーできる領域が広がりつつある。もちろん、対面診療に比べたら診療の質は低いし、そもそも診療報酬が低い。しかし、オンライン診療を外来診療や在宅診療の入り口と捉える医療機関が増えている。いざとなればオンラインでも対応してくれることも「かかりつけ医」の条件になるはずだ。多くの医療者はまだ懐疑的であるようだが、患者目線からはかかりつけ医を選ぶ基準になってくるだろう。患者の状態や在宅での生活の様子も、スマートフォンの画面を通して簡単に知ることができる。それにより主治医意見書という社会的処方に貢献することができる。

家族の面会が禁じられた病院や施設から在宅への変更が相次いだが、思いがけずコロナが在宅医療に誘導した格好になった。家族内感染のリスクはあるが、病院や施設よりも集団感染が起こりにくい場所である。クラスターという恐怖の記憶は市民の脳裏に長く残る。したがって、在宅への流れはポストコロナ時代も続くだろう。かかりつけ患者への在宅医療は、もはや町医者の必要条件になる。在宅医療は、十分な感染防御をしながらオンライン診療を取り入れることで、新興感染症にも対応できる形に変容しつつある。200床以下の中小病院にも同じことが言える。もはや診療所と中小病院の差異は小さくなった。

写真1　コロナ禍における診療所の外来対応
筆者が院長を務める長尾クリニックでは、風邪症状の方は動線を分け、正面玄関横のテント下で診療を行っている。

（4）コロナ禍が加速させる「病院から地域へ」の流れ

　今後、医業経営は激動の時代に入る。統廃合だけでなく新規参入やM＆Aが盛んになるだろう。生物学者の福岡伸一先生の言葉を借りるならば、コロナ禍がわが国の医療システムの動的平衡を大きく揺るがし変容させている。国民皆保険制度を維持するためには、こうした変容を前向きに受け止めるしかない。

　コロナ禍は「病院から地域へ」という流れを加速しているように映る。歴史的に見るとウイルスは人類の進化を加速させてきたが、今は期せずしてコロナ禍が病院再編を加速させている。コロナ禍が収束するに従い、ウイズコロナ・ポストコロナ時代の地域包括ケアシステム構築に関する議論が活性化するだろう。また、医療と介護の連携は、感染症対策という新たな共通土台を得たことで、より緊密になるだろう。そのキーマンは間違いなく地域のかかりつけ医である。

■**参考文献**
『日経ヘルスケア2020年9月号』（日経BP社）P53、P80

第5章 新型コロナで規制緩和 オンライン診療は普及・拡大するのか

原　聖吾（写真左）
株式会社MICIN
代表取締役CEO

桐山瑶子（写真右）
株式会社MICIN
デジタルセラピューティクス事業部
RAスペシャリスト

　2015（平成27）年の厚生労働省事務連絡から徐々に導入が進んでいたオンライン診療は、2020（令和2）年の新型コロナウイルス感染症拡大による不安が広がるなか、相次いで発出された厚生労働省事務連絡を受けて、オンライン診療を導入する医療機関、患者が大きく広がった。一方で、今後の普及にあたっては、診療報酬の見直しや患者の理解促進などが必要と考えられ、政府もオンライン診療恒久化に向けて議論を開始している。オンライン診療が新たな診療形態として浸透していくなかで、オンライン診療に伴う技術開発が進み、より実現できる幅が広がることが期待される。一方で急速な浸透によりこれまでになかった問題の発生も懸念され、システム会社、医療従事者双方でクオリティコントロール方法を検討していくことも必要だろう。

1　コロナ禍の規制緩和を受けたオンライン診療の普及状況

（1）オンライン診療の変遷

　遠隔診療と呼ばれていたオンライン診療が動き始めたのは、2015年の厚生労働省事務連絡[1]に遡る。それまでオンライン診療は離島・へき地に限るとされていたが、それはあくまでも例示に過ぎないこと、対象となる患者についても例示に過ぎないことが明示された。これを機に、少しずつオンライン診療を始める医療機関が増え始め、株式会社MICINでは2016（平成28）年からオンライン診療サービス「curon（クロン）」を医療機関向けに提供し始めた。

　その後、2018（平成30）年度診療報酬改定でオンライン診療料が新設されるとともに、オンライン診療の適切な実施に関する指針、いわゆるオンライン診療のガイドラインが定められた。これらは、オンライン診療の体制整備のきっかけとなったものの、実際にオンライン診療料が算定されたケースは極めて限られていた。

表1　保険診療における制度上の規定と臨床現場への影響

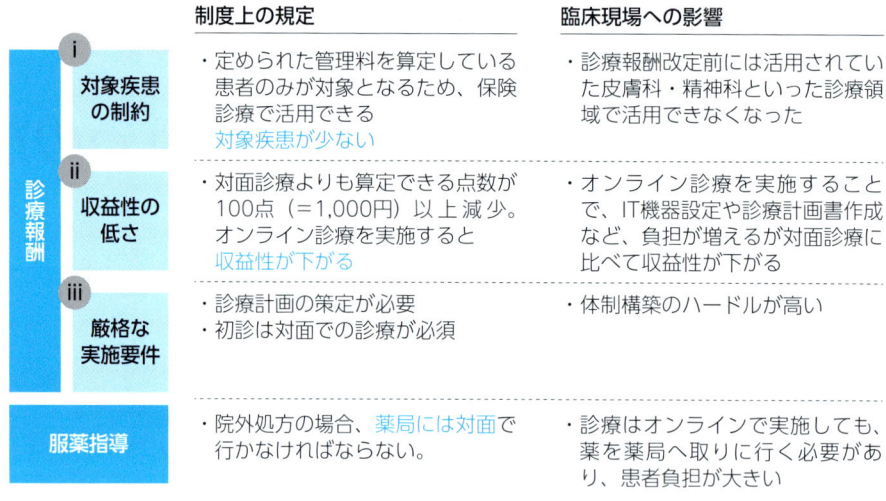

		制度上の規定	臨床現場への影響
診療報酬	ⅰ 対象疾患の制約	・定められた管理料を算定している患者のみが対象となるため、保険診療で活用できる対象疾患が少ない	・診療報酬改定前には活用されていた皮膚科・精神科といった診療領域で活用できなくなった
	ⅱ 収益性の低さ	・対面診療よりも算定できる点数が100点（＝1,000円）以上減少。オンライン診療を実施すると収益性が下がる	・オンライン診療を実施することで、IT機器設定や診療計画書作成など、負担が増えるが対面診療に比べて収益性が下がる
	ⅲ 厳格な実施要件	・診療計画の策定が必要 ・初診は対面での診療が必須	・体制構築のハードルが高い
服薬指導		・院外処方の場合、薬局には対面で行かなければならない。	・診療はオンラインで実施しても、薬を薬局へ取りに行く必要があり、患者負担が大きい

出典：株式会社MICIN作成

社会医療診療行為別統計の資料[2]によると、2018年6月の審査分で、オンライン診療料の算定回数は65回、オンライン医学管理料は15回、オンライン在宅管理料は4回とされ、月間のレセプト件数約1億枚から比較すると、その100万分の1にも達していない。時系列で見ても増加傾向にはなく[3]、オンライン診療料・医学管理料は設定されたものの、使われていない状態が続いていた。この理由は、大別して次の4つが考えられる（表1）。

①対象疾患の制約

オンライン診療料の算定にあたっては、特定疾患療養管理料やてんかん指導料等、定められた医学管理料の算定が可能ないくつかの疾患のみが対象とされた。2015年以降、オンライン診療を実際に行う医師が活用してきたアレルギー性鼻炎、尋常性ざ瘡や月経困難症等の疾患は対象から外れてしまっており、医師や患者が活用したいと考える疾患に診療報酬がつかないためにオンライン診療が実施されていなかった可能性がある。

②収益性の低さ

たとえば、高血圧診療の再診における診療報酬を対面診療とオンライン診療で比較した場合、外来管理加算が取れないこと、管理料の点数が、特定疾患療養管理料では225点取れるのに対してオンライン医学管理料では100点しか算定できないことなどを理由に、全体ではオンライン診療の場合の医療機関の収入は、対面診療の場合の収入と比べて半分程度になってしまう。この診療報酬点数の差によって、オンライン診療の導入が進まなかったのではないかと考えられる。

③厳格な実施要件

たとえば、オンライン診療の実施にあたっては診療計画の策定が必要とされていたり、初診は必ず対面での診療が求められる、といった条件が含まれる。これらの要件を整える

ための体制構築のハードルが高く、オンライン診療普及においては課題となっていたと考えられる。

④服薬指導との関係

2018年にオンライン診療料が算定できるようになった時点では、オンライン診療後に患者が処方箋を持って調剤薬局まで足を運んで、薬剤師から対面で服薬指導を受ける必要があった。患者にとっては、診療はオンラインで受けたにも関わらず、服薬指導そして薬の受け取りを対面で行わなければならず、負担になっていたと考えられる。

(2) 新型コロナウイルス感染症流行拡大による状況の変化

この状況が大きく変わったのが、2020年3月から4月にかけてのことである。このタイミングで、新型コロナウイルス感染症流行拡大の不安が広まるなか、相次いで事務連絡が発せられ、オンライン診療に係る先述の規制が緩和されることとなった(表2)。

対象疾患については、主治医の判断のもとオンライン診療を行うことが可能となり、制約はなくなった。医療機関にとって診療報酬上の収益性の低さについては、対面と同等ではないものの、初診については、たとえば対面で288点に対してオンライン診療を行った場合には214点と、一定の点数が取れるようになった。実施要件も緩和され、診療計画の策定は不要、初診からのオンライン診療も可能となった。

2020年9月1日より予定されていた改正薬機法施行に伴うオンライン服薬指導の実施も、これらの事務連絡のタイミングで事実上前倒して行われることとなったため、それまでの規制の多くがこの機に緩和されることとなった。

当社が2016年より提供しているオンライン診療サービス「curon(クロン)」は、提供開始時より、医療機関の導入負担を抑える形で導入費用・月額費用はなく、診療の都度、患者が一定の金額を支払うモデルで運用をしている。2020年3月前後の環境変化を受け、導入医療機関は4,500を超え、診療回数についても、それ以前の10倍以上の水準で推移するようになった。

規制緩和を受けて、相次いで新たな事業者が参入し、オンライン診療を始める医療機関が増えるなかで、当社はオンライン診療に関する基本的な考え方を公表[4]し、それに基づいた取り組みを続けている(図1)。

具体的には、①オンライン診療等の活用を希望するできるだけ多くの医療機関・患者がオンライン診療等を活用できるよう支援すること、②これまで同様に制度に準拠したオンライン診療の実施を推奨すること、③オンライン診療のユースケース作りやエビデンス形成を進めること――を掲げている。

①については、一連の事務連絡で可能となった、医療機関から薬局への処方箋FAX送信をシステム上から行える機能をはじめとして、薬局向けの服薬指導サポートツールの開発などを急ピッチで実現し、医療機関・薬局の負の解決を支援している。

表2　2020年4月厚労省事務連絡によるオンライン診療関連の変更点

		緩和前	緩和後
診療報酬	i 対象疾患の制約	・定められた管理料を算定している患者のみが対象となるため、保険診療で活用できる対象疾患が少ない	・主治医の判断のもとオンライン診療を行うことが可能に
	ii 収益性の低さ	・対面診療よりも算定できる点数が100点（＝1,000円）以上減少。オンライン診療を実施すると収益性が下がる	・初診については比較的高い点数が算定可能に（初診料。対面288点、オンライン214点） ・再診で取れる加算の点数増
	iii 厳格な実施要件	・診療計画の策定が必要 ・初診は対面での診療が必須	・診療計画の策定は不要 ・初診からオンライン診療が可能
服薬指導		・院外処方の場合、薬局には対面で行かなければならない。 ・調剤には、処方箋の原本が必要	・院外処方の場合も、オンラインで完結することが可能に ・処方箋のFAXでも調剤可能

出典：株式会社MICIN作成

---

1. オンライン診療等の活用を希望される出来るだけ多くの医療機関・患者が、オンライン診療等を活用できるように支援します

既に開発・提供を開始した薬局向けの処方箋FAX送信機能など、よりスムーズに活用するための新たな機能開発を迅速に進めて参ります
医療機関や患者の環境に応じて、我々のサービスに限らず電話や汎用サービスの活用も含めたオンライン診療等の活用を支援します
一方で、より充実したサポートや機能を必要とされる医療機関・患者向けのサービス拡充を進めます

2. これまで同様に、制度に準拠したオンライン診療の実施を推奨して参ります

2015年の事務連絡からの制度・診療報酬の変遷への理解を踏まえ、相次いで発出された事務連絡を含めて制度に準拠した運用をサポートして参ります
これまでオンライン診療を活用してきた先生方の力をお借りして策定した初診オンライン診療のユーザーガイド等を通じて、初診でのオンライン診療への医療機関・患者からの不安を少しでも減らせるように取り組みを進めます

3. オンライン診療のユースケースを作り、エビデンス形成を進めます

オンライン診療活用の事例が増える中で、オンライン診療への共通の理解の基盤となるユースケースやエビデンス形成を進めます

図1　オンライン診療に関するMICINの基本的考え方

出典：株式会社MICIN作成

---

②については、オンライン診療を今回初めて実施する医療機関が増える可能性があること、また、これまでに実施例のほとんどない初診患者へのオンライン診療活用が増える可能性があることを踏まえ、オンライン診療をすでに実施してこられた医師の知見を盛り込んだ「初診オンライン診療ユーザーガイド」を策定して、不安なく医師がオンライン診療を実施できるよう支援させていただいている。③については、学会や医療機関等とご一緒

させていただきながら、ユースケース・エビデンス構築の取り組みを進めている。

2　オンライン診療の普及・拡大に向けた課題

　このように、新型コロナウイルス感染症をきっかけにオンライン診療の制度は大きく変わり普及が大きく進んだものの、今回の制度変更は時限的措置とされており、3か月おきに見直しがされることとなっていた。しかしながら、9月に菅政権が発足し、オンライン診療恒久化に向けての議論が活発になっている。当社のオンライン診療サービス「curon（クロン）」の2020年4月、5月の利用データから、今後の制度見直しを考えるうえでの示唆として以下のものを挙げる。

　第1に、2020年4、5月の間でオンライン診療が使われていた疾患のうち実に70%は、もともとオンライン診療料が対象としていた疾患ではなかった。具体的には、アレルギー、皮膚科、精神科、婦人科、小児科等の疾患群が多く見られ、オンライン診療料が対象としていた疾患以外に、臨床現場においては広く活用の可能性があることを示唆している。

　第2に、オンライン診療を実施する際に医療機関が患者に10割自己負担で請求している「情報機器の運用に要する費用」の金額が、2020年3月を境に平均で約300円下がっている。いくつかの解釈はあり得るが、対面診療と比べてオンライン診療でも一定の診療報酬が算定されるようになったことで、患者の自己負担を多く求めずともオンライン診療を始める医療機関が増えたことを示唆している可能性がある。また、当社が実施した、オンライン診療を受けた患者を対象にした調査でも、オンライン診療の問題点として、「診療にかかる費用負担が増えた」が全体の3割以上を占め、最大の理由として挙げられていた[5]。オンライン診療に十分な診療報酬が算定されることで、結果としてオンライン診療に係る患者の自己負担を減らし、経済条件によってオンライン診療へのアクセスに差が生じることを減らすことができる可能性がある。

　第3に、初診におけるオンライン診療の活用は、オンライン診療全体の約4分の1であった。定性的に見ると、もともと慢性的な疾患で継続通院していた医療機関を受診すると感染リスクがあるために、オンライン診療を行っている医療機関を探して、そこを初診で受診するようなケースも見られており、まったく新しい症状での初診オンライン診療は限られている可能性がある。初診におけるオンライン診療活用については、まだ医師・患者側ともに普及には時間が必要と考えられる。

　オンライン診療恒久化議論が活発化するなか、これらの示唆を踏まえ、安全性を担保しつつオンライン診療が適切に普及するための制度見直しの議論に期待したい。

3　ウィズ／ポストコロナ時代に求められるオンライン診療のあり方

(1) オンライン診療を支えるデジタル技術開発の進展

　新型コロナウイルス感染症をきっかけに活用拡大が始まったオンライン診療であるが、残念ながら現時点では「ビデオ通話を用いた診療」の域を脱していない。オンライン診療が新型コロナ感染症流行前に活用されなかった理由の1つとして、しばしば取り上げられる医療者の声は「対面診療と比較し、身体所見を含めた臨床情報が十分に取れない」というものである。卵が先か鶏が先かの議論ではあるが、さまざまな理由でオンライン診療の需要が限られていたことから、オンライン診療の活用拡大に向けたプロダクト開発があまり進んでこなかったという背景もあるだろう。

　しかしながら、一転、世界に目を向けてみると、遠隔診療の活用拡大を見越して多くのデジタルヘルス関連技術・サービスが開発・展開されている。たとえば、遠隔診療に活用可能な診断用デバイス（血糖測定器、血圧計、聴診器など）、オンライン診療システムに組み込む音声自動入力機能やAI診断機能など、発展の方向性はさまざまに広がっている。また、毎年、CB Insights 社がデジタルヘルスカオスマップを公表[6]しているが、今年も遠隔診療及びその周辺領域の企業が数多く選出されている。(図2)

　国内においても、新型コロナウイルス感染症流行拡大が契機となり、オンライン診療システムにさらなる価値を付加し得るプロダクトの開発が急激に進み始めている。たとえば、株式会社アルムによる「LINEと連携した新型コロナウイルス感染症自宅・宿泊療養患者向けSpO2測定スマホアプリモニタリングシステムの実証研究」[7]が今年度のAMED（Japan Agency for Medical Research and Development：国立研究開発法人日本医療研究開発機構）に採択され開発が始まった。弊社もオンライン診療への付加価値を模索し、聴診用ソリューションを開発中である。このような技術開発が進めば、近い将来には患者が診察に必要な情報を院外で簡便に測定できる環境が整っていくことになるだろう。

　診断に用いるデバイスだけでなく、治療に用いるデバイスの展開も活発だ。2010（平成22）年にFDA（Food and Drug Administration：米国食品医薬品局）により認可されたWelldoc社の糖尿病治療用スマートフォンアプリ「Bluestar」を皮切りとした治療用アプリの開発は新型コロナウイルス感染症拡大前から海外では活発であったが、新型コロナウイルス感染症流行拡大に伴う患者の受診抑制行動を考えれば、これらの治療用アプリとオンライン診療の親和性の高さが今まで以上に期待される。

　海外から遅れること数年ではあるが、国内開発も活発になり始めている。2020年8月にはCureApp社のCureApp SC（ニコチン依存症治療アプリ及びCOチェッカー）が本邦初のデジタル療法デバイスとして薬事承認され、保険償還を目指している段階であるが、喫煙が新型コロナウイルス感染症の重症化因子の1つであるという指摘[8]もされており、

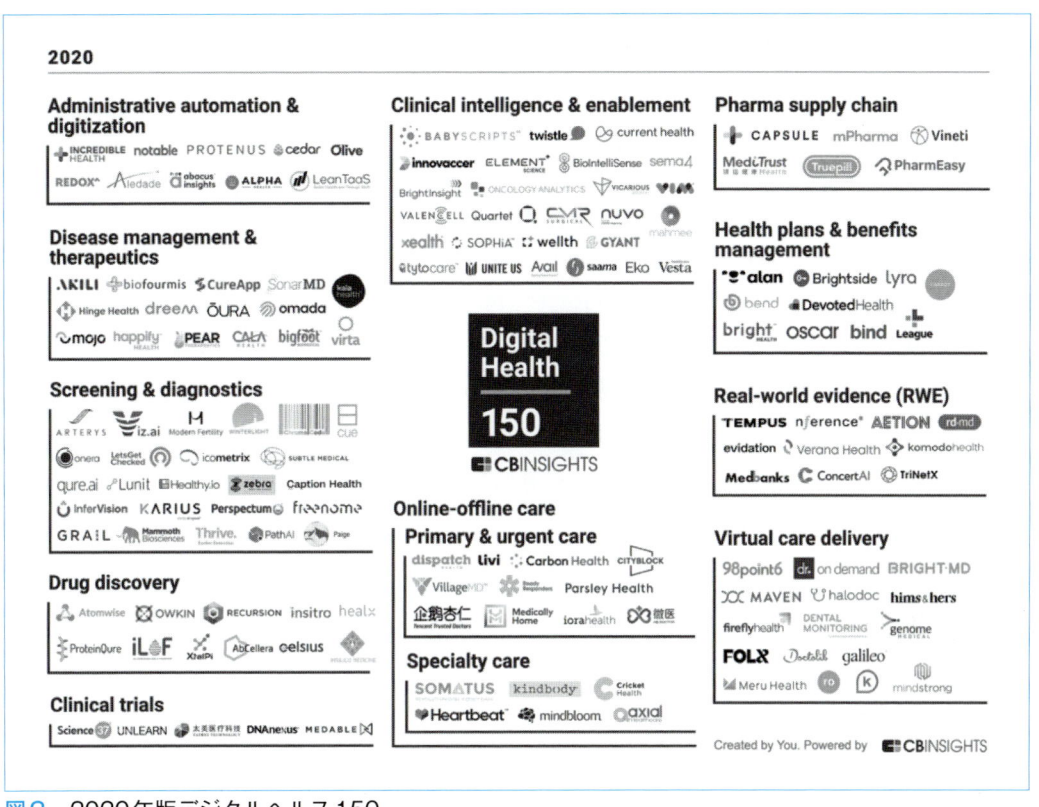

図2　2020年版デジタルヘルス150

出典：CB Insights社公開

このタイミングで社会的意義の高いデバイスとなることが期待されるだろう。CureApp社は図2のデジタルヘルス150に唯一日本から選出されている。

　今や多くの人が所有しているスマートデバイスは、日常生活における活動内容を本人の意識下・無意識下に記録していくことを可能としており、医療者と患者がオンラインでつながることにより、これらの個人の健康情報（Personal Health Record、以下「PHR」）がより簡便に収集・共有され、診療に役立てることも可能となりつつある。主に生活習慣に関連する疾患においてその価値を発揮することが期待されているが、今後それ以外の用途での活用も期待されている。

　たとえば、新型コロナウイルス感染症対策として、軽症者は自宅・ホテル療養での健康観察が行われているが、そこには健康観察PHRアプリ[9]が用いられ、データの共有を患者と保健所で行っている。データに問題があればまずはオンライン診療を活用して医師が介入するといったことも今後は検討されるかもしれない。

（2）オンライン診療が診療にもたらす変化

　オンライン診療は第4の診療形態と言われている。新型コロナウイルス感染症拡大に伴う時限的緩和措置に伴い、オンライン診療のユースケースが広がったことから、オンライン診療の向き不向きについてもより明らかになりつつあり、日本プライマリ・ケア連合学会は「プライマリ・ケアにおけるオンライン診療ガイド」[10]を策定のうえ、オンライン診療に求められる考え方を提示している。

　入院診療と外来診療が異なるものであるように、対面診療とオンライン診療も異なるということが医療者患者双方に十分に周知され、うまく使い分けられていくことが必要だ。一方で、先述の通り、対面診療では得られにくかった日常生活におけるヘルスデータを診療に組み込んでいくことができれば、より適切なタイミングで、患者の行動変容を促したり、治療介入することが可能となる。また、スマートデバイスにより得られる情報（カメラによる撮影画像・動画、音声といった情報）が診断に活用されることになるという点も無視できない。

　これらはオンライン診療ならではの価値とも言え、近い将来「オンライン診療学」といった新しい学問領域が必要になってくるのではないかとも思える。新しい診断・治療方法の発展に期待したい。

（3）オンライン診療に求められる医師のあり方とクオリティコントロール

　2020年8月、遠隔健康医療相談サービスにおいて医師が不適切な回答を行っていたことが明るみとなり話題になった。このサービスは、かかりつけではない医師がビデオ通話ではなくチャットでの文字のみのやりとりによって患者の相談に対応するというもので、オンライン診療とは異なる位置づけである。この事例については、オンライン・オフライン問わず不適切な回答であったと考えられるものの、医療がオンラインで提供されるという環境が整いつつあるなかで、オンライン診療に携わる医師のあり方や診療提供のあり方を改めて考える機会となったのではないか。

　新型コロナウイルス感染症流行拡大に伴う時限的緩和措置により、2020年7月現在は免除となっているが、本来、厚生労働省はオンライン診療を実施する医師向けの研修（e-learning）を設けており、オンライン診療に関わる医師は本研修受講が必須となっている。この研修は、関連する制度や提供体制といった内容が主であり、具体的に診療行為のなかでどのような注意が求められるかという個別の内容にまでは踏み込んでいない。

　一方、米国では政府が公的な研修を提供しているわけではないが、オンライン診療には従来の対面診療とは異なるスキルが求められるという考えから、民間保険会社や医療機関がオンライン診療に関する研修を独自で関連医療者に実施している。たとえば、Emory Healthcare（Emory大学の機関）が公開するtelehealthに関するトレーニング資料では、

モニタリングデバイスの選び方、カメラの位置や医師の自己紹介内容まで含めた診療の具体的な手順、表情や話し方、ボディランゲージの使い方など、細かい内容にまで踏み込んでおり興味深い。

時限的緩和措置下において、初診オンライン診療の実施が許容されるなか、医師患者間の相互信頼が十分に構築されていない状態でのオンラインでの医療提供により、先述のような不適切事例がオンライン診療においても生じうるリスクがあり、より細やかな研修が今後求められる可能性もあるのではないか。

また、医師側だけでなく、オンライン診療システムの提供会社側でもクオリティコントロール方法を模索していく必要があるだろう。弊社では、上記の通り時限的緩和措置当初よりユーザーガイドの策定やシステム内アラート表示を行っているが、それ以外にも不適切事例の定期的な注意喚起、問診内容からのスクリーニングなど、今後取り組んでいくことを検討している。

以上、オンライン診療の動向に関して私見を述べた。コロナ禍による医療への影響は計り知れない。しかしながら、オンライン診療が1つの医療の形として根づき、今後の技術開発とともに社会貢献できるものと期待したい。

■参考文献
1）平成27年厚生労働省事務連絡「情報通信機器を用いた診療（いわゆる「遠隔診療」）について」
2）中央社会保険医療協議会総会資料（2019年9月）平成30年度診療報酬改定後の算定状況等について
3）中央社会保険医療協議会総会資料（2019年11月）オンライン医学管理料について
4）Digital Health Times (https://dht.micin.jp/)
5）オンライン診療に関する患者患者向け調査（株式会社MICIN実施、2020年7月）
6）Digital Health 150: The Digital Health Startups Transforming The Future Of Healthcare (https://www.cbinsights.com/research/report/digital-health-startups-redefining-healthcare/)
7）株式会社アルム　プレスリリース (https://www.allm.net/2020/07/20/9110/)
8）Roengrudee Patanavanich, MD, LLM, PhD, Stanton A Glantz, PhD, Smoking Is Associated With COVID-19 Progression: A Meta-analysis, Nicotine & Tobacco Research, , ntaa082,
9）Yamamoto K, et al (2020). Health Observation App for COVID-19 Symptom Tracking Integrated With Personal Health Records: Proof of Concept and Practical Use Study: JMIR Mhealth Uhealth 2020;8(7):e19902
10）一般社団法人日本プライマリ・ケア連合学会：https://www.pc-covid19.jp/files/guidance/online_guidance-1-1.pdf

第6章 医療機器・感染防護具の供給体制を抜本的に改革せよ！

松尾未亜
株式会社野村総合研究所グローバル製造業コンサルティング部 Medtech & Life Science グループマネージャー

　世界的な新型コロナウイルスの感染拡大に伴い、様々な医療機器・感染防護具が不足した。世界的に、医療機器・感染防護具の貿易上の制約が生じ、自国での増産を進める動きが活発化した。集中治療室に必要な医療機器を見てみると、日本における国内生産比率は、多くの製品分野で50％を下回っており、平常時においても低い状況となっている。

　短期的な対応策としては、制度の見直しや異業種企業の支援といった人海戦術が中心となる。中期的な対応策としては、他の産業で先行する仕組みを医療機器に応用することができれば、需要に合わせてバーチャルな増産体制を組むこともできると考える。いずれも既存メーカー単独での対応は難しく、異業種企業と公的機関をまじえながら、共同事業体を組成して、取り組む必要がある。

1 はじめに──世界的に医療機器・感染防護具が不足。輸出制限も発動

　2020（令和2）年9月30日現在、新型コロナウイルスの治療薬、あるいは有効な治療方法は確立されていない。国内における新型コロナウイルス感染症対策専門家会議は、「アフリカなどではこれからもまん延が継続する可能性がある。こうした世界的な動向や国内における感染状況を見据えると、今後とも、一定期間は、この新たなウイルスとともに社会で生きていかなければならないことが見込まれる」（2020年5月1日発表）としており、感染拡大に対する備えが、今後も継続して重要となっている。

　WHO（世界保健機関）は、2020年3月11日に、新型コロナウイルスを世界的なパンデミックと宣言した。このころから、各種の医療機器・感染防護具の不足が顕著となってきた。まず、イタリア、スペイン、米国等の欧米各国において、感染の有無を同定するための検査キットや、検査の際の飛沫感染リスクを抑制するための医療用フェイスシールドや医療用マスク、医療用防護服といった消耗品が不足した。そして、感染者の中から、重症の患者が増加すると、人工呼吸器や人工肺といった医療機器も不足するようになった。

　このような状況下において、各国政府による、国外への輸出制限が発動される事態に陥った。以下に例を挙げる。

- 米国政府は、合衆国輸出入銀行（U.S. EXIM Bank）による、人工呼吸器をはじめとする特定の医療機器・感染防護具の輸出に対する資金援助を凍結
- ドイツ当局が、スイスの販売事業者による医療用マスクの輸送を停止
- フランス政府が、国内メーカーによる英国への販売契約を停止
- インド政府は、人工呼吸器、検査キットの輸出を禁止　など

このような正式な輸出禁止、あるいは事実上の輸出禁止や制限を課した国は、欧米諸国を中心に、20か国以上に及ぶ。

2　有事における課題と異業種連携

（1）各国政府による増産の指示や呼び掛けが相次ぐ

2020年4月7日、日本政府は緊急経済対策を発表し、人工呼吸器、人工肺装置、医療用マスク、医療用ガウンを対象とする増産の呼び掛けを行った。これに伴い、経済産業省は、「人工呼吸器生産のための設備整備事業」に基づく公募を行った。また、医療用マスクやガウンをはじめ、フェイスシールドや消毒用品などの消耗品は、異業種の企業による製造が日を追うごとに進められた。しかし、人工呼吸器をはじめとする医療機器は、人工呼吸器メーカーである日本光電が増産に取り組んだり、一部の部品を異業種の企業が製造し始めたりしているものの、依然として増産実現のハードルは高い。

日本の動きに先行した米国、英国の政府は、より大規模な事業を展開してきた。英国は、人工呼吸器1万台を増産するために、約30社で組織するコンソーシアム「Ventilator Challenge UK」がサプライチェーンの構築を進める。同コンソーシアムでは、ロールスロイス社が計測器、バルブ、ポンプを、GKNエアロスペース社が組み立てを、シーメンス・メディカル社が品質の管理を行うなどの分業体制が敷かれた。米国は、連邦政府による国防生産法のもと、人工呼吸器の製造の指示を受けたフォード・モーター社が、GEヘルスケア社と提携し、月間3万台の人工呼吸器の製造ラインを構築。ゼネラルモーターズ社は同様に、米国の人工呼吸器メーカーであるベンテック・ライフ・システムズ社と生産業務において提携し、人工呼吸器を製造した。

（2）既存メーカーにとっての難しさを異業種連携によりカバー

国内では、4月に経済産業省による「人工呼吸器生産のための設備整備事業」の公募事業が開始されたが、目標としていた数量の実現には至っていない。供給者は、様々な課題を抱えている（図1）。

既存の医療機器メーカーが製造ラインを増設することが期待されるが、平常時の医療機器の需要は、それほど大きく変動するものではないため、パンデミックが収束した後も含

		開発	調達	製造	販売・サービス
想定しうる対策	課題	・投資回収の見込みを立てにくい ・臨床試験の時間と費用がかかる	・予め部材を余剰に調達しているケースが多いものの、急な調達は困難	・ラインの増設は、投資回収の見込みを立てにくい	・医療従事者のトレーニングへの対応がひっ迫 ・メンテナンスや修理のリソースがひっ迫
	短期	▶既存製品の廉価品や旧型品の仕様の公開（米国にて先行） ▶国による知的財産権の保護（米、欧にて先行）		▶同業他社、あるいは異業種の企業によるリソースの転用（実施中） ▶既存の医療機器メーカーによる、品質管理等の支援（実施中）	▶同業他社、あるいは異業種の企業による製品を使用する医療機関の公的認定、管理（米国にて先行）
	中期	▶国内生産能力の増強 ・3Dプリンターによる製造の臨床機器への応用（開発中） ・スマートなマザー工場によってスケールアウトする仕組み（半導体産業にて先行） ・Industry4.0の取り組みを医療機器に応用（輸送機械産業にて先行）			▶医療従事者による、計画的な技術習得 ・旧製品の計画的な回収、あるいはソフトウェアアップデート ▶機器の構造の簡素化、部品点数を大幅に削減するイノベーション

図1　メーカーにとっての課題と、想定しうる対策

出典：野村総合研究所

めた長期的な投資回収の見込みが立てにくい。このことが、既存の医療機器メーカーが最も頭を抱える課題であり、自社単独での解決策を見出しにくい理由だ。

　この課題を解決する手段として、米国政府が主導する、自動車メーカー等の異業種の企業が既に保有する製造リソースを転用し、最終組み立てなどの製造業務の一部を担うことは理にかなっている。この場合、英国におけるシーメンス・メディカル社や米国におけるGEヘルスケア社が担っているような、既存の医療機器メーカーによる品質管理などの支援は欠かすことができない。

　国内においては、トヨタ自動車が、新型コロナウイルスの感染拡大の早い段階から、フェイスシールドや医療用防護マスクなどの感染防護具の生産に取り組んだ。これらは、トヨタの拠点の周辺に存在する医療機関や自治体等に提供されたり、グループ内で使用されたりしたが、トヨタ生産方式の導入により、短期間で生産量を増加させた。この取り組みは、人工呼吸器を生産している日本光電の増産対応にも応用された。

（3）異業種の企業による供給体制構築の課題

　医療機器の場合、異業種の企業が、にわかに新製品を開発するには、開発投資の回収や開発期間の長期化が課題となる。この課題に対しては、既存の医療機器の廉価品や旧型品といった、医療機器メーカーにとって収益貢献の低い機種について、製品の仕様情報を公開するといった大胆な対策も想定しうるが、この場合、医療機器メーカーが一方的な損害

を被ることがないよう、公的機関が知的財産権を保護することが必要となる。

　さらに、異業種の企業が製造に関与した医療機器の利用環境・利用条件も重要な要素となる。使用する医療機関側が技術に習熟し、正しく使用されることが担保されないことには、たとえ、医療機器メーカー側が品質管理を担うとしても、異業種の企業にとっては依然として大きなリスクを感じる。これに対しては、米国国防生産法においては、異業種の企業が製造した医療機器に特例的な承認を与える一方で、医療機器を使用する医療機関側に対しても、当局が認定し管理するという対応がとられている。

　これらは、いずれも既存の法規制に対して特例的な措置をとることを決定するといった点で、短期的な対応策として想定しうる。

3　抜本的な改革の必要性

(1) 集中治療室に必要な多くの製品で、国内供給力が低い

　日本においては、安価な製造コストを求めて国外に生産拠点を移したり、あるいは外国メーカー製品の輸入に依存したりするといった手段を選択してきた結果として、医療機器の国内供給力が低いことが、かねてより問題視されてきた。新型コロナウイルスに関しては、2020（令和2）年4月の緊急事態宣言が解除された後にも、日本において、ワクチンや治療薬が実用化されて普及するまでは、感染者数増加の新たな波が訪れる可能性は残る。諸外国では、新たな波に備えた対策に着手する動きも報じられている。さらに近年、感染症のパンデミックが続いていることから、日本も、抜本的な対策を検討すべきと考える。

　日本集中治療医学会は、同学会の危機管理委員会において、「インフルエンザ大流行や大災害時の集中治療室と病院における対策のための推奨手順と標準手順書」をとりまとめ、提言を行っている。集中治療室に必要な医療機器として、以下が挙げられている。

- 人工呼吸器
- バッグバルブマスク（手動で人工呼吸を行うための機器、蘇生バッグ）
- ネブライザー（薬剤を含んだ細かい霧を発生させる機器）
- 吸引器
- 心拍数、血圧、呼吸、心電図のモニター
- 非観血的血圧計
- パルスオキシメーター（血液中の酸素飽和度と脈拍数を測定する機器）
- 血液透析および血液濾過装置
- 輸液ポンプ、経腸栄養用ポンプ

　しかしながら、日本は、これらの医療機器を自国で十分に供給することが難しい状況に

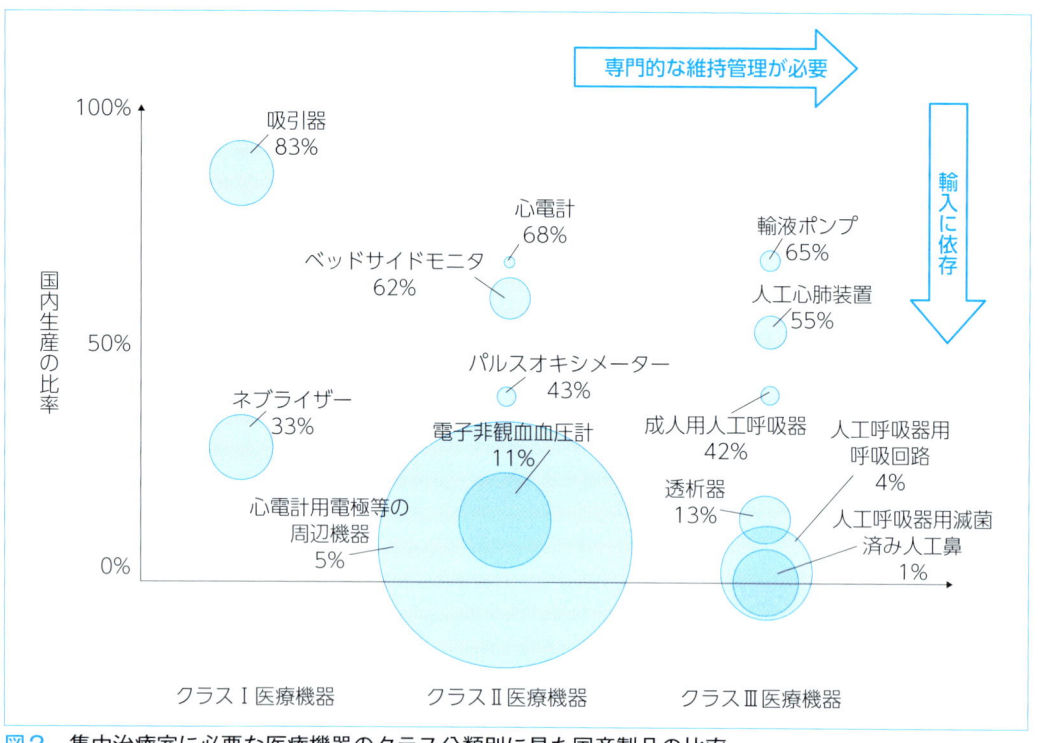

図2　集中治療室に必要な医療機器のクラス分類別に見た国産製品の比率

出典：日本集中治療医学会「インフルエンザ大流行や大災害時の集中治療室と病院における対策のための推奨手順と標準手順書」、厚生労働省「平成30年薬事工業生産動態統計年報統計表」をもとに野村総合研究所作成

（注1）円の大きさは、吸引器の国内消費量（数量）を100とした場合の相対的な量を表した。
（注2）医療機器4,000を超える種類が存在し、「医薬品、医療機器等の品質、有効性及び安全性の確保等に関する法律（薬機法）」によって、その使用における安全上のリスクや用途などにより、クラスⅠ～Ⅳの4つに分類されている。
「クラスⅠ」は、一般医療機器と呼ばれ、不具合が生じても身体への影響が極めて小さいと考えられる機器。「クラスⅡ」は、管理医療機器と呼ばれ、身体への影響が比較的小さいと考えられる機器。「クラスⅢ」は、高度管理医療機器と呼ばれ、身体への影響が比較的大きいと考えられる機器。ちなみに、「クラスⅣ」は、患者への侵襲度が高く、不具合が生じた場合に生命の危険に直結するおそれがあると考えられる機器。

ある。集中治療室に必要な医療機器の国内生産の比率を示す（図2）。医療機器としての高度な管理を必要としないクラスⅠの吸引器は、国内生産の比率が83％であり、他の医療機器と比べて最も高い。次いで、心電計68％、輸液ポンプ65％と続くが、いずれも70％を下回る。

　なかでも、クラスⅢの人工呼吸器用滅菌済み人工鼻は1％、人工呼吸器用呼吸回路は4％であり、国内生産の比率が極めて低い。これらの機器は、新型コロナウイルスで問題視されている人工呼吸器に接続して使用する消耗品である。人工呼吸回路の多くは各接続部が容易に外れやすいスリップイン式であり、人工呼吸回路由来の医療事故は、厚生労働省の医療事故情報収集事業へのヒヤリハット報告が毎年100件近くなされてきた。日本臨床工学技士会がかねてより警鐘を鳴らすが、国外のメーカーにより設計、製造されていることから、抜本的な解決が難しいとされていた。

　また、クラスⅢの医療機器は、医療従事者が適切に使用するための技術を習得するため

に、医療機器メーカー（あるいは販売代理店）によるサポートを必要とするケースが多い。また、医療機関への導入後、継続的なメンテナンスや修理を必要とし、それらを医療機器メーカーが管理している。すなわち、これらの活動に必要な情報が、日本国内では十分に確保できないことを意味している。このように、従来から医療機器が抱えていた問題が、新型コロナウイルスをきっかけとして浮き彫りになった形であり、いよいよその解決が求められる。

4　業界団体のネットワークによる取り組みが求められる供給体制の改革

（1）集中治療室に必要な医療機器群の企業コンソーシアムの組成

既に述べたとおり、増強策を既存の日系医療機器メーカーのみで実行することは、投資回収の観点から現実的ではない。また、日本においては、医療機器メーカーの80％以上が中小企業で占められていることからも、急な需要の拡大に対して個々の医療機器メーカーが単独で応じることは、容易ではない。

そのため、急激な需要拡大が見込まれる際に、異業種の企業を含めた複数の企業がバーチャルに集積して、必要な医療機器を生産できる体制を構築すべきである。体制の構築にあたっては、感染症のパンデミックの度に、政府と行政が新たに企業に呼び掛けるのではなく、図2に示した集中治療室に必要な一連の医療機器については、必要に応じて柔軟に集合し、集中的に生産し、供給することができるようなコンソーシアムをつくっておくべきであろう。コンソーシアムは、図1に示した「想定しうる対応策」の「短期」に示した項目について、参加企業と行政が連携し、具体化を検討するところから着手されたい。

コンソーシアムは、医療機器の業界団体のネットワークによって、実現することができないだろうか。そうすることによって、特定の医療機器に偏ることがなく、多様な医療機器メーカーの参加を募りやすくなるのではないか。さらに、この仕組みを具体化する過程において、近年、国が整備してきた国立研究開発法人日本医療研究開発機構（AMED）が有する、企業間の連携を支援する役割も有望と見る。

（2）他産業に見るバーチャルな生産システムの応用

医療機器・感染防護具では成功事例が見られないが、半導体露光装置メーカーが、スマートなマザー工場によってスケールアウトできる仕組みを構築した成功事例が参考になる。これは、オランダの半導体製造装置メーカーASML社の事例が有名だが、同社が2000年代に、当時牙城だったキヤノンとニコンに挑んだ手法である。同社は、製品を構成する機能ごとに、外部のメーカーも参加できるモジュラー構造を開発設計に取り入れた。このことによって、同社は、顧客の要望に対して、競合よりも低コスト、かつ柔軟に応じること

に成功した[*1]。

　また、自動車業界をはじめとする輸送機器産業において先行する、Industry4.0の取り組みにも学ぶところが大きいと考える。これは、ドイツをはじめ、日本、中国、インドなどで戦略的に進められている。例えば、製造プロセスと手順をデジタル化したりオートメーション化したりすることにより、企業の垣根を超えて製造工程に複数の企業が参画することを可能にする仕組みを構築している。そのために、設計段階から、製造工程にシームレスに設計データが統合され、仮想的な製造拠点の構築を可能にする仕組みとなっている。この仕組みを機能させるうえで、部品の製造受託メーカーが、３Dプリンターを用いて試作品を作成する取り組みもなされている。今後３Dプリンターの開発が進み、医療機器においても応用することができれば、この仕組みの上で、需要に合わせてバーチャルな増産体制を組むこともできるのではないか。

　医療機器・感染防護具の場合は、極めて多岐にわたる種類の機器が、多岐にわたる部品や材料によって成り立っていることから、特定の企業が単独で仕組みを構築するよりも、医療機器メーカーのほかにも、ソフトウェアや部品、素材等の関連する企業の共同事業体によって仕組みを構築する方が効率的であり、得られる成果も大きいことも、前提として考慮されるべきである。また、国内における産業構造の特徴として、中小企業が多いことが挙げられるが、従来から、その労働生産性の低さが指摘されてきた。前述のデジタル・IT技術を活用したシステムを共有することにより、中小企業が独力ではなしえなかった効率化を進めることも期待できる。さらに、自動車・家電メーカーやアパレルメーカーで見られたように、異業種が感染防護具の生産に取り組んだ。中小企業ととともに、これらの異業種企業の力も活用し、産業全体で供給体制を改革することが期待される。

[*1] 参考文献：野村総合研究所「第４次産業革命に流れる本質」（知的資産創造2019年９月号）

第4部

ポストコロナ時代の日本はどうあるべきか
医療再構築・社会変革に向けた提言

第1章 コロナ危機で揺らぐ社会保障 ベーシックインカム的政策の可能性
山森　亮（同志社大学経済学部経済学科教授）

第2章 ポストコロナ時代の医療提供体制：試論
尾形裕也（九州大学名誉教授）

第3章 地方分権で問われる首長の指導力と地方のガバナンス
田中秀明（明治大学公共政策大学院教授）

第4章 AI感染伝播シミュレーションから見えたウイルス共生時代の生き方
倉橋節也（筑波大学大学院ビジネス科学研究群教授）

第5章 感染症と自然災害 リスク多発時代の複合災害に備えよ！
米田雅子（防災学術連携体代表幹事、慶應義塾大学環境・エネルギー研究センター特任教授）

第6章 競争力を見据えた価値転換によりデジタルトランスフォーメーション（DX）を加速せよ！
平　和博（桜美林大学リベラルアーツ学群教授、ジャーナリスト）

第7章 どうなる？ 医療のグローバル化 コロナ後に期待される新戦略
真野俊樹（中央大学大学院戦略経営研究科教授）

第 1 章

コロナ危機で揺らぐ社会保障 ベーシックインカム的政策の可能性

山森　亮
同志社大学経済学部経済学科教授

　コロナ禍のなか、いくつかの国では人々の所得や雇用を保障する政策が迅速にとられた。日本でそのような政策がとられなかったことは、日本の社会保障の脆弱性を露呈したものとも言える。国連機関、その他でコロナ禍への対応として、「緊急ベーシックインカム」を求める声が挙がっている。その理由には、短期的、中期的、長期的なものがある。ベーシックインカムには人々の精神的健康を改善し得るなど、さまざまな可能性がある。その一方で、本格的な導入には中長期的な計画や、人々の価値観の変容などが必要となるなどの限界もある。

1　コロナ禍で露呈した日本の社会保障の脆弱性

　新型コロナウイルスの感染拡大は、世界各国で人々の生計にも甚大な影響を及ぼしている。そのため生計を一定程度保証するためのさまざまな措置が多くの国で行われている。新しい政策の導入としては、イギリスにおける賃金の80％を上限とする所得保証、スペインにおける新たな最低所得保証制度の導入などの例がある。既存の制度の拡大としては、ドイツにおける操業短縮助成金などがある。ブラジルなど、国として外出制限などの措置や要請を講じていない一部の国でも政策的対応は行われてきた（千原2020、山森2020a）。

　日本では、家計支援としては特別定額給付金、事業支援としては持続化給付金が導入された。これらは、政府の「自粛」要請に従うことで生じる所得の減少や事業や生活の不安定化を補填するには、多くの場合、不十分である。いずれの制度も、政府の「自粛」要請に対応するものと位置づけられていないため、それをもってこれらの制度を批判するのは筋違いかもしれない。政府は特別定額給付金の目的を「医療現場をはじめとして全国各地のあらゆる現場で取り組んでおられる方々への敬意と感謝の気持ちを持ち、人々が連帯して一致団結し、見えざる敵との闘いという国難を克服しなければならない」と説明している（総務省2020）。事業者向けの持続化給付金についての経済産業省の説明においても、政府による「自粛」要請との関連は示されていない（経済産業省2020）。

日本では、イギリスやドイツとは異なり、人々の生計維持に影響を与える政府の要請に直接対応する形では、迅速な所得保障や雇用維持などの対策はとられなかった。その理由の一端は、日本の社会保障の特徴にあるだろう。生活保護基準以下で生活している人のうち、どれだけの人が実際に保護を受給できているかを表す指標に「捕捉率」がある。日本政府による発表は、2010（平成22）年に公表された推計が最新のものだが、それによると15.7%である。イギリスの同様の制度の捕捉率が70%以上であるのと比べると大変低い。以前から日本の社会保障は底が抜けており、国民の生存権を保障するものとしては機能不全に陥っていたのである（山森2012）。国民の生計を保障しようという発想は、コロナ禍以前から希薄であった。

2　コロナ禍で注目されるベーシックインカム

(1) ベーシックインカムに関する世界各国の動向

　コロナ禍における所得保障をめぐって、ベーシックインカム（Basic Income、以下BI）という概念が注目を集めている。BIとは、「すべての人に、個人単位で、資力調査を課さず普遍的に、また労働要件などを課さずに無条件で給付されるお金のこと」である。また、より広義の概念として、世帯単位や資力調査を容認する給付を含む保証所得（Guaranteed Income）という概念も注目されている。

　3月にはブラジルで「緊急市民BI」法が可決した。4月には「スペインでBI導入」「ローマ教皇がBIに言及」「ペロシ・アメリカ下院議長が保証所得の必要性に言及」といったニュースが続いた[*1]。5月から6月にかけては、コロナ禍とは直接関係ないが、2017（平成29）年から2年間にわたり「BI」給付実験[*2]を行ったフィンランド政府が実験結果の最終報告書を公表したり、スコットランドで検討されているBI実験についての青写真が発表された。また、コロナ禍との関連では、アメリカでいくつかの都市の市長たちが「保証所得を求める市長会」を結成した。7月には、アントニオ・グレーテス国連事務総長がBIの必要性を訴え、国連開発計画（UNDP：United Nations Development Programme）がコロナ禍において途上国の人々を守るために、緊急BIを提言する報告書を公表した。

(2) ベーシックインカムが果たし得る役割

　これらの背景には、コロナ危機や危機によってより顕在化した諸問題に対して、BIが

[*1] スペインで検討されていたのは、実際には部分的な保証所得。6月に議会を通過。ローマ教皇の発言内容は「普遍的な基本賃金」。これがベーシックインカムを指すかどうかには異論もある。
[*2] 税財源の失業手当受給者のうち、学生を除く25歳から58歳までの約24万人を母集団とし、そのなかからランダムに抽出された200人に失業手当の代わりにほぼ同額となる560ユーロを「BI」として給付。詳細は山森2020b参照。

果たし得る役割についての期待（①短期的、②中期的、③長期的）がある。

①短期的な期待

短期的には、新型コロナの急激な感染拡大による医療崩壊を防止するための外出制限や「自粛」要請との関係で、必要となる所得補償という文脈だ。緊急BIと呼ばれるものである。どこの国でも、緊急の政策は、既存の政策の延長上で考えられるのが普通であり、その点では、ほとんどの国で既存の失業対策などの政策は所得制限を伴う選別主義的なものであるから、緊急の政策もそのようなものとなりやすい。しかし、緊急ゆえに選別を適切に行うことが難しいという問題が生じる。そのため、BI的に一律に配るべきだという提案がなされた。

②中期的な期待

中期的には、経済対策という文脈でのBI、ないしBI的政策の導入だ。外出制限が必要となるような短期的な期間を超えてもなお、多くの産業は過去には戻れず、また、これまでの経済危機と同じように、信用収縮（金融機関の融資が縮小する減少）による経済活動全般の停滞も免れない。ただし、上記の「短期」的な事態は、多くの国で1か月から半年程度を想定していたが、現在では2年から3年という期間で考えざるを得ない状況になってきており、短期と中期は時間軸として重なりつつある。

③長期的な期待

長期的には、コロナ危機後の社会はどのようになるべきなのか、あるいはならざるを得ないかという視点での議論がある。外出制限、あるいは「自粛」要請なるものが必要となっているのは、感染の急速な拡大による医療崩壊を防ぐためだと言われている（図1）。感染者数の推移を示すグラフの横の棒を超えないように、グラフの盛り上がりを低く抑えようという対策である。この成否は、横の棒の高さがどれくらいあるかにも影響を受ける。この高さを下げてしまうことが、金融危機以降、国によってはそれ以前から、大きな枠組みで言えば「新自由主義」と呼ばれる政策動向のなかで行われてきた。

また、同じ政策動向のなかで、現在、エッセンシャルワーカーあるいはフロントラインワーカーと名指されることとなった職種の労働条件も、劣悪なものへと切り縮められてきている。

この流れを変えていくこと、一方で医療や福祉、住宅などを、私たちの共有財産と捉え、社会的に保障していくこと、同時に他方で公正賃金などの理念に基づいた労働条件の改善を実現していくこと、そうした政策パッケージの一環としてBIを求めていくという流れがある。

また、成長優先の経済のあり方が環境を破壊し、パンデミックを引き起こしているとし、脱成長に舵を切るべきで、そのための政策パッケージの1つとしてBIが挙げられている。

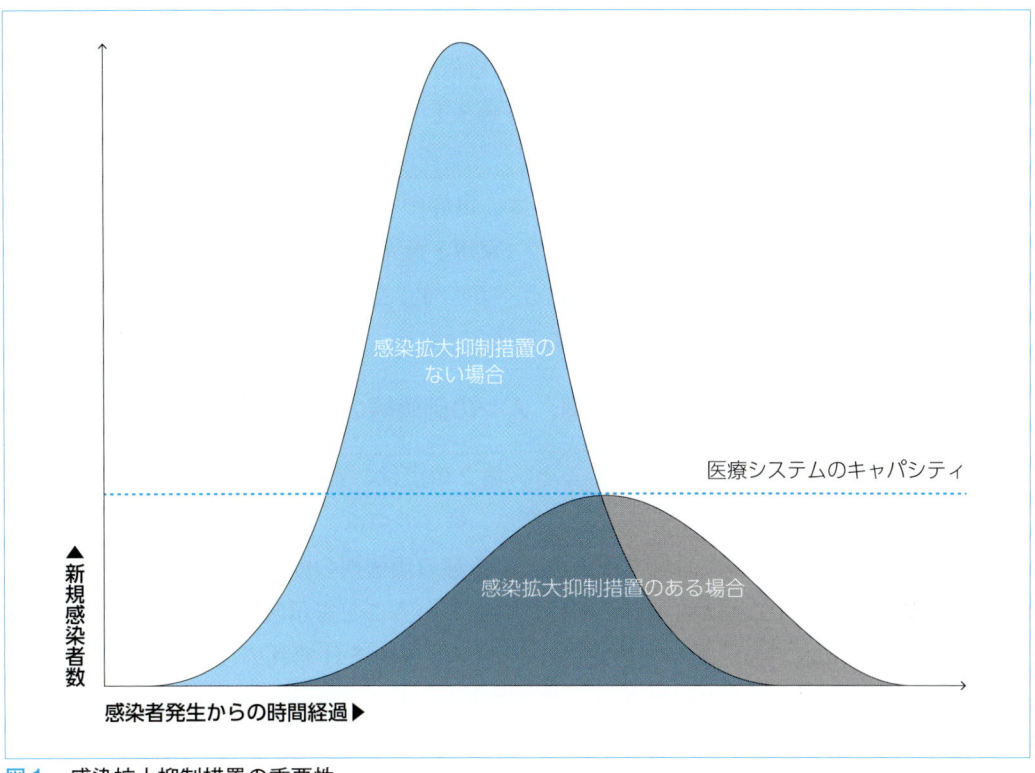

図1 感染拡大抑制措置の重要性

出典：Emily Barone と Lon Tweeten が TIME 誌のために作成
https://time.com/5805894/coronavirus-charts/

3 ベーシックインカムの限界と可能性

(1) ベーシックインカムに対する3つの批判

　BIには、よく知られた3つの批判がある。第1に「なぜお金持ちにも配るのか」、第2に「財源の確保が困難」、第3に「働かざる者食うべからず」ではないのか――というものだ。

　第1の点について、BIを支持する側からは、BIは人権であるといった哲学的・原則的な主張と同時に、選別的な給付にかかる費用や正しい選別の不可能性、あるいはスティグマがもたらす問題といった選別的給付のもつ実際的な問題点が指摘されている。たとえば、医療に関して言えば、イギリスでは誰もが税負担の国民保健サービス（NHS：National Health Service）を利用できるし、日本では誰もが保険診療を受けることができる建前になっている。所得保障も同じ建前にしようというのがBIだというわけだ。NHSでも日本の保険診療でも原則的な擁護論と実際的な擁護論があるように、ここでも同様だ。

　第2の点について、仮に税収の範囲内で歳出を賄うべきだという立場にたてば、税制ないし貨幣／金融制度の抜本的改革が不可欠だ。前者は所得税の累進度強化、45％前後の

定率所得税、消費税への税制一本化、環境税や金融取引税の導入など、さまざまな提案がある。後者は部分準備制度下で可能になっている信用創造を廃止する米経済学者のフィッシャーらが提唱した「100％準備銀行制度」を導入して、公共貨幣を発行するなどの議論がある。

第3の点について、BIを主張する側からは、世界中で歴史的に（日本では今も）性別役割分業のもと、家庭内のアンペイド・ワーク（家事・育児・介護など）の多くが女性によって行われており、そもそも「働かざる者食うべからず」という原則は現状あてはまっていないので、批判はあたらないという声がある[*3]。

(2) 本格的な導入には中長期的な計画、人々の価値観の変容が不可欠

以上を「限界」という観点からまとめると、第2の点は、本格的なBI導入は短期的には困難で中長期的な計画が必要であること、第1、第3の点は、BIには私たちの多くが持っている価値観や直観と衝突する要素があり、ある種の価値観の転換なしには、社会の大多数の賛成や納得を得ることは難しいのではないかということを示唆しているだろう。

「可能性」としては、前節後半での議論や上記3点へのそれぞれの反論に加え、アンペイド・ワークであれ、賃金労働であれ、起業であれ、仕事へのインセンティブを（従来の福祉制度と比べて）損なわない点が挙げられる（山森2020b）[*4]。また、前述のフィンランドの実験の報告書によると、BIは人々の精神的健康に良い効果があったという（図2）。

4 日本における導入の可能性と問題点

今次の特別定額給付金は、普遍的給付としては2010年から2年間存在した子ども手当に次ぐものであり、路上生活者の多くを実質排除するなどの問題点を伴いつつも、支給対象者は過去最大規模の給付であった。1回限りであること、申請・給付が原則世帯単位であることから、BIとは呼べないが、それでもBI的な部分をもつ給付であったとは言えよう。

今後、もし日本でBIを導入するとすれば、少なくとも十数年以上の長期的かつ漸進的な過程が想定されるだろう。これは日本のみならず多くの国・地域がそうだ[*5]。

短期的な展望としては、基礎年金の税財源化、児童手当の普遍化、あるいは人口過疎地域居住者に部分BIを給付するなど、さまざまな可能性が考えらえる。また、コロナ禍との関連では、時限的な緊急BIも考えられてよいだろう。

[*3] 1960年代から70年代にかけて、性別役割分業を批判する女性解放運動のなかでBIが要求されてきた（Yamamori 2014）
[*4] この点はすでに19世紀にジョン・スチュアート・ミルによって指摘されている。詳しくは山森2009、第4章参照。もちろん、この点にも反論はある。ベーシックインカムやベーシックインカム的な政策についての社会実験が、1970年代および近年いくつか行われており、それらは山森2020bにあるように、「可能性」の見方を補強する結果が得られている。しかし、数年程度の実験の結果と、実際に生涯ベーシックインカムが給付された場合の結果は大きく異なる可能性がある。
[*5] 一部の北欧諸国など、すでに多くの社会支出を行っている国はその限りではない。

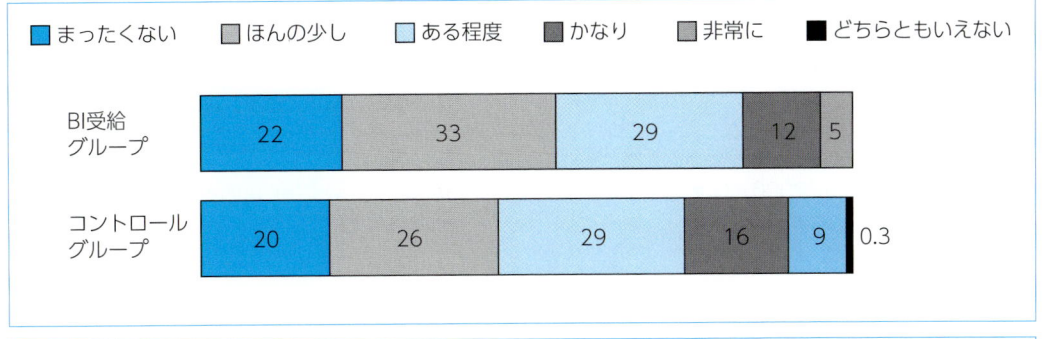

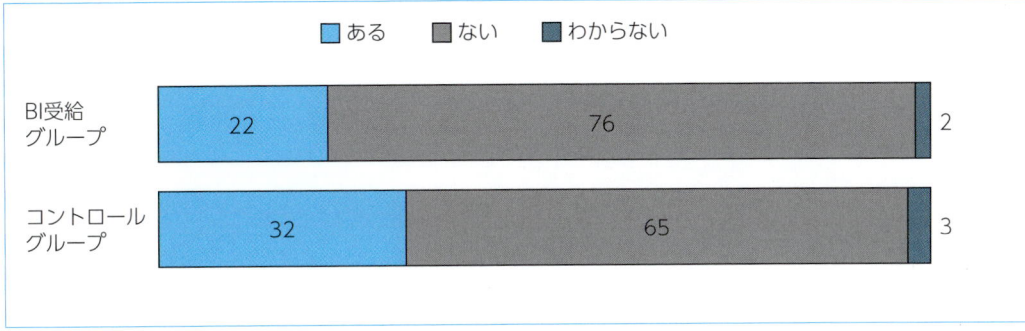

	まったくない	ほんの少し	ある程度	かなり	非常に	どちらともいえない
BI受給グループ	22	33	29	12	5	
コントロールグループ	20	26	29	16	9	0.3

	ある	ない	わからない
BI受給グループ	22	76	2
コントロールグループ	32	65	3

図2　フィンランド「BI」実験参加者の精神的健康についての自己評価
出典：KELAホームページ
https://www.kela.fi/web/en/news-archive/-/asset_publisher/IN08GY2nlrZo/content/preliminary-results-of-the-basic-income-experiment-self-perceived-wellbeing-improved-during-the-first-year-no-effects-on-employment　および
https://www.kela.fi/web/en/news-archive/-/asset_publisher/IN08GY2nlrZo/content/results-of-the-basic-income-experiment-small-employment-effects-better-perceived-economic-security-and-mental-wellbeing

　問題点としては、現在、日本では「BIの導入はそれ以外の社会保障の全廃とセットだ」という理解が、インターネット上の言説などで広まっていることが挙げられるだろう。しかし、国際的な理解としては、BIによって置き換えられるのは、BIが直接に代替し得るものだけである。たとえば、イギリスでは前述のように国民保健サービス（NHS）という制度があるが、BIと引き換えにNHSを廃止するというような理解をしている人はほとんどいない。むしろ、「BIは私たちの世代のNHSだ」（Murray 2020）という言葉に象徴されるように、既存の社会保障制度を土台に、そこに付け加えられるものと考えられている。
　今の日本の言説状況を考えたときには、BIの議論が医療を含む既存の社会保障制度の削減に利用されないよう、留意が必要であるように思われる。

■参考文献
1）千原則和 .2020.「主要各国の新型コロナウイルス対策」『世界』9月号
2）山森亮 .2020a.「連帯経済としてのベーシックインカム」『世界』9月号
3）総務省 .2020.「特別定額給付金の概要」
　　https://www.soumu.go.jp/menu_seisaku/gyoumukanri_sonota/covid-19/kyufukin.html#gaiyo
4）経済産業省 .2020.「持続化給付金に関するお知らせ」
　　https://www.meti.go.jp/covid-19/jizokuka-kyufukin.html

5）山森亮（編）.2012.『労働と生存権』大月書店
6）Yamamori, Toru. 2014. A feminist way to unconditional basic income: Claimants unions and women's liberation movements in 1970s Britain, Basic Income Studies, 9（1-2）.
7）山森亮.2020b.「フィンランドにおける「ベーシックインカム」実験：概要と展望」『社会保障研究』no.17, 近刊
8）山森亮.2009.『ベーシックインカム入門』光文社
9）Murray, Jessica. 2020. 'Our generation's NHS': support grows for universal basic income, Guardian, 10 August 2020

第 2 章

ポストコロナ時代の医療提供体制：試論

尾形裕也
九州大学名誉教授

本稿では、ポストコロナまたはウィズコロナの時代におけるわが国の医療提供体制のあり方について展望する。わが国の医療に関しては、医療保障は政府の強い介入の下にあるのに対し、医療提供体制は長らく事実上の自由放任であった。しかしながら超少子高齢社会、人口減少社会において、こうした自由放任には限界があり、そこから一歩踏み出す試みが地域医療構想であると考えられる。ポストコロナ時代においても、その意義は変わることなく、むしろコロナ禍の経験を組み込んだ形で、その一層の推進が求められている。

1 はじめに

　本稿の表題は「ポストコロナ時代の医療提供体制」というものだが、今の時点で、本当に「ポストコロナ」と言い切れるのかどうかについては必ずしも明らかではない。むしろ「ウィズコロナ」と呼んだ方が適切な時代をわれわれは迎えているのかもしれない。新型コロナウイルス感染症は、一筋縄ではいかない、甚だ厄介な疾病であるように思える。

　いずれにしても世界的にいわゆる「コロナ禍」を経験する中で、これまでの既存の社会経済システムが大きな影響ないしは揺さぶりを受けてきていることは間違いない。しかしながら、現時点でそれに対する有効な対応策の処方箋が書かれているようには思われない。たとえば、2020（令和2）年7月に公表されたいわゆる「骨太の方針2020」を見ると、「ポストコロナ時代」という言葉と「ウィズコロナ」が併用され、また「ニューノーマル」および「新しい日常」といった表現が多用されているが、その具体的内容については抽象論に留まっている。「コロナ禍」を踏まえた今後の展望については、「実はまだよくわからない」というのが正直なところなのかもしれない。本稿においても、以下の考察でわが国の医療提供体制の今後を展望するが、こうした限界があることは率直に認めざるを得ない。あえて表題に「試論」と謳ったゆえんである。なお、以下の記述はあくまでも筆者の個人的見解であり、筆者が関係している審議会等の見解ではないことをお断りしておきたい。

2 日本の医療保障制度と医療提供体制の特色：政府介入対自由放任

　医療ないしは医療政策は、大きく医療保障制度と医療提供体制の二分野に分けて考えることができる。前者は医療保険制度等、医療保障の仕組みをどのように構成するかという議論であり、厚生労働省の組織でいえば、保険局を中心とする行政分野、法律でいえば健康保険法等の医療保険各法の世界の話である。これに対して後者は、医療サービスを提供する体制をどのようにして構築するかという話であり、厚生労働省の組織でいえば、医政局を中心とする行政分野、法律でいえば医療法等の世界の話である。同じ医療政策といっても、両者はかなり肌合いが異なっているが、一方で密接に関連している部分もある。たとえば、診療報酬は医療保険の話でありながら、実際には医療提供体制のあり方に大きな影響を及ぼしており、両分野の橋渡し役を果たしているといえる。

　この二分野について、わが国の特色を一言で述べるならば、「医療保障については政府の介入が強い画一的な制度」であるのに対し、「医療提供については、政府の介入が弱い、事実上の自由放任」であるといえる。

　まず、医療保障制度については、1961（昭和36）年というかなり早い時期に皆保険体制が確立され、その後、60年近くにわたってその基本的な枠組みが維持されてきている。ようやく経済の高度成長期に入ろうとしていた、日本が全体としてはまだ貧しかった1950年代にいち早く皆保険を構想し、それを現実のものとした先人の先見性と見識には頭が下がる思いがする。ただ、当初の皆保険は、制度間の給付格差をかなりの程度容認した体制であったことに留意する必要がある。たとえば、国民健康保険（国保）の給付率は5割であったのに対し、健康保険（健保）の被保険者本人は事実上10割給付という大きな差があった[*1]。その後、制度間の「給付と負担の公平」を図ることが医療政策上の大きな課題とされ、累次の制度改正により、制度間格差は段階的に縮小され、2003（平成15）年には、高齢者等を除き、一律7割給付で統一されるに至っている。

　現在、わが国の公的医療保険制度においては、3,000以上の保険者が分立しているが、その給付内容はほぼ統一されている。また、診療報酬や保険医療機関も各制度共通であり、どの制度に属していても、文字通り被保険者証1枚あれば、同じ内容の医療を受けることができることになっている。こうした統一的な「保険診療」が隅々まで浸透している姿は、多様な民間保険が中心のアメリカなどとは大きく異なり、全体として「政府の介入が強い画一的な制度」になっているといえる。

　これに対して、医療提供体制については、伝統的に民間主導の自由開業制を基本とする「自由放任」政策がとられてきた。皆保険制度導入当時は「保険あってサービスなし」になるのではないかという危惧の声もあったようだが、結果的には杞憂に終わった。むしろ皆

[*1] 当時は高額療養費制度もなかったので、給付率の差はそのまま患者負担の差に直結していた（高額療養費制度が導入されたのは1973（昭和48）年のいわゆる「福祉元年」においてであった）。

保険体制の早期整備によって「需要が供給を引っ張る」形で、医療提供体制の整備が急速に進んだ。人口当たりの病床数、CTやMRI等の高度医療機器台数等は、日本は断然世界一の水準にある。日本の病院施設数は、かつては1万を超え、現在でも8千を超えているが、これを（人口で2.5倍、国土面積で25倍の）アメリカの6千余と比べると、いかに多いかがわかる。日本においては、民間医療機関の活発な設備投資・拡大意欲によって、医療提供体制の拡充が図られてきたといえる。

　こうした、ある意味では無秩序な医療提供体制の拡充に対しては、1980年代に医療法が改正され、医療計画が導入されたが、医療計画はあくまでも病床過剰地域における増床規制に留まるものであった[*2]。医療計画には過剰な病床を削減したり、地域のニーズに見合った病床への転換を促す権限はなく、基本的に総量規制に過ぎない。その結果、現在でも多くの二次医療圏が病床過剰地域に留まっているが、人口減少社会に転じ、また超少子高齢社会に突入したわが国において、地域の実際の医療ニーズとの間には大きなギャップが生じてきている。医療提供体制に関する自由放任主義は、経済社会の拡大局面においてはうまく機能したかもしれないが、縮小局面では次第にその問題が露わになってきている。こうした認識の下に、伝統的な自由放任主義から一歩踏み出そうとしている試みが地域医療構想であると考えられる。

3　地域医療構想：自由放任主義からの脱却の試み

　地域医療構想については、関係者の努力により、予定されていた年限より1年早く、2017（平成29）年3月末までにすべての都道府県において策定が完了した[*3]。しかしながら、その後すでに3年以上を経過しているが、地域医療構想の推進状況については、必ずしも満足できるものではない。そうした中で、二次医療圏を基本とする構想区域ごとに設置された地域医療構想調整会議（調整会議）における議論が形骸化している例が多いのではないかという批判の声も出てきた。

　こうした状況を踏まえ、調整会議における議論の活性化を促す観点から、2019（令和元）年9月末に、厚生労働省から、全国の公立・公的病院等について診療実績データを分析した結果が公表された。これは、一定の基準に基づき、診療実績が特に少ない場合もしくは構想区域内の近接する場所に競合する他の病院が存在する場合、「再検証要請対象医療機関」として指定し、調整会議において再度検討を行い、その結果を報告することを求めたものである。具体的には、がん、心疾患、脳卒中、救急、小児、周産期、災害、へき地医

[*2]　現実には、医療計画の実施との間のタイムラグを利用した「駆け込み増床」が起こり、病床数はかえって増加するという甚だ皮肉な結果となった。また、医療計画は病床規制に留まり、医療機器の規制には踏み込んでいない点にも留意する必要がある。
[*3]　以下の記述は、尾形裕也（2020）「医療提供体制の課題と将来」『週刊社会保障：社会保障読本2020年版（理論編）』PP30-35に基づき、加筆したものである。

療、研修・派遣機能という9つの主要な領域すべてについて、診療実績が特に少ない（シェアが3分の1未満）か、あるいは、がん、心疾患、脳卒中、救急、小児、周産期医療という6つの主要な領域すべてについて、近接する場所（自動車での移動時間が20分以内）に類似の診療実績を持つ他の医療機関が存在する場合に、再検証要請対象医療機関となる。この基準によって、2017年の病床機能報告において高度急性期または急性期病床を有すると報告を行った公立・公的医療機関等1,455施設のうち、400施設余が対象となり、病院名が公表された。

　再検証要請対象病院の公表については、マスコミ等でも大きく取り上げられ、相当のインパクトがあったことは事実であろう。地域の実態を踏まえずに、一律の基準で対象病院を選定したことに対しては、病院側から強い批判の声も上がった。しかしながら、しばしば誤解されている点であるが、このリストは決して「再編・統合リスト」ではない。あくまでも今後の「再検証」を要請しているものであり、再編や統合を実際に行うかどうかは「再検証」を行った結果に基づいて判断すべきものである。まずは調整会議においてそうした議論を行うことが求められている。そういった意味では（何の根拠も示すことなく）「再検証」自体が必要ないというような議論は明らかに説得的でない。

　当初のリストにはデータの不備等もあり、その後、精査した結果、多少の増減が生じたため、2020（令和2）年1月に医政局長通知とともに、改定したリストおよび民間医療機関の診療実績データもあわせて都道府県に提供されている。その後の新型コロナウイルス感染症の感染拡大という想定外の事態に遭遇し、地域医療構想も大きな影響を被っているものと思われるが、目標年次である2025年まで5年を切った現時点において、その推進は一層喫緊の課題となっている。

　地域医療構想は、伝統的な自由放任的な医療提供政策から明らかに一歩を踏み出そうとする試みである。従来の医療計画のような単なる総量規制ではなく、病床の機能に着目して、地域における将来の医療需要の推計に基づく必要病床数に現実の病床数を収れんさせていこうという考え方は、もはや伝統的な自由放任主義ではない。ここで、現在進められている医療機関による自主的な判断、選択という地域医療構想の基本的な枠組みについては、主として医療提供側からの提案であったという事実を指摘しておきたい。ちなみに、私自身は「強硬派」であり、行政にもっと大きな権限を与えなければ実効性に乏しいのではないかという意見であった[4]。これに対して、民間医療機関のウェイトが大きく、長らく自由放任政策になじんできたわが国においては、そうした強制的な政策は適切ではない、むしろ個々の医療機関の自主的な判断を尊重した方がうまくいく、というのが医療提供側の方々の主張であった。地域の医療提供体制のあり方を地域の医療機関が考え、あるべき

---

[4] たとえば、現在、医療計画における民間病院に対する病床規制において採用されているような、都道府県知事の勧告に従わない医療機関に対しては保険医療機関の指定を行わないといった権限を行政に付与することが考えられる（社会保障審議会医療部会「医療法等改正に関する意見」平成25年12月27日P 7を参照）。

姿に収れんさせていくという発想は素晴らしいものであり、私もこれを多とし、当面自説を引っ込めた経緯がある。ぜひ、こうした地域医療構想の原点に立ち返って、地域のあるべき医療提供体制への「ソフトランディング」を目指していただきたいと考える。

4 ポストコロナ時代の医療提供体制のあり方

　以上述べてきたことを踏まえて、「ポストコロナ」あるいは「ウィズコロナ」時代の医療提供体制のあり方について、若干の考察を試みよう。

　まず、第1に、基本的に医療提供体制に関する伝統的な自由放任主義は終焉せざるを得ないものと考える。このことは、コロナ禍以前から、人口減少社会あるいは超少子高齢社会への突入という未曽有の大きな長期的社会変動の只中にあったわが国においては、ある意味では当然のことであろう。高度成長期のような経済社会の拡大局面では有効であった自由放任主義も、縮小局面では十分機能しない。むしろ医療ニーズとサービス供給体制の間には大きなギャップが生まれつつあり、自由放任では資源の適切な配分を期待することはできない。どこまで行政に強制力を持たせるか、あるいは逆に提供側の自主的な判断と選択にどこまで委ねるかという程度の問題はあるにせよ、やはりある程度の介入の強化は不可避であろう。地域医療構想は、当面、2025年に向けて伝統的な自由放任主義から脱却しようとする試みであるが、「ポストコロナ」あるいは「ウィズコロナ」という「想定外」の問題をどのようにそこに組み込むかが新たな課題となっている。

　第2に、長期的な医療・介護提供体制のあり方をどのように展望するかという問題である。そもそも地域医療構想が2025年を目標年次としたのは、医療・介護の提供体制に関する将来ビジョン（2025年ビジョン）を踏まえたものであった。2025年というのは、いわゆる団塊の世代が皆75歳以上の後期高齢者になるという、当面の象徴的な年として考えられている。その場合、質・量両面で医療や介護サービスに対するニーズに大きな変化が生ずることが予想されるが、現在の医療・介護提供体制ではこうした変化に十分応えることができないのではないかというのが基本的な問題意識であった。「団塊の世代」であるから、量的に大きな影響があるのは間違いない。しかし問題はそれに留まらない。質的にも大きな変化が起こることが予想される。

　たとえば、図には日本人がどこで亡くなってきたかについて過去50年間の推移を示している。これを見ると、この50年ほどの間に非常に大きな変化が起こっていることがわかる。現在は医療機関（その多くは病院）で亡くなる人の割合が8割近くを占め、自宅で亡くなる人の割合は1割強に過ぎない。病院で亡くなるということはごく当たり前のことになっている。しかし、1951（昭和26）年を見ると、状況は全く異なっていたことがわかる。当時は、自宅で8割以上の人が亡くなっており、医療機関で亡くなる人の割合は1割強と、現在とちょうど真逆の状況であった。その後の50年間で劇的な変化が起こった

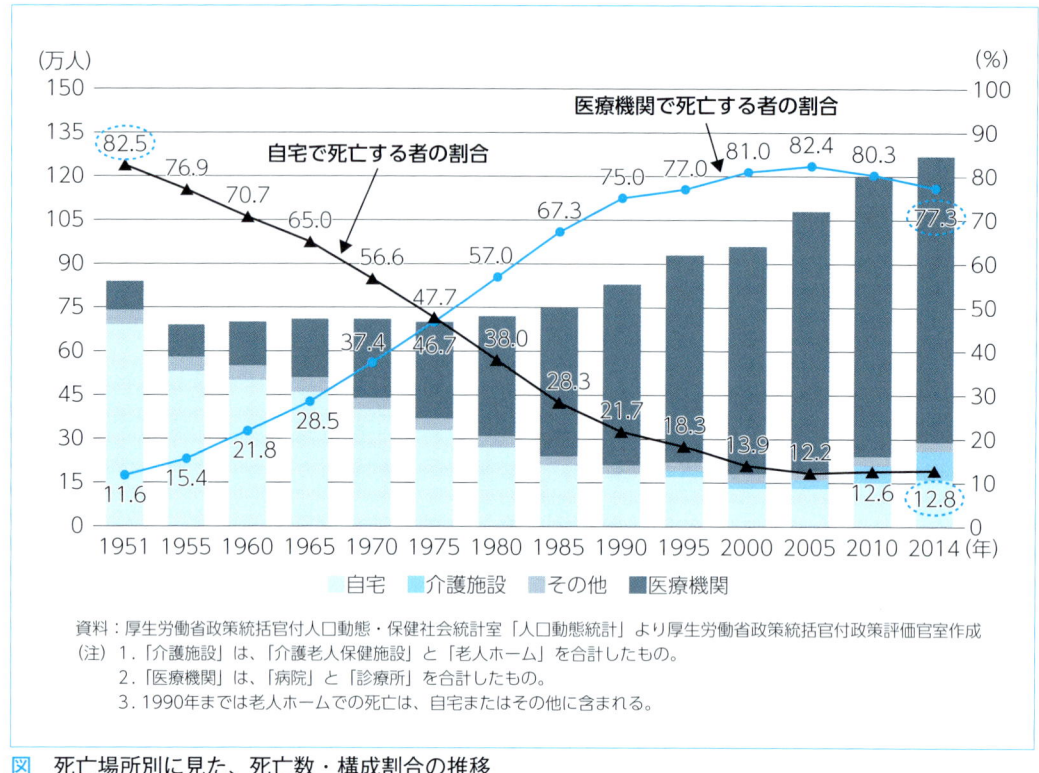

図　死亡場所別に見た、死亡数・構成割合の推移

出典：厚生労働省『平成28年版厚生労働白書』

わけである。そして、次の変化の兆しはすでに表れている。医療機関で死亡する人の割合は近年減少に転じ、2014（平成26）年ではすでに8割を切っている。逆に自宅で死亡する人の割合は下げ止まり、わずかではあるが増加に転じている。そして、それ以上に顕著なのが、介護施設で亡くなる人の割合が急増しているという事実である。過去50年の間にこれだけ大きな変化が起こったということを踏まえれば、今後もう1度逆の方向へ大きな変化が起こることも十分あり得る。医療・介護提供体制は長期的にこうした変化に応えるものでなければならない。これを一言でいえば「病院化社会からの脱却」ということであり、「ポストコロナ」あるいは「ウィズコロナ」の政策も、こうした基本的な文脈の中で考えていく必要がある。

　第3に、今回の「コロナ禍」のような国際的な感染症の流行を医療政策の「ニューノーマル」の中にきちんと位置付ける必要がある。たとえば、医療計画においては、いわゆる「5疾病5事業」及び「在宅医療」を中心にPDCAサイクルがきちんと回るよう、計画期間中に目指すべき具体的な目標等を掲げ、その検証を行うことになっている。これまで「5疾病5事業」及び「在宅医療」に焦点が当てられてきたのは、近年における疾病構造の変化や人々の医療に対するニーズの変化に対応したものであり、それ自体は妥当な考えであると思われる。一方で、これらに比べ、感染症については若干油断があり、今回不意を突かれ

た面があったのは事実であろう。現行の医療計画においても、5事業の中には「災害医療」のような緊急事態に対応した医療がすでに位置付けられているのであるから、感染症対策についても同様にきちんと位置付けるべきである[*5]。その際には、今回問題となった中央政府内における対応組織のあり方や中央政府と地方政府の間の役割分担、権限関係等の明確化を図り、緊急事態における混乱を極力小さなものとする工夫が望まれる。

　第4に、機能分化と連携の一層の推進ということである。今回のコロナ禍において、「医療崩壊」の危機が報じられる中で、それは国の病床削減政策、なかでも近年の「地域医療構想」がよくなかったといった趣旨の言説が見受けられる。しかしながら、これは事実に基づかない、きわめてミスリーディングな主張である。地域医療構想は決して病床を減らそうとするものではない。地域医療構想は、基本的に現状投影型の、現状を将来に伸ばした需要推計に基づいている。その結果、少なくとも一般病床については、トータルでは必要病床数が各医療機関からの報告病床数を上回る結果、つまり「病床不足」ということになっている[*6]。問題は、医療機関からの報告の妥当性如何ということである。医療資源投入量の現状から見て、とても高度急性期や急性期とは思えないような病棟についても高度急性期や急性期という報告を行っている医療機関があるので、一見すると必要病床数に比べて、これらの病床は過剰であるということになっている。高度急性期や本格的な急性期医療については、今回問題になったICUの整備が象徴しているように、今後拡充強化する必要がある一方で、軽症急性期や回復期医療については、その機能にふさわしい内容のものとしていく必要がある。中途半端な急性期を標榜する病床がたくさんあるというのは、決して望ましい状態ではない。今後ICTの活用を含め、適切な機能分化と連携を一層推進する必要がある。

　第5に、その一方で、医療政策には一定の「ゆとり」を持たせることも必要であると思われる。地域医療構想に従って、機能分化と連携を進めつつも、医療のような分野については、きっちり過不足ない状態というのではなく、常に一定のゆとりを持たせておく必要がある。たとえば病床利用率でいうと、常に100%に近い状態ということではなく、ある程度の空きベッドは許容してもよい。緊急事態に備えた供給体制のある程度のゆとりということは視野に入れておくべきであろう。しかし、だからといって、一部の公立病院などに見られるように常に病床利用率が5割程度でよいということにはならない。その辺の「ゆとり」の持たせ方に、今後、地域の実態を踏まえた工夫が必要になってくるものと思われる。

[*5] 医療計画は、所管部局が厚生労働省医政局のため、従来、医政局関連の施策が中心であった面があるように思われる。しかしながら、最近の見直しでは、5番目の疾患として精神疾患を加えたり、また、在宅医療を5疾病5事業並みに重視するなど、医政局の行政を超えた視点が導入されてきている。仮に今回のコロナ禍を踏まえて感染症対策を重点事業として加えるとすれば、一層そうした方向が強まることになろう（医療法による病床区分でいうと、残るは結核病床のみということになるが）。

[*6] 療養病床については、「地域差縮小措置」によって、相当数の病床削減が考えられているが、それも単なる削減ではなく、新たな在宅ケアのニーズに対応するため、新設された介護医療院等への転換を図ることが求められている。

5 おわりに

　以上述べてきたことを総括するならば、「ポストコロナ」あるいは「ウィズコロナ」という想定外の事態の中でも、長期的な医療提供体制のあり方の基本は変わらないということではないだろうか。本文でも述べたように、伝統的な自由放任主義的な医療提供政策の終焉は必至であると思われる。特に団塊の世代およびそれ以降を展望した場合に、「脱病院化」ないしは「病院化社会からの脱却」もまた必至であろう。

　現在は2025年を当面の目標年次とする地域医療構想がそういった基本的方向性を志向しているが、2025年は今や指呼の間にあると言っても過言ではない。そろそろその先、たとえば人口の高齢化がピークを迎える2040年代を念頭に置いた新たな長期ビジョンを策定すべき時が近づいていると思われる。地域医療構想は、もともと「2025年ビジョン」を踏まえて、それを具体化する形でつくられたものであるが、「2025年ビジョン」が策定されたのは民主党政権時代の2011（平成23）年であった。さらにこの長期ビジョンは、その前の自公政権時代の2008（平成20）年に「シミュレーション（改革シナリオ）」として示されたものを原型としている[*7]。つまり、当時は、14～17年後の世界を展望して、医療・介護提供体制の将来像が検討されていたわけである。こうした経緯を踏まえれば、次の長期ビジョンを模索すべき時期が近づいてきていると考えられる。また、医療機関の経営戦略、特に長期的な投資戦略の観点からも、ある程度長期の見通しが明らかになることが望ましいであろう。

　そして、次期の長期ビジョンを構想する際には、2025年ビジョンが「社会保障と税の一体改革」という形で、給付と負担を一体ととらえた改革の展望を示したように、負担の問題を避けて通ることはできない。私見では、今後長期にわたって適切な医療・介護サービスを確保していくためには、現在の消費税率10％では不足であり、早晩その引上げを検討せざるを得なくなるものと思われる。その際には、かつて3党合意という形で、与野党を超えた超党派で、あえて不人気な消費税率引上げに踏み込んだ当時のような「政治的英断」が求められる。そして、そうした政治的決定を支えるのが、社会保障、特に医療・介護の将来像を明確に示した長期ビジョンなのである。

[*7]「2025年ビジョン」の経緯及び内容については、尾形裕也（2015）『看護管理者のための医療経営学：第2版』p40～p44を参照。

第 3 章

地方分権で問われる首長の指導力と地方のガバナンス

田中秀明
明治大学公共政策大学院教授

　新型コロナウイルス感染症の拡大は、国と地方の関係や医療など様々な制度に内在する問題を顕在化させた。感染症対策においては、司令塔としての国の役割は重要であるが、感染や医療資源などの状況は地方により異なっており、集権的な方法では問題解決は難しい。地方分権のあり方が問われたが、これは一般の医療を含め国と地方の関係に内在する構造問題である。地方分権を望むのであれば、公共サービスに格差が生じることを覚悟しなければならない。少子高齢化が急速に進む中で国民に必要なサービスを提供するためには効率化が必要であり、インフラや医療などについては、都道府県レベルでの広域化が求められる。ガバナンスの強化なしに地方分権は進まない。

1　はじめに

　新型コロナウイルス感染症（以下「コロナ感染症」と呼ぶ）の拡大に関しては、感染の抑制、医療機関での治療、雇用や生活の維持、事業活動の継続など、様々な対策が一刻の猶予もなく求められた。過去に前例のないことであり、試行錯誤で対応せざるを得なかったとしても、検査の方法や医療面での対応などにおいて地域差が生じるとともに、休業要請の対象や補償のあり方などを巡って国と地方の間で軋轢が生じた。

　危機はこれまで先送りされてきた問題を顕在化させる。今回のコロナ感染症が特に明らかにしたことは、地域における医療資源や保健所、所得保障面でのセーフティネット、行政の電子化などの問題である。いずれも、国と地方の関係に関わる。日本では、これまで幾度となく地方分権が進められてきたが、責任の所在などが曖昧であり、分権は進んでいない。今回の苦い経験を踏まえ、感染症対策は拡充されていくとしても、国と地方の関係を見直さない限り、実効性ある仕組み（地域医療構想などを含め）を構築することは難しい。

　本稿では、コロナ感染症対策を巡る国と地方の関係や首長のリーダーシップの重要性を整理しつつ、医療を含め地方分権や地方自治の課題を考える。

2 新型コロナ感染症対策を巡る国と地方の関係

(1) 地方自治体独自の取り組み

　コロナ感染症は、国と地方の対立、地方自治体間における相違や格差などを浮き彫りにした。北海道・東京・大阪などの知事がメディアにたびたび登場したことから、首長のリーダシップにも関心が集まった。

　コロナ感染症に関して対応が遅れたのがPCR検査である。政府の対応は後手に回り、保健所など現場は混乱した。厚生労働省は、地方自治体に対して、PCR検査の相談・受診の目安として、2020（令和2）年2月7日、「37.5度以上の発熱が4日以上続く場合」などを示したが、迅速な検査と治療を受けられず死亡に至る事例も頻発した。結局、5月8日に、この目安は改訂された。保健所の能力に限界はあるとしても、克服する手立てはあった。

　多くの自治体は国の方針に従ったが、地方独自の取り組みを行った自治体も散見される。例えば、鳥取県は、1月21日には、コロナ感染症対策のための組織を立ち上げ、早期の対策を講じてきた。その主な対策は、感染症指定病床の拡大（当初の12床から4月21日時点で322床へ）、備蓄していたマスクと消毒液の医療機関への緊急放出、「疑わしきはPCR検査」という方針の下で検査機関・検査機械・検査件数の拡大などである（「文春オンライン」2020年4月22日）。

　和歌山県は、2月に病院でコロナ感染症の集団感染が発生したが、封じ込めに成功したという。その理由として、感染者の早期発見のため、国の基準に従わず、最初にかかった医療機関から、保健所を経由せずにPCR検査を行うとともに、医師や看護師のPCR検査を優先して実施した（「日本経済新聞」2020年4月22日）。

　岐阜県は、4月7日に政府が緊急事態宣言を出された後の10日、対象地域ではないにもかかわらず、独自の「非常事態宣言」を発表した。総合対策として、学校の休校やイベントの中止を延長するとともに、検査の徹底や病床の確保、事業者への資金繰り支援のための融資制度や補助金の創設などを盛り込んだ（「日本経済新聞」2020年4月11日）。

　検査以外でも、自治体の取り組みが先行した事例がある。一斉休校を最初に打ち出したのは北海道であり（2月26日）、飲食店などへの休業補償を最初に実施を表明したのは東京都である（4月10日）。緊急事態宣言や小中学校の休業補償については、当初、国は、財源が際限なく拡大する懸念からできないとしてきたが、2020年度補正予算に、中小・小規模事業者・フリーランスなどに対する給付金、すなわち「持続化第1次給付金」を盛り込んだ。

　国と地方が対立した典型例が、緊急事態宣言を受けて決定した休業要請の対象である。東京都は、当初、理髪店や居酒屋も対象としようとしたが、国から待ったがかかった。国

と東京都の調整に時間がかかり、休業対象の発表が72時間遅れて、4月11日午前零時からになった。東京都はリスクを軽減するために厳しい措置をとろうとしたものの、最終的には、休業の代わりに営業時間の短縮で、国と折り合いをつけた。

改正新型インフルエンザ対策特別措置法では、総理大臣が対象区域を選定する権限を有するが、知事が外出自粛、施設の休業要請・指示などを出す権限を持つ。しかし、政府は4月の緊急事態宣言を出す際に改定した基本的対処方針で、休業要請は「国との協議」を行うことなどを盛り込んだ。これが、国と地方が対立した原因の1つである。

2020年度第1次補正予算には、コロナ感染症対応地方創生臨時交付金（1兆円）が計上されたが、国は、当初、この交付金は休業補償には使えないと説明していた。しかし、地方からの反発を受けて、国は、4月19日、臨時交付金を知事の休業要請を受け入れる事業者への支援金に使うことを認めることを明らかにした。

(2) 地方自治体間での相違

コロナ感染症対策で議論になった問題の1つは、地域で取り組みに差が出ることである。休業補償が典型例である。報道（「日本経済新聞」4月23日）によれば、東京・大阪・兵庫100万円、福岡・石川50万円、北海道・茨城・埼玉・神奈川30万円、京都20万円などとなっている。同じ休業補償にもかかわらず、自治体の財政力で金額に差がつくのは問題ではないかという議論が出ている。なお、地域によって物価水準に相違があることも考える必要がある。

PCR検査については、都道府県間で人口当たりの検査能力に大きな相違がある。人口10万人当たり1日のPCR検査実施可能件数（各地方衛生研究所・保健所）は、10件を超える自治体がある一方で、1桁の自治体が多い（図1）。ただし、民間検査機関分を含めると、7月末時点において、50件超の検査能力（民間検査機関を含む）がある都道府県（和歌山、広島、東京、香川、奈良、長野）がある一方、20件を下回る都道府県（新潟、秋田、島根、滋賀、愛媛、岡山、茨城）がある（「朝日新聞」2020年8月9日）。

国と地方の対立や自治体間の相違は、地方分権のあり方に関係する問題である。今般のコロナ感染症対策は緊急かつ異例であり、一般の政策とは異なる点があるとしても、問題の根源は日本における国と地方の曖昧な関係にある。

独自の取り組み実施した自治体を紹介したが、多くの自治体は国の指示を待ち、国の方針を実施することに注力していたのではないか。国と異なる施策を実施して失敗すれば、地方の責任問題になる。北海道・東京・大阪など、コロナ対応で目立った対応した知事たちの言動を読むと、共通することは、現状の的確な把握、責任とリスクをとった上での迅速な判断、住民への繰り返しの説明である。まさにリーダーの条件である。ただし、都道府県が独自の対策をとるとしても、条例の制定など、法的な措置を講じる必要がある。

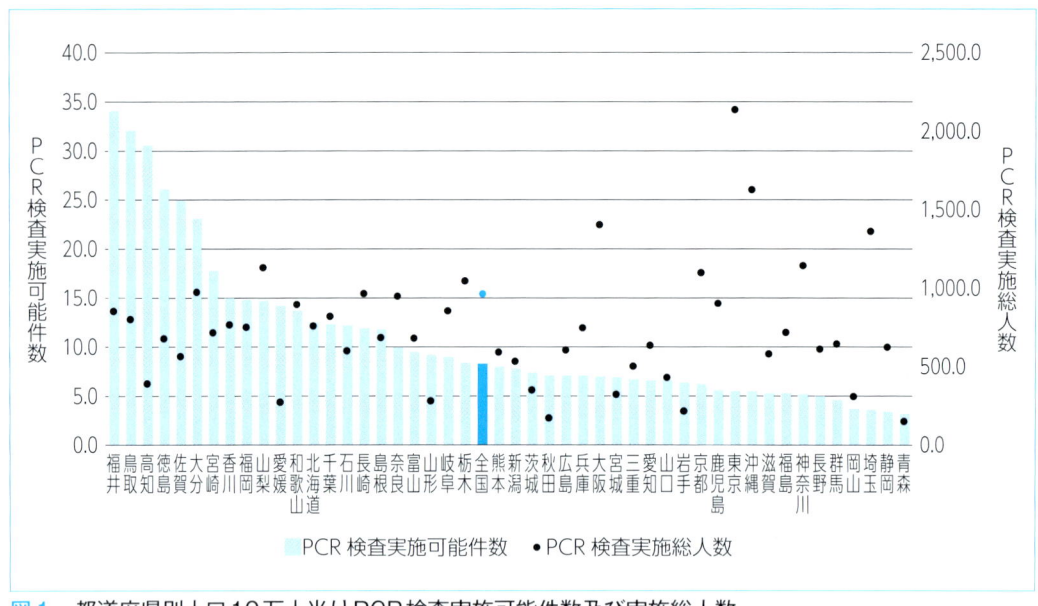

図1 都道府県別人口10万人当りPCR検査実施可能件数及び実施総人数
出典：検査に関する件数や人数は厚生労働省資料（2020年8月26日現在）、人口は総務省資料（2018年10月1日現在）に基づく。
PCR検査実施人数は1/15～8/25（チャーター便帰国者除く）

3　構造的な問題：中央集権か地方分権か

　日本は中央集権国家だったが、1995（平成7）年の地方分権推進法を契機として10次にわたる一括法が制定され、地方の権限や機能という意味では分権はかなり進んだ。日本の地方の政治・行政システムは、アメリカのような大統領制であるが、アメリカ以上に行政トップの力が強い（例えば、予算編成権は、日本では行政にあるが、アメリカでは議会にあり行政にはない）。しかし、従来は、知事が国の指揮監督を受けて国の事務を執行する仕組み（「機関委任事務」と呼ばれる）が中心であった。2000（平成12）年にこれが廃止され（「自治事務」や「法定受託事務」に変更）、知事の権限が強化された。法律に根拠がなければ、国は地方に指示や命令はできない。例えば、コロナ感染症対策で国は小中学校の一斉休校を地方に求めたが、それに法的な根拠はなく、地方は従う必要などなかった。

　他方、財政面では中央依存の構図は大きく変わっていない。その根本的な問題は、税源の偏在である。例えば、地方法人2税（法人住民税と事業税）の人口1人当たりの税収（2018年度決算）は、最大の東京都と最小の奈良県で5.9倍、地方税全体では、最大の東京都と最小の長崎県で2.3倍の差がある[1]。税の偏在をそのままにすれば、1つの国において、豊かな地域と貧しい地域の間で、公共サービスの水準に格差が生じる。これを是正する仕組みが「地方交付税制度」である。これは、「地方公共団体間の財源の不均衡を調整し、

---

*1　総務省（2020）「地方財政の状況」。税源の偏在は、県内総生産に大きな相違があるからであり、最大の東京都の104.5兆円と最小の鳥取県の1.8兆円の間で、約58倍の差がある（2016年度県民経済計算）。

どの地域に住む国民にも一定の行政サービスを提供できるよう財源を保障するためのもので、地方の固有財源」（総務省）である[*2]。

　交付税はこれまでは確かに機能したが、今や副作用が生じており、問題が多い。第1に、歳出を増やし、それを借金で賄うインセンティブがある。地方には様々な需要があるので、歳出が必要だと認められれば（最近の例は地方創生関係の歳出）、国は財源を保障しなければならない。第2に、地方交付税が過剰な調整になっている。都道府県別の人口1人当たり一般財源（地方税や地方交付税など）を比較すると、調整の結果、愛知県、神奈川県などより、東北・山陰・四国などの県の方が豊かになる。島根・鳥取・高知は東京より豊かになり逆転している。

　こうした結果、地方財政は国に依存する仕組みになっており、自治体自らが財源を確保しその実情に応じてサービスを効率的・効果的に提供することを妨げている。これは国と地方の財政的な関係にあり、具体的には、国と地方の役割分担、なかんずく仕事と財源の手当てが明確ではなく、税金、交付税、補助金などが複雑に入り組んだ仕組みにある。これを簡略化して示したのが図2である[*3]。

　地方が実施している事業は多様であるが、ある事業の実施のための財源は、国庫支出金（補助金）、地方税・地方債・地方交付税などが混合している。地方交付税の使い方は、建前としては、地方に裁量があり、算定どおりに使う必要はないが、ある事業を実施するためには、地方交付税や自己財源に加えて国庫支出金（補助金）などが必要である。補助金を受けるためには、国が定める当該事業の実施基準に従う必要があり、実質的には裁量性は高くない。例えば、保育園の砂場の面積も国が決めていた。

　地方財政については、国と地方の役割分担を明確にすることが第一に必要であり、次にそれに応じて財源を手当てする仕組みを再構築するべきである。具体的には、国が責任を

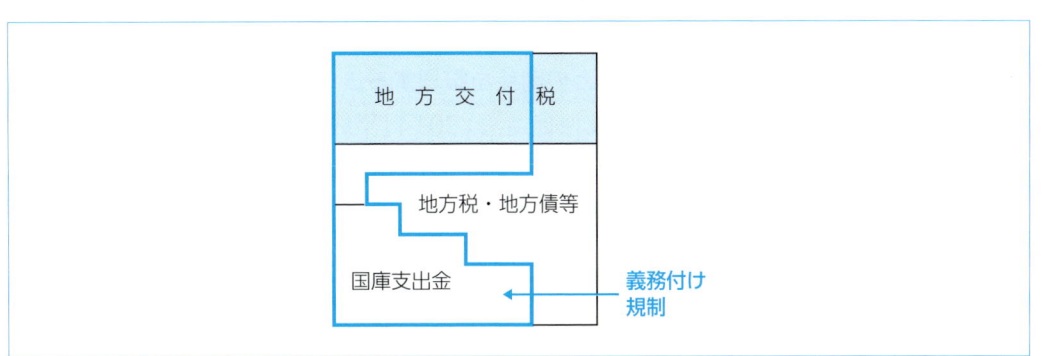

図2　地方財政の財源と国の関与

出典：田中秀明（2017）

[*2] 地方交付税制度の詳細は、中井英雄他（2020）『新しい地方財政論』（有斐閣アルマ）などを参照。
[*3] 詳しくは、田中秀明（2017）「第6章膨張する予算」（加藤創太・小林慶一郎編『財政と民主主義』日本経済新聞出版社）を参照。

負うべきサービス（例えば生活保護）は国が全額負担し、地方が責任を負うサービスは地方が負担する（国による財源保障機能の縮小）。ただし、地域間で税源格差があるので、一定の財政調整を行うが、現在の地方交付税制度を大幅に簡素化する必要がある。

　交付税の見直しでは、諸外国の事例が参考になる。どこの国でも税源に偏在があるため、それを是正する財政調整の仕組みがある。イギリス（単一国家で中央集権が強い）は、日本の交付税に類似した仕組み（収入と支出の両方を考慮）を有するが、それは、行政サービスの水準として「ナショナル・ミニマム」を前提とする（地方の業務は、日本と異なりかなり限定されている）。地方がより良いサービスを求める場合、地方税の税率を引き上げる必要があり、実際に地方間で税率に2～3倍の相違がある。ドイツ（連邦国家で州の権限が強い）では、州の間で1人当たり税収を均衡化するように財政調整されるが、サービス水準は考慮されない。例えば、教員1人当たりの児童数については、州がそれぞれ決める（日本は国が法律で決めている）。アメリカは、財政調整を廃止しており（特定の連邦政府補助金はある）、州間でサービス水準の格差が大きいが、それは地方自治の結果であり、もし連邦政府がその是正に介入すると憲法違反にもなる。国と地方の関係は、各国それぞれの歴史的な経緯などを反映して異なるものの、一定の自律と規律を担保する仕組みになっている。

4　医療における地方分権と直面する問題

　近年、医療においても、地方分権、特に都道府県の役割と権限を強化する取り組みが進められている。その柱は、地域医療構想（2015〔平成27〕年）と国民健康保険事業の広域化（2018〔平成30〕年）である。これらに関連しては、従来からの仕組みとして、医療法に基づく「医療計画」（2018年度から第7次）と高齢者医療確保法に基づく「医療費適正化計画」（2018～2023年度が第3期）がある。ここでは、都道府県の役割を強化する改革の概要と基本的な問題点、感染症対策との関係を整理する。

　地域医療構想とは、医療介護総合確保促進法（2014〔平成26〕年）に基づき、2015年4月より、都道府県が策定するものであり、その主な内容は、①2025年の医療需要と病床の必要量の推計（高度急性期・急性期・回復期・慢性期の4機能ごとに、二次医療圏単位に推計）と②目指すべき医療提供体制を実現するための施策（医療機能分化・連携を進めるための施設整備、地域包括ケアシステムの構築、医療従事者の確保・要請等）である。「効率的かつ質の高い医療提供体制と地域包括ケアシステムを構築する」（同法第1条）ことを目指している。

　国保の改革では、都道府県を新たに財政運営の責任主体として位置付け（市町村は引き続き保険料の賦課・徴収を行う）、保険事業の広域化や保険者機能の強化により、事業の安定化や効率化を図るものである。従来の仕組みでは、小規模保険者（市町村）や赤字の

保険者が多かった。また、保険料水準が市町村でばらばらであり、多くの市町村が赤字を埋めるために税金（法定外の繰入れ）を投入していた。改革の柱は、都道府県が標準保険料率の算定を通じて市町村間の保険料の差異を調整するとともに、税金の投入を減らすことにある。

　こうした改革の背景には、何よりも医療費の増大がある。また、医療費には地域差があり、その差異は、人口の高齢化だけでは説明がつかず、病床数や医師数など供給サイドが影響を与えている（図3）[*4]。医療費の増大を抑制するためには、地方の現場での取り組みが重要になっており、「国際標準から見て過剰な病床の思い切った適正化と疾病構造や医療・介護ニーズの変化に対応した病院・病床の機能分化の徹底と集約化」（「社会保障国民会議中間報告」(2008［平成20］年9月)）が求められている。他方、少子高齢化が進む中で、医療資源の偏在や確保困難化、介護との連携の必要性などにより、医療の提供体制を維持・拡充することがより難しくなっている。

　こうした背景から地域医療構想には、「効率的」と「質の高い」の2つの目的（法令上）が含まれている。この2つの目的を同時に達成することが求められているが、実際にはそれは難しく、しばしば対立する[*5]。極論すれば、財政の論理か、命の論理かである。筆者は、この2つの目的を両立させることは可能と考えているが、現場で多くの問題に直面してい

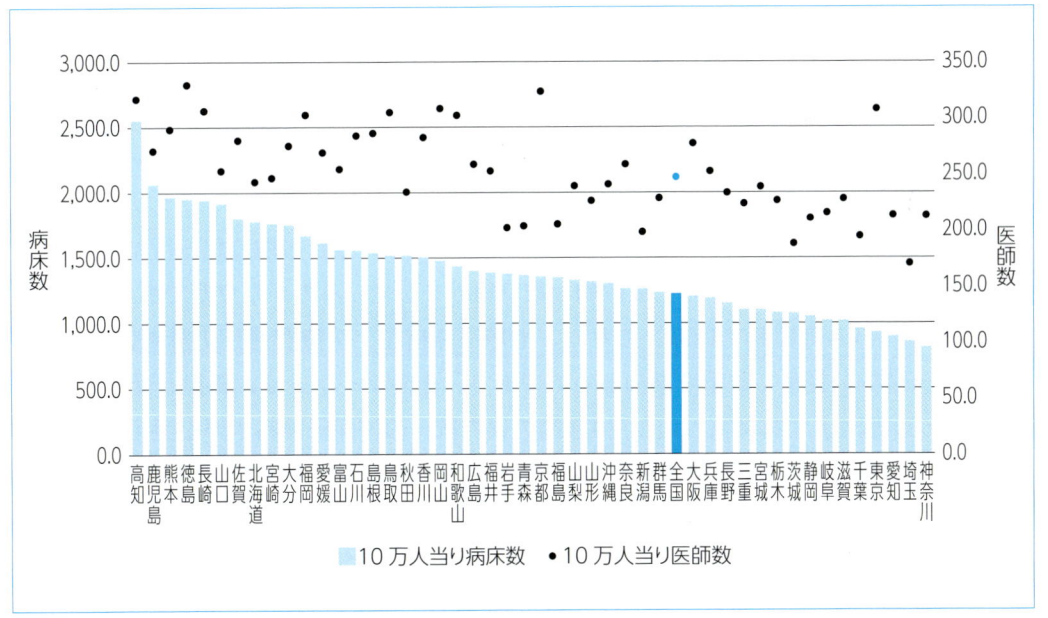

図3　都道府県別人口10万人当り病床数と医師数
出典：病床数は厚生労働省「医療施設調査」、医師数は同省「医師・歯科医師・薬剤師統計」に基づく。

[*4] 医療費増大の原因の分析については、印南一路（2016）『再考・医療費適正化』（有斐閣）を参照。
[*5] 東京財団（2017）「地域医療構想の成果と課題」は、地域医療構想には「病床削減による医療費適正化」と「切れ目のない提供体制の構築」という異なる2つ目的があるとし、その内容や経緯などを詳しく整理している。

るのが現実である。

　第1の問題は、都道府県の機能と権限に関わる。医療や介護には、サービスを受ける住民をはじめ、行政や供給者など、様々なステークホルダーが関わるため、そうした主体の合意形成が極めて重要である。日本で医療改革が難しい理由は、私立病院や医院など民間主体の供給システムになっていること[*6]、医療に膨大な一般財源が投入されているにもかかわらず、行政に民間をコントロールする権限が乏しいことにある。地域医療については、従来から、都道府県医療審議会や地域医療対策協議会などが設置されており、地域医療構想についても、「地域医療構想調整会議」が設置されている。合意形成は必要であるが、地域の医師会や病院などは、病床数や医療費の削減には反対するのが通常である。また、彼らは、知事や県議会議員の選挙において、重要なプレーヤーでもあり、医療費の削減や適正化ではなく、医療の充実に力が働く。

　地域医療構想においては、知事の権限（不足する医療機能への転換の促進など）が定められているが、その弱さが指摘されている。例えば、将来の病床数の必要量が既存病床数を下回る場合に申請病床数の削減などを勧告できない。このため、「経済財政運営と改革の基本方針2017」（2017［平成29］年6月9日閣議決定）において、「自主的な取組による病床の機能分化・連携が進まない場合には、都道府県知事がその役割を適切に発揮できるよう、権限の在り方について、速やかに関係審議会等において検討を進める」こととされている。

　地域医療構想にせよ、国保における保険者機能の強化にせよ、インセンティブが乏しいことも問題である。保険制度の基本原理の1つは、給付と負担がバランスすることであるが、日本の保険制度では、それがバランスしない。保険にも関わらず、大量の一般財源が投入されているからである[*7]。

　こうした中でも、地域医療構想や国保改革において、地方独自の取り組み行われている。知事がリーダーシップを発揮し、意欲的な取り組みをしているのが奈良県であり、しばしば、「奈良方式」と呼ばれている。これは、地域医療構想、医療費適正化計画、国保改革の3つを一体的に捉えて改革を進めるものであり、そのポイントは、負担と受益の「見える化」である（図4）。具体的には、2024年度の県内統一の国保保険料水準を設定する一方、法定外繰入の廃止、医療費適正化、公費の有効活用などにより、受益と負担をバランスさせようとする。

　第2の問題は、分権化を進めつつも、集権化も強化されていることである。その典型例が、公立病院の統廃合である。2019（令和元）年9月、厚生労働省は、市町村立などの公的病院の25%にあたる424の病院について、再編統合について特に議論が必要とする分

---

*6　国・地方等の公的病院以外の病床数は全体の71.2%（2015年10月1日現在、「2015年医療施設調査」）
*7　国民医療費の財源のうち国・地方の公費負担（一般財源）は、38.4%（「2017年度国民医療費に概況」）。社会保険に一般財源が投入されていることの問題は、前掲田中（2017）を参照。

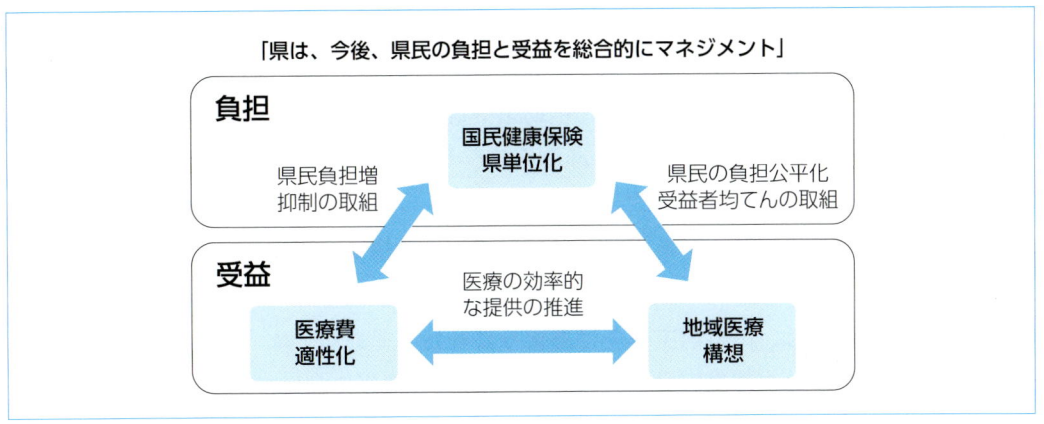

図4　「奈良方式」の概要
出典：「奈良県における国民健康保険改革の取組」（第8回社会保障制度改革推進会議、2018年5月28日）に基づき作成

析結果をまとめ、具体的な病院名を公表した。地域における医療が失われるとして各地から強い反発が起こったが、この背景には、病床数の削減が地方任せで進んでいない実態がある。公立・公的医療機関の再編は、地域医療構想の重要なテーマの1つであり、経済財政諮問会議や地域医療構想に関するワーキング・グループでも議論されていた。

さらに、中央集権化の動きが強まったのが新型コロナ感染症対策であり、国と地方の対立については、既に議論したところである。感染症対策では、国の役割や伝統的な医療が重要視されており、地域医療構想などこれまでの分権化と矛盾する可能性がある[*8]。中央集権だけでは対応できないことは議論したとおりであり、問題はバランスである。さらなる議論と検討が求められている。

5　今後の課題：ガバナンスの強化に向けて

これまでの日本における国と地方の関係は中央集権であり、地方交付税などの仕組みはそのためのものであった。これは、「国土の均衡ある発展」という目的には合致していた。第二次世界大戦後、日本は貧しく、学校・病院・道路などインフラは全国で絶対的に足りなかったからである。しかし、経済社会が成熟し、急速に少子高齢化が進む中で、それを維持することは困難になっている。安倍政権が掲げた「地方創生」も、国土の均衡ある発展が基本原理なので、東京一極集中は是正されていない。

今回の新型コロナウイルス感染症対策でも中央集権の弊害が明らかになったが、地方分権を進めるのであれば、その前提として地方に覚悟が必要である。これまで一般論として、地方自治体は地方分権を主張してきたが、本音では違うだろう。現在のように国が助けて

[*8] この問題については、三原岳（2020）「新型コロナがもたらす2つの『回帰』現象－医療制度改革への影響を考える」（ニッセイ基礎研究所レポート）を参照。

くれる仕組みの方が楽だからである。地方分権を進めると、当然ながら公共サービスの水準に格差が生じる。著しい格差は問題であるが、格差を許容しない限り、地方分権は進まない。国は、全国平等・均一を大義に、補助金や規制などを通じて地方の自由を縛っているが、それに対して、地方は「ノー」と言えるだろうか。

　地方交付税制度などについては改革を提案したが、今後の地方分権に当たり、重要な課題の１つはサービスの広域化である。これまでの地方分権は、義務教育が典型的なように市町村主義であったが、人口が減少する状況では、上下水道などのインフラや住民票などの情報システムなどは、市町村主義ではあまりに非効率である。

　だからこそ医療では、都道府県レベルでの広域化・分権化に向けて改革が行われている。しかし、これまで都道府県の役割は限定的であったことから、課題は多い。都道府県の役割を強化するためには、その職員の能力を高めるとともに、知事のリーダーシップが必要である。まさにガバナンスの強化である。

　ガバナンスとは、辞書的には、「一定の方向に舵を漕ぐ」という意味である。しばしば世界銀行の定義「一国の経済的・社会的資源を管理・運営するに当たり行使される権限の有り様」[9]が引用されるが、コーポレート・ガバナンスなど、様々な分野で異なる定義が使われている。地方や医療などの財政に関するガバナンスとは、負担と給付をバランスさせる、予算制約の下で効率化し成果を上げることと考えている。それは、納税者の立場になって考えることであり、まさに奈良方式の哲学である。また、医療などのように利害が対立する分野においては、政策過程のガバナンスも重要である[10]。改革を進めるために、客観的なエビデンスに基づく分析と議論、透明性の向上、住民の参加と合意形成が必要であり、問題解決のために知事らの能力が問われている。

---

[9] World Bank (1992) "Governance and Development"
[10] 政策過程におけるガバナンス論については、田中秀明（2019）「政策形成過程のガバナンス：コンテスタビリティの視点からの比較」（明治大学社会科学研究所紀要、第58巻第1号）を参照。

第 4 章

AI感染伝播シミュレーションから見えたウイルス共生時代の生き方

倉橋節也
筑波大学大学院ビジネス科学研究群教授

　新型コロナウイルス感染症の予防は、単独の予防策では効果がなく、生活全般にわたる総合的な予防策が欠かせない。しかし、SNSデータの分析からは、長期間におよぶ感染の恐れへの緊張感から、どうしても気の緩みが発生してしまうことが判明している。それに対して、一人ひとりの感染予防策に加えて、感染者が発生してしまった場合の感染抑制策としての、リスクの高い職場や地域への予防的なPCR検査や、接触確認アプリなどの利用による積極的なサーベイランス（調査・監視）が効果的であることが、AI感染伝播シミュレーションから明らかとなった。

1　日本の感染予防策の有効性

　2019（令和元）年末に中国湖北省武漢で発生した新型コロナウイルス感染症（COVID-19）は、急速な勢いで中国全土に感染が拡大し、世界各国へ感染が広がった。2020（令和2）年3月初旬には4,000名を超える死亡者と110を超える国と地域で感染者が確認され、WHOがパンデミックを宣言する事態となった。

　日本でも、2020年2月頃から感染が広がり始め、特に感染が集中的に発生している東京や大阪などの大都市圏だけではなく、沖縄から北海道まですべての都道府県で感染者が確認されている。このような状況において、厚生労働省や各自治体、研究機関、メディアから、さまざまな感染予防策が提示された。たとえば、厚生労働省では、石鹸やアルコール消毒液などによる手洗い、咳などの症状がある場合は咳エチケット（マスク、ティッシュなどで口や鼻を覆う）、持病のある人は公共交通機関や人混みの多い場所を避ける、などが推奨されている（表1）。一方で、各企業や自治体から感染防止対策が指示されており、濃厚接触者の在宅勤務指示、テレワークや時差出勤、外出や対面の会議を避けるなどが推奨されている。また、Go Toトラベル事業では、ウィズコロナ時代における「新しい生活様式」に基づく旅のあり方を普及・定着させるものだとして、「安全・安心な旅行のため」に、毎朝の体温チェック、接触確認アプリの利用、3密の回避、発熱時の客室待機、団体旅行

表1　政府が推奨する感染予防策

厚生労働省「新しい生活様式」	観光庁「Go To トラベル」
一人ひとりの基本的対策 ・身体的距離の確保 ・マスクの着用・手洗い ・感染流行地域への移動回避 基本的生活様式 ・手洗い・手指消毒 ・換気・3密の回避 ・毎朝の体温測定 場面別生活様式 ・買い物は通販、少人数 ・娯楽は空いた時間と場所、予約制 ・公共交通機関は会話を控えめ ・食事はデリバリー、屋外、横並び ・イベントは接触確認アプリ 働き方の新しいスタイル ・テレワーク・ローテーション ・時差通勤・オンライン会議	新しい生活様式に基づく旅のあり方 ・毎朝の体温チェック ・接触確認アプリ ・旅先での3密の回避 ・チェックイン時の検温 ・発熱時は客室待機 ・団体旅行は着実な感染防止対策 ・おしゃべりはほどほどに ・マスクの着用 ・混んでいたら、後からゆっくり ・手洗い、消毒 ・お土産は触らずに目で選ぶ ・こまめな換気 ・間を空けて並ぶ ・握手ではなく笑顔で会釈

出典：厚生労働省、観光庁

の着実な感染防止対策などの遵守が求めている。

しかし、これらのさまざまな感染予防策に対して、実証データが限られるなかで、新型コロナウイルスへの有効性を推定することは困難であり、推奨される対策の効果を示すことはほとんどできていない。

2　世界で進む感染予測研究

(1) 英国ICLによる衝撃的なシミュレーション結果

英国での感染が急拡大し始めた2020年3月13日、英国政府は集団免疫戦略を採用すると発表した。これは、集団の大部分が免疫を持っている場合に、病気が徐々に集団から排除される間接的な保護効果を狙う戦略である。しかし、3月16日、政府の方針に疑問を投げかける1つのレポートが英国インペリアル・カレッジ・ロンドン（ICL）のWebサイトで公開された[1]。アウトブレイクで病院がどれだけ逼迫するかを示す、衝撃的なシミュレーション結果であった（図1）。

これを受けて、英国ジョンソン首相は突如方針を変え、3月20日以降にすべてのパブや映画館などを閉鎖するという厳しい社会的距離を保つ政策に転換した。このレポートでは、英国と米国を対象にシミュレーションモデルを用いて、リスクの高い人々の自宅隔離や家族の検疫などによる接触率を減少させる介入操作が有効ではあるが、介入がされないと発症数が急増し、最終的には40万人以上の死亡者と20万床を超えるICUベッド数が

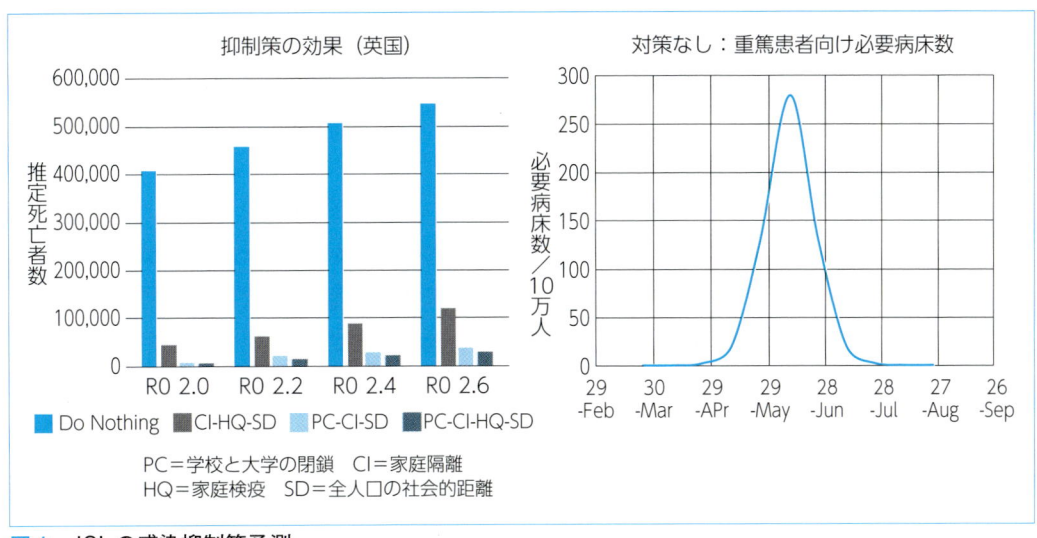

図1 ICLの感染抑制策予測

出典：Imperial College COVID-19 Response Team

必要になる可能性を試算している。そして、ワクチンや抗ウイルス薬ができない限り、このような介入と緩和が1年以上繰り返されることを示した。

　この予測の優れている点は、介入抑制策について、かなり初期の段階で、学校と大学の閉鎖、家庭隔離（有症状者は7日間自宅隔離）、家庭検疫（世帯に有症状者が確認された場合、全世帯員が14日間在宅）、全人口の社会的距離、といった具体的な対策の効果を示した点にある。

（2）米国ハーバード大学の研究者たちによる論文

　また、4月14日には、米国ハーバード大学の研究者たちが、他のコロナウイルスの季節性や交差免疫（類似性の高い抗原に対する免疫効果）を考慮した論文をサイエンス誌に発表した[2]。用いた手法は、対数回帰モデルと微分方程式モデルで、季節性と交差免疫を考慮したものとなっている。介入がない場合は、社会的距離が常に保たれることが重要となり、医療体制を維持するためには、2022年までに長期で断続的な社会的距離が必要になること、感染が消失したように見えても、2024年までに伝染病が再発する可能性があるため、サーベイランスを維持する必要があることを示唆している。また、秋から冬にかけて感染はピークを迎え、感染拡大で社会的介入を実施した場合でも、5年間にわたって長期的な循環を繰り返すことが推定された。

（3）ドイツのマックスプランク研究所が示した感染拡散の変化点

　6月9日には、ドイツのマックスプランク研究所が、ドイツ国内でのCOVID-19感染

をSIRモデル（未感染者・感染者・回復者に分けて流行過程を記述する数理モデル）を拡張した疫学モデルとベイズ推定を使って分析し、サイエンス誌に発表した[3]。それによると、政府などによって実施された公的な介入の時期と、感染拡散の変化点が検出できることを示した。

具体的な介入としては、3月9日頃からの1,000人を超える大規模イベントのキャンセル、3月16日からの学校、保育施設、一部の店舗の閉鎖、3月23日からの重要施設を除く全店舗の閉鎖について分析を行い、4月5日以降に主要な拡散率変化の影響が現れていることを確認している。その結果、介入の効果は、約2週間遅れで現れること、部分的な介入は効果が小さく、総合的な介入が必要であったことを報告している。また、外出規制や店舗閉鎖などの介入解除が早まると、すぐに指数関数的な感染増加が再開してしまうため、2週間での感染者数が非常に少ない場合にのみ、これらの規制を解除できるとしている。

3 日本の専門家会議が採用したSIRモデルの課題

日本国内では、新型コロナウイルス感染症対策専門家会議が2月24日になって初めて開催され、その後、定期的に専門家による見解を公表してきた。3月2日の報告では、その頃、感染者数が急増していた北海道のケースについての分析が示され、このまま人々の行動が変化しなければ、感染者数が急増し、一定の潜伏期間後に発症者数が急増、その一部は重症化する可能性を示唆している。より具体的な数値が示されたのは、3月19日の報告であり、人口10万人当たりの新規感染者数と重篤患者数の推定値が示された[4]。これ以降も、一貫してSIRモデルで推定値が報告され、「もし大多数の国民や事業者の皆様が、人と人との接触をできる限り絶つ努力、『3つの条件が同時に重なる場』を避けていただく努力を続けていただけない場合には、すでに複数の国で報告されているように、感染に気づかない人たちによるクラスター（患者集団）が断続的に発生し、その大規模化や連鎖が生じえます。そして、ある日、オーバーシュート（爆発的患者急増）が起こりかねないと考えます」というような提言が行われた。これを受けて厚生労働省は、冒頭に述べたような、新しい生活様式としての感染予防策をまとめて公表した。

しかし、ここで用いられた数理モデルは、マクロモデルと呼ばれるものであり、感染の全体像をシンプルに掴むには大変優れているものの、個々の住民がどのような行動をすればどの程度の予防効果があるのか、といった個別具体的な予防策効果を推定できるような仕組みを持っていない。そのために、「全体として感染状況はこのように推移しそうなので、国民全員が3密を避けてください」というスローガン的な対策にならざるを得なかった。

これに対し、3月の英国インペリアル・カレッジ・ロンドンの研究は、個体ベースのモデルを使用しており、細やかな介入策を定義して、効果を分析できている。また、米国ハー

バード大学やドイツのマックスプランク研究所の分析は、個別の対策は検証できないものの、統計モデルを用いることで、実際の感染現象の実像に迫ることができている。

4 人工知能技術を応用した感染症分析

(1)「怖」の感情はどのように変化したのか

　日本国内で人工知能を応用した研究として、2月25日に、新型コロナウイルスの感染予防策の比較に関するワーキングペーパーが公開され、その後、3月23日にイベント開催の影響比較、PCR検査率と検査待機日数の影響比較、4月4日に都市封鎖の効果推定に関する報告が発表された。そして、5月1日に人工知能学会から「新型コロナウイルス（COVID-19）における感染予防策の推定」という論文として正式公開された[5]。

　一方で、7月1日には、「ソーシャルメディアを用いた新型コロナ禍における感情の変化（鳥海他）」が、同じ人工知能学会から公開された[6]。この研究では、Twitterから取得した2020年1月17日から4月30日までの4072万545ツイートを分析し、日本国内の感情がどのように変化したのかを探索した。そのなかで、「怖」の感情に大きく影響を与えたイベントとして、1月29日に報道された国内初のヒト－ヒト感染（奈良県）、2月27日の突然の休校措置の報道、3月30日の志村けん氏の死去の報道が確認されている。一方で、3月の3連休では「怖」の感情は減少し、3月21日に最小値となり、一種の気の緩みが生じていたことを明らかにした。

(2) AI感染伝播シミュレーションからわかった感染予防策の効果

　次に、AI感染伝播シミュレーションの研究として、6月5日に公開された「観光地における新型コロナウイルス（COVID-19）感染予防策」について紹介する[7]。この予測では、国勢調査や人口動態調査に基づいた長野県のある観光地の詳細なデータを用いて、観光地に都市圏から感染した旅行者が定期的に流入する場合のリスクについて分析を行っている。対象とした市は9つの地域に分かれており、住宅地に加えて別荘地が点在している（図2）。中央付近を鉄道が横切り、中心となる駅付近には観光客が訪れるショッピングモールや遊歩道が整備されている。

　このモデルに対して、観光客向け施設に対する感染予防策を設定し、16種類の感染予防策効果の比較を試みた。それぞれの感染症予防策の効果の比較を図3に示す。ここで、B0は観光を停止し感染者の流入が0の状態を、B1は通常通り観光客を受け入れ、毎週1名の割合で感染者が流入する状態を示す。S2～S4は観光客との接触を50％から25％まで削減する対策や、夜の繁華街の営業自粛といった、それぞれ単独の感染予防策をとった場合、S4～S7は観光客との接触低減に加えて2週間ごとに観光業に従事する従業員に対

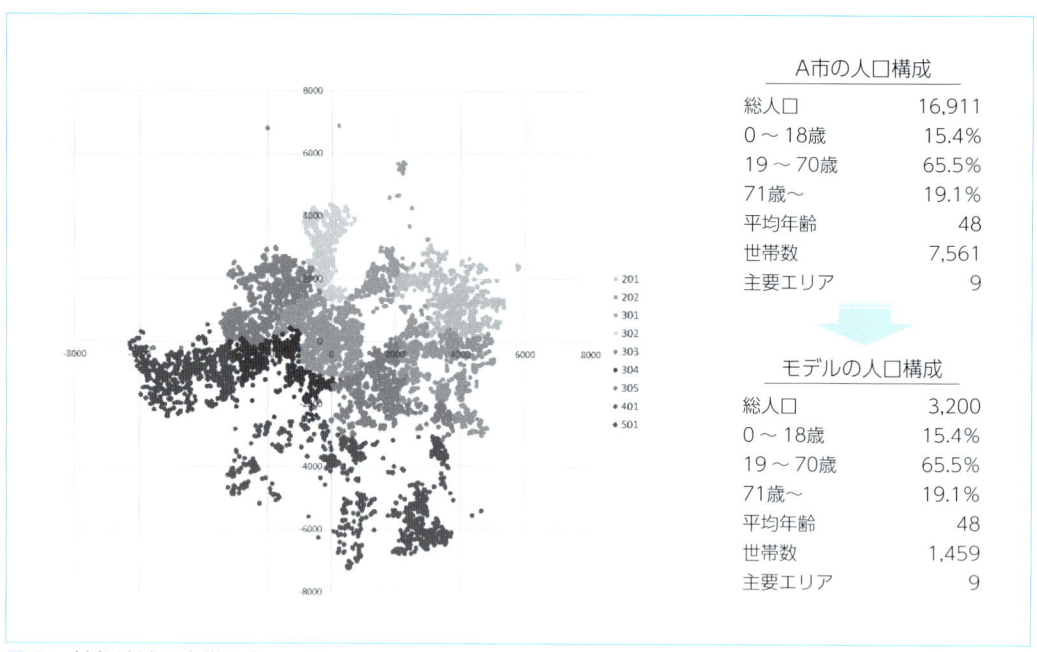

A市の人口構成	
総人口	16,911
0～18歳	15.4%
19～70歳	65.5%
71歳～	19.1%
平均年齢	48
世帯数	7,561
主要エリア	9

モデルの人口構成	
総人口	3,200
0～18歳	15.4%
19～70歳	65.5%
71歳～	19.1%
平均年齢	48
世帯数	1,459
主要エリア	9

図2　対象地域の世帯分布

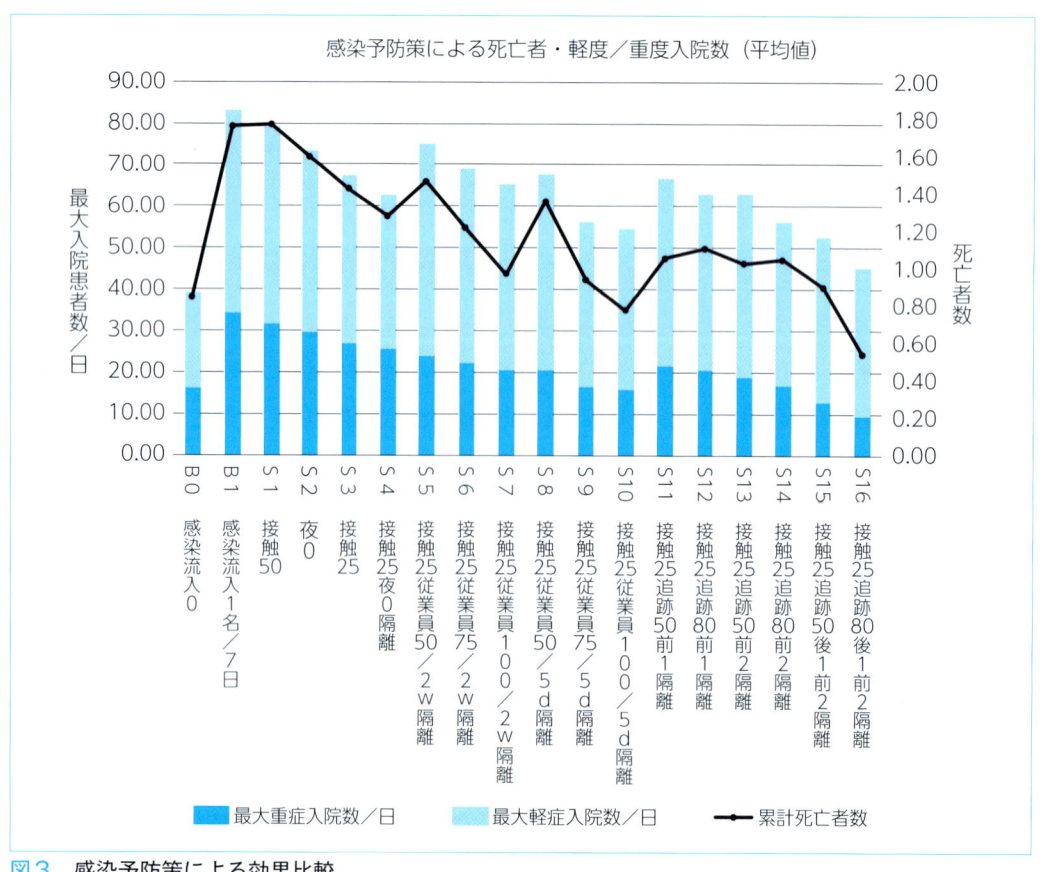

図3　感染予防策による効果比較

してPCR検査を行った場合、S8〜S10は同様に5日ごとにウイルス検査を行った場合、S11〜S16は接触低減に加えて陽性者の濃厚接触者を追跡調査して陽性だった場合に隔離措置をとった場合を示している。「追跡50」は追跡率50％を表し、「前1」は陽性者の濃厚接触者の追跡、「前2」は、その濃厚接触者が陽性だった場合に、さらにその濃厚接触者を追跡、「後1」は陽性者に感染させた人を遡って追跡することを表している。実験の結果から1日当たりの最大の重症入者数（必要病床数）を比較すると、①接触予防策はそれなりに効果があるものの、定期的に感染者が流入する観光地の場合は、その効果に限界があること、②観光スタッフへの優先的PCR検査は大きな効果が見込まれるが、大量のPCR検査が必要となり、現状ではすべての観光地での導入が困難であること、③陽性者の濃厚接触者を積極的に追跡調査するサーベイランス法は大きな効果があるが、人手に頼る方法では限界があること、④接触確認アプリの導入はその対策として有効であるが、登録の遅れ時間、通知後の速やかなPCR検査の実施体制において、さらなる改善が必要であること——などが示された。

5 人工知能から見えたウィズコロナ時代の生き方

「新しい生活様式」に代表される感染予防では、今回のコロナウイルスのような長期間にわたる感染継続の場合、どうしても気の緩みは避けられない。その結果、一人ひとりの対策だけでは、新型コロナウイルスを完全に予防することは不可能なため、たとえ感染者が発生したとしても、それ以上の感染拡大を抑制する対策が重要であることが示唆されている。そのための対策として、感染リスクの高い人々への予防的なPCR検査や、接触確認アプリの利用による速やかなサーベイランスが重要となる。各自の感染予防策に加えて、これらの抑制策を地域の事情に応じて適切に組み合わせた「賢い」対策が、ウィズコロナ時代の生き方となるだろう。

内閣府「新型コロナウイルス感染症対策・AIシミュレーション検討会議」がスタートしているが、今後は国や都道府県レベルの分析や予測に加えて、観光地や地域、産業、繁華街など、一人ひとりの生活や職業に視点を置いた感染予防策の策定が求められる。そのためには、感染の詳細なデータ分析に基づくシミュレーションモデルの構築が必須であり、感染事例データベースの共通化やAI技術を応用した高速高精度な政策立案モデルが社会実装されることを期待する。

■参考文献

1) N. M. Ferguson, et al., Impact of non-pharmaceutical interventions (NPIs) to reduce COVID-19 mortality and healthcare demand, MRC Centre for Global Infectious Disease Analysis, Report 9 (2020)
2) S. M. Kissler, et al., Projecting the transmission dynamics of SARS-CoV-2 through the postpan-

demic period, Science, 10.1126/science.abb5793（2020）
3）D. Dehning, et al., Inferring change points in the spread of COVID-19 reveals the effectiveness of interventions, Science 10.1126/science.abb9789（2020）
4）新型コロナウイルス感染症対策専門家会議，新型コロナウイルス感染症対策の状況分析・提言（2020年3月19日）
5）倉橋節也，新型コロナウイルス（COVID-19）における感染予防策の推定，人工知能学会論文誌，35巻3号 p. D-K28_ 1 - 8（2020）
6）鳥海不二夫，榊剛史，吉田光男，ソーシャルメディアを用いた新型コロナ禍における感情変化の分析，35巻4号 p. F-K45_ 1 - 7（2020）
7）倉橋節也，永井秀幸，観光地における新型コロナウイルス（COVID-19）感染予防策 slide-2020-n06 r2, http://www.u.tsukuba.ac.jp/~kurahashi.setsuya.gf/workingpaper.html（2020）

第 5 章

感染症と自然災害
リスク多発時代の複合災害に備えよ!

米田雅子
防災学術連携体代表幹事、
慶應義塾大学環境・エネルギー研究センター特任教授

　日本列島は4つのプレートの衝突部にあり、世界の地震の10%、活火山の7%が集中している。地球温暖化の影響で豪雨の発生頻度が高まり、規模も大きくなる傾向にある。自然災害の多いわが国は「感染症と自然災害が同時に発生したらどうすればよいか」という難問に直面しており、防災学術連携体では医学と理工学が協力して対応を検討している。また筆者は、この難問に対して、科学技術の力だけでなく、日本の土地利用のあり方に戻って問題を考える必要性を感じている。

1　複合災害とは

　新型コロナウイルスの感染拡大は日本全国、世界各地に及んでいる。毎年のように起こっている自然災害が日本のどこかで起きれば、その地域は感染症と自然災害による複合災害に襲われることになる。

　複数の災害が同時期に起こることを複合災害という。表1は、2000（平成12）年以降の地震災害（火山活動含む）、気象災害の年表である。近年、日本では地震災害と気象災害の複合災害が増える傾向にあり、防災分野では、これにどう備えるかが重要なテーマとなっている。

　政府の地震調査研究推進本部は、今後30年間以内に、マグニチュード7クラスの首都直下地震が起きる確率を70%、マグニチュード8～9クラスの南海トラフ地震が発生する確率を70～80%と予想している。2011（平成23）年の東北地方太平洋沖地震でプレートが大きく動き、地殻が不安定になり、大地震だけでなく火山の大噴火も懸念されている。

　地球温暖化による気候変動の顕在化に伴い、わが国では豪雨の頻度や強度が長期的に増大する傾向にある。一昨年の西日本豪雨（平成30年7月豪雨）や昨年の東日本台風（台風19号）、2020（令和2）年は令和2年7月豪雨など、毎年連続して多くの地域が広域豪雨による甚大な水害、土砂災害に見舞われている。梅雨明け以降は、猛暑による熱中症にも

表1　2000年以降の日本の主な地震災害と気象災害

西暦	地震災害（地震・火山・津波等）	気象災害（豪雨・台風・高潮・猛暑等）
2000年	三宅島噴火（6月） 鳥取県西部地震（M7.3）（10月）	台風14号東海豪雨（9月）
2001年	芸予地震（M6.7）（3月）	
2002年		
2003年	宮城県北部地震（M6.4）（7月） 十勝沖地震（M8.0）（9月）	
2004年	紀伊半島南東沖地震（M7.1）（9月） 東海道沖地震（M7.4）（9月） 新潟県中越地震（M6.8）（10月）	平成16年7月新潟・福島豪雨（7月） 平成16年7月福井豪雨（7月） 台風16号、18号、23号が上陸し、暴風、大雨、高潮の被害（8月、9月、10月）
2005年	福岡県西方沖地震（M7.0）（3月） 宮城県沖地震（M7.2）（8月）	
2006年		平成18年豪雪 平成18年7月豪雨（7月）
2007年	能登半島地震（M6.9）（3月） 新潟県中越沖地震（M6.8）（7月）	
2008年	茨城県沖地震（M7.0）（5月） 岩手・宮城内陸地震（M7.2）（6月）	平成20年8月末豪雨（8月）
2009年	浅間山噴火（2月） 桜島噴火（3月）	平成21年7月中国・九州北部豪雨（7月）
2010年	沖縄本島近海地震（M7.2）（2月）	猛暑 冬季の大雪
2011年	東北地方太平洋沖地震（M9.0）（3月）・関連する多数の群発地震・余震	平成23年7月新潟・福島豪雨（7月） 台風12号による豪雨（8月末・9月初旬）
2012年	三陸沖地震（M7.3）（12月）	平成24年7月九州北部豪雨（7月）
2013年	西之島噴火（11月）	梅雨前線による島根・山口豪雨（7月） 秋田・山形豪雨（8月）、猛暑 台風18号による豪雨（9月） 台風26号で伊豆大島で土石被害（10月）
2014年	御嶽山噴火（9月）	台風12号・11号と前線による豪雨（8月） 広島豪雨で広島市で土砂災害（8月）
2015年	口永良部島噴火（5月）	関東・東北豪雨（9月）
2016年	熊本地震（M6.5）（4月） 阿蘇山噴火（10月）	前線による熊本豪雨（6月） 複数の台風と前線による大雨（8月）
2017年		九州北部豪雨（7月）
2018年	大阪北部地震（M6.1）（6月） 北海道胆振東部地震（M6.7）（9月）	西日本豪雨（6月28日〜7月8日） 台風21号暴風、高潮（9月）、猛暑
2019年		台風15号による強風被害 東日本台風（10月）による大雨
2020年		令和2年7月豪雨、猛暑

出典：筆者作成

備えなければならない。

　気象災害の頻度の高まりとともに、地震発生後に豪雨が発生する、豪雨のあとに地震が発生するなどの複合災害の可能性が高まっている。しかし、河川・土砂災害のハザードマップは、地震を考慮せずに作成されるなど、気象災害と地震災害は別々に研究されてきた歴史があり、両者の統合的研究はまだ緒についたばかりである。

　さらに、今年、新型コロナウイルス感染症の拡がりとともに、「感染症と自然災害の複合災害にどう備えるか」という深刻な事態に直面し、感染症に対する備えも同時に必要ということがわかり、日本の防災研究は新たな局面を迎えている。

2　防災学術連携体の活動

(1) 創設の背景

　防災学術連携体は、日本学術会議が要となり、防災に関係する58の学会が集まったネットワーク組織である。日本学術会議は日本の科学者87万人の代表機関として内閣府に設置され、国際活動、政策提言、科学の普及啓発、科学者のネットワーク支援などを行っている。

　2011年3月11日に起きた東日本大震災を契機に、日本学術会議の土木工学・建築学委員会が幹事役となり、「東日本大震災の総合対応に関する学協会連絡会」を設立し、30学会による学際連携を進めてきた。この取り組みをさらに発展させ、地震災害だけでなく気象災害を含む自然災害全般を対象に、より広い分野の学会の参画を得て、研究成果を災害軽減に役立てるため、「防災学術連携体」を2016（平成28）年1月に創設した[1]。

(2) 構成学会

　防災学術連携体の構成学会を図1に示す。土木学会、日本建築学会、日本地震学会、日本気象学会、日本航空宇宙学会などとともに、医療の分野から、日本災害医学会、日本救急医学会、日本災害看護学会、日本公衆衛生学会などが参加している。役員は、代表幹事、副代表幹事、事務局長、すべて2名体制である。災害時に1名と連絡が取れなくても、残りの1名で組織が動くよう備えている。日本災害医学会は、学協会連絡会のときから主要メンバーとして活躍され、現在の代表幹事は日本災害医学会代表理事の大友康裕先生、前期の副代表幹事は小井土雄一先生である。

(3) コロナ禍における市民への緊急メッセージ

　防災学術連携体は、2020年5月1日に、市民への緊急メッセージとして「感染症と自然災害の複合災害に備えてください」[2]を発表した。本格的な雨季を迎える前に、感染下

安全工学会	日本活断層学会	日本地震学会
横断型基幹科学技術研究団体連合	日本看護系学会協議会	日本地震工学会
環境システム計測制御学会	日本機械学会	日本地すべり学会
空気調和・衛生工学会	日本気象学会	日本自治体危機管理学会
計測自動制御学会	日本救急医学会	日本社会学会
こども環境学会	日本計画行政学会	日本造園学会
砂防学会	日本建築学会	日本第四紀学会
水文・水資源学会	日本原子力学会	日本地域経済学会
石油学会	日本航空宇宙学会	日本地球惑星科学連合
ダム工学会	日本学術会議 SCIENCE COUNCIL OF JAPAN	日本地形学連合
地盤工学会		日本地質学会
地域安全学会	日本公衆衛生学会	日本地図学会
地理情報システム学会	日本古生物学会	日本地理学会
土木学会	日本コンクリート工学会	日本都市計画学会
日本安全教育学会	日本災害医学会	日本水環境学会
日本応用地質学会	日本災害看護学会	日本リモートセンシング学会
日本海洋学会	日本災害情報学会	日本緑化工学会
日本火災学会	日本災害復興学会	日本ロボット学会
日本火山学会	日本自然災害学会	農業農村工学会
日本風工学会	日本森林学会	廃棄物資源循環学会

図1　防災学術連携体を構成する58学会

における災害避難に重点を置いて、その心構えを警告した。このビデオメッセージは手話付き版、英語字幕版などに展開され、報道でも取り上げられた[3]。次節ではこの内容を紹介する。

　防災に関する学問分野は専門分化が進み、学会を超えた情報共有や統合的研究が必要とされている。防災学術連携体では、医療と理工学、社会科学などの相互理解と情報共有を進め、政府と連携し、来るべき大災害に備えている。

　ほぼすべての学問分野をカバーする防災学術連携体としては、医学、看護学、公衆衛生学の先生を中心に理工学や社会学も協力して、感染症と自然災害の複合災害への対応という難問に取り組んでいきたい。

3　複合災害にどのように備えるべきか

　新型コロナウイルスの感染は全国に及んでいる。台風や豪雨による河川氾濫や地震などの自然災害が起きれば、その地域は感染症との複合被害に見舞われる。避難先が過密状態になれば、感染爆発の可能性が高まる。災害発生時には公的な避難所が開設されるが、ウイルス感染のリスクが高い現在、従来とは避難の方法を変えなければならない（写真1）。

（1）自治体に求められる対応

　自治体は、災害発生時のウイルス感染対策として、避難所を増やし、学校では体育館だけでなく教室も使うような対応が求められる。避難者間の距離を確保し、ついたてを設置し、消毒液を整備するなどの措置も必要になる。実際に感染の疑いのある人がいる場合、建物や部屋を分けるのも大切だ。ただ、自治体が避難スペースを十分に確保できない場合は、ホテルや旅館、お寺や神社、公営住宅の空き部屋、廃校など、地域で利用できそうな施設を探して、事前に避難所として使うための準備をして欲しい。

（2）市民に求められる対応

　市民の方々は、自治体のホームページに掲載されているハザードマップや地域防災計画を参考にして、様々な災害の危険性と避難の必要性について、今のうちに自ら確認して欲しい。避難が必要になる地域の住民は、近くの避難場所をあらかじめ決めてほしい。必ずしも避難所である必要はない。より安全な近くの親戚や知人の家、頑丈なビルの上層階を避難場所にしてもよい。自宅に住み続けられそうな場合、自宅待機もありうる。このとき食料や水などは備蓄しておく必要がある。

（3）分散避難の徹底

　避難所への集中を避けるために、分散避難を心がけたい。ハザードマップは、自宅が安全かどうかに加えて、地域のなかでどこが安全かも調べられるので、避難場所の選定にも役に立つ。

　町内会や自主防災組織は、住民の避難予定先を把握して、あらかじめ市町村に伝えておくことが望ましい。市町村が、避難所の利用者数を見積もるのに役立つだけでなく、分散避難先を把握することで、災害時の住民の安否確認や救援物資の配布に役立つ。

写真1　新型コロナウイルスと自然災害が同時に発生したら？

(4) 熱中症・集中豪雨対策

　夏から秋にかけては熱中症対策が必要となる。熱中症により基礎体力が衰えると、ウイルス感染者の重症化のリスクが高まる。暑さに負けないように、健康維持に心がけるとともに、扇風機や空調設備の整備もできる範囲で早い時期に準備しておきたい。

　避難のときには、通常の避難グッズに加えて、マスク、除菌付きウェットティッシュ、アルコール消毒液、うちわや扇子が必要である。

　地球温暖化による気候変動の顕在化に伴い、わが国では豪雨の頻度や強度がこれからも増大する傾向にある。一昨年の西日本豪雨や昨年の東日本台風に続き、本年も令和2年7月豪雨が発生し、九州、岐阜県、長野県などが甚大な水害、土砂災害に見舞われた。今後は、秋にかけて台風の発生や秋雨前線に備えなければならない。最新の気象情報や自治体などから発表される避難情報を常に確認していただきたい。気象災害で避難勧告・避難指示が出された場合には、命を守るため、あらかじめ考えていた場所に、躊躇なく避難して欲しい。

4　国土利用の大方針の見直しを提言する

　新型コロナウイルスは、人と動物に共通の感染症である。エボラ出血熱、SARS、MERS、鳥インフルエンザも野生の生物に由来している。感染症の猛威は、自然と人間の接点を見直すべきことを示唆している。

　日本列島は4つのプレートの衝突部にあり、世界の地震の10％、活火山の7％が集中している。地球温暖化の影響で、日本近海が暖かくなり、豪雨や台風の発生頻度が高まり規模も大きくなる傾向にある。災害の頻度が高まると、地震災害と気象災害の同時発生に備える必要性が高まる。

　過酷な風土条件を持つわが国は、「新型コロナウイルスと自然災害が同時に発生したらどうすればよいか」という難問に直面している。私は、上に述べた防災学術連携体（防災に関わる58学会のネットワーク）に属しているが、科学技術の力だけでなく、日本の土地利用のあり方に戻って、問題を考える必要性を感じている。

　日本の面積は38万km^2、そのほとんどが山地などで、人々が安心して住める平地は多くない。歴史を振り返ると、縄文時代には、人々は不安定な臨海部を避けて、安定的に暮らせる丘、台地に集落をつくった。その後、人口の増加とともに、全国の津々浦々で、治水と埋め立てにより農地や町を広げていった。明治維新時の3,300万人から平成ピークの1億2,800万人に、9,500万人もの人口が増えた。増加する人々の居住地と産業用地の確保のために採られた政策も埋め立てであった。増えた人々の大半が、縄文時代に海であったところに住み着いたのが、日本の国土構造の特色である。

しかし、戦前には居住が禁止されていた洪水の常襲地帯に、戦後に居住が解禁されたことは深刻な問題である。人口が急増し、土地取得の大変なときに、治水がある程度整った地帯を市街化する要望は強かった。たとえば、東京、名古屋、大阪のゼロメートル地帯である。土木技術を駆使して海面より低い場所に人が住める状態をつくった。中小の都市も同様で、人口の急激な増加とともに、自然災害の起こりやすい危険な土地に人々が暮らすようになった。

　巨大な地震や洪水が発生すると自然はもとの姿に戻ろうとする。西洋の近代建設技術は自然を克服することを前提にしてきた。しかし、近年の自然災害の激化は、その限界を知らせている。

　日本の総人口は、今後100年で100年前（明治後半）に戻り、半減することが予想されている。日本列島のどこへ住み着くかという新しいテーマが出てきた今、可能な限り丘や台地などの安全な地域に住むことを提案したい。これから人口が減少するときに、自然災害の危険性の少ない地域に移動する方向へ、国の大方針を変えるべきである。

　政府は国土政策として「コンパクト＆ネットワーク」を打ち出しているが、安全な地域を選んでコンパクト化することが重要である。このとき、コンパクト化対象外の地域は、農林水産業の振興とともに、農林水産業の適地以外では、自然回帰を推進する土地利用制度をつくるべきである。「自然に回帰する地域」では「土地の公有化」も進めたい[4]。

　「後は野となれ、山となれ」というように、温暖で湿潤な日本は、手をかけずに放っておけば草地や森林になる地域が多い。不要になった施設を撤去し、危険箇所には土砂崩壊防止の措置を行いながら、あまり人の手をかけずに、多面的な機能をもつ自然に誘導していく仕組みが、人口減少化の日本にふさわしい。そこでは、生物多様性の復活、野生動物との共生を目指したい。

　これは自然と人間の接点の見直しにつながり、新型コロナウイルスなどの感染症の根本的な対策にもつながると考える。地球上で人間の活動の範囲が広がりすぎたことが、野生動物に由来する感染症を蔓延させる要因になったからである。

　将来の構想として、100年後に5,000万人が安全に暮らせる国をつくろう、豊かな自然と人間の共存を目指そうという姿勢が大切である。

■参考文献
1）防災学術連携体ホームページ　http://janet-dr.com/
2）防災学術連携体：市民への緊急メッセージ「感染症と自然災害の複合災害に備えて下さい」2020年5月1日
3）米田雅子「日本は複合災害に備えよ」，日本経済新聞，私見卓見，2020年5月26日
4）米田雅子「人口減少下における土地利用制度改革」，月間ガバナンス2015年10月号

第 6 章

競争力を見据えた価値転換により
デジタルトランスフォーメーション(DX)を加速せよ!

平　和博
桜美林大学リベラルアーツ学群教授、ジャーナリスト

新型コロナウイルス感染症は空前の規模とスピードで世界に蔓延し、各国はデジタルテクノロジーを活用した迅速な対応を迫られた。先進的な取り組みがある一方で、監視やプライバシー侵害への懸念の声も広がる。そんななか、日本で露呈したのは、相次ぐシステムトラブルなど、「世界最高水準」とは言い難いデジタル化の現状だった。コロナ禍はデジタルトランスフォーメーション(DX)の必要性を、地球規模で突き付けた。カギとなるのは、競争力を見据えたデジタルへの根本的な価値転換だ。

1 世界各国のデジタルテクノロジー活用事例

(1) 政府ポータルサイトの活用状況

新型コロナ対策で求められたのは、規模とスピードへの対処だ。そこに人の手では及ばない、デジタルのメリットが期待された。その場面は、情報収集と周知、感染者の早期発見、行動履歴把握、接触機会低減、医療用品の受給管理まで、多岐にわたる。

初動対応として各国がまず取り組んだのが、政府ポータルサイトからの迅速な情報発信だ。国連経済社会局(UNDESA：United Nations Department of Economic and Social Affairs)が2020(令和2)年7月10日に発表した「電子政府調査2020(E-GOVERNMENT SURVEY 2020)」によれば、加盟193か国のうち政府ポータルサイトに新型コロナ情報を掲載していたのは、3月25日時点(感染者数41万6,680人)で57%だったが、5月13日(同417万9,479人)になると97.41%にまで上昇していた(図1)[1]。

(2) デジタル先進国・台湾とインドのコロナ対策

台湾は、人口2,357万人に対し、感染者数は488人、死者数は7人(8月末現在)で、コロナ抑え込みの成功例に挙げられる。台湾の施策で注目を集めたのは、受給がひっ迫し

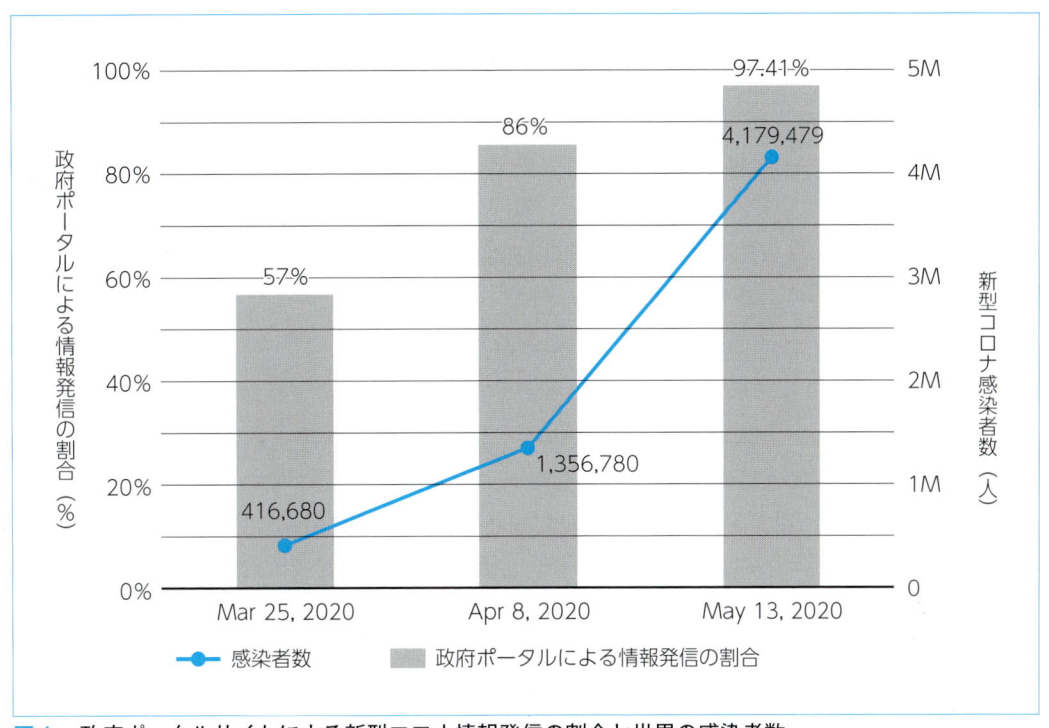

図1 政府ポータルサイトによる新型コロナ情報発信の割合と世界の感染者数
出典：国連経済社会局「電子政府調査2020（E-GOVERNMENT SURVEY 2020）」

たマスク販売をめぐる管理システムの導入だ。1月末には政府が国内のマスク全量買い取りを実施し、販売の実名制を導入して1人当たりの枚数を制限。2月初め、その実施に合わせて、エンジニアとして知られるIT担当政務委員の唐鳳（オードリー・タン）氏を中心に、コンビニエンスストアや薬局でのマスクの在庫がリアルタイムでわかるオンラインマップを開発し、市民の不安と混乱を回避した[2]。また3月半ば、インターネットでの販売予約システム「eマスク」も導入している。

インドが試みたのは、薬の配送までを網羅した遠隔医療だ。タージマハルで知られる北部アグラは100都市で進めるスマートシティ・プロジェクトの1つ。ロックダウン中の4月、コロナ以外の患者対応として遠隔医療システムの「eドクター・サービス」を導入した[3]。月曜日から土曜日までの午前中、オンライン診察所に医師が待機して予約済みの患者の診療にあたり、処方箋のダウンロードから薬の自宅配送までも、ネットで対応した。

（3）接触追跡アプリとプライバシーの問題

議論を呼んだのが、感染者の接触履歴の追跡だ。接触追跡は、感染者への聞き取り調査が基本だが、スマートフォンのアプリを使い、正確な日時、場所で行動履歴を自動的に特定できれば、感染拡大の規模とスピードへの対応が期待できる。一方で病歴や位置データは、プライバシーのなかでも特に慎重な取り扱いが必要な情報だ。接触追跡は、デジタル

監視と隣り合わせの施策と言え、この点で各国のアプローチには、かなりの濃淡がある。

中国政府が、新型コロナのヒトからヒトへの感染を初めて認めたのが1月20日。その3週間後の2月11日、中国IT大手「アリババ」傘下の「アント・フィナンシャル」による決済サービス「アリペイ」は、新型コロナ対策アプリ「アリペイ健康コード」を、本社のある浙江省杭州市などで実験的に導入し、1週間で100都市に拡大した。さらに国務院がその普及・加速を指導したことで、浙江省に加えて四川省、海南省でも展開し、2月中には200都市に拡大している[4]。「健康コード」は、ユーザーが記入したデータをもとに健康状態を3色のQRコードで表示し、「緑」であれば自由に移動できるが、「黄」の場合は1週間、「赤」の場合は2週間の自宅待機が求められる。「健康コード」は交通機関や建物に立ち入るたびにチェックされ、個人の行動がリアルタイムで追跡される。

イスラエルでは、公安機関である総保安局がテロ対策として通信会社などからデータを収集する監視システム「ザ・ツール」を、期間限定で接触追跡に援用。さらに、GPSを使った接触追跡アプリ「ハマゲン」も導入した[5]。これに対し、世界的なベストセラー『サピエンス全史』などの著者として知られる同国の歴史学者ユヴァル・ノア・ハラリ氏は、非常時における「大規模監視ツールの導入が日常化する」ことへの危機感を表明している[6]。

韓国で接触追跡に使われたのは、クレジットカード、デビットカードの使用履歴や、携帯電話の基地局から判定する位置情報、そして800万台以上あると言われる監視カメラのデータだ[7]。感染者の行動履歴を匿名化したうえで、自治体のウェブサイトなどで地域住民に通知する。同様の匿名化した感染者の行動履歴の公開は、シンガポールでも行われている。

（4）グーグルとアップルによるプライバシー配慮型の接触追跡

プライバシー配慮型の取り組みも進む。グーグルとアップルは4月10日、スマートフォンの基本ソフト（OS）に共同で接触追跡機能を搭載することを明らかにした[8]。近距離無線通信ブルートゥースを使い、濃厚接触状態となった場合に端末同士が匿名の符号を交換し、そのなかから感染者・陽性者が出た場合に通知が表示される、という仕組みだ。

この仕組みは位置情報を使わない。感染者・陽性者であることを示すコード以外は個人情報も取り扱わず、高いプライバシー保護度合いが期待されている。また、スマートフォンOSのシェアが合計で100％に近い2社の共通規格のため、普及のハードルも低い。日本の接触確認アプリ「COCOA（ココア）」（図2）がこの規格を採用したほか、ドイツやイタリアなどの欧州各国、カナダなども導入済みだ。主要先進国では、感染防止とプライバシー保護の二者択一ではなく、両者のバランスのなかで効果を図るという方向性が共通する。

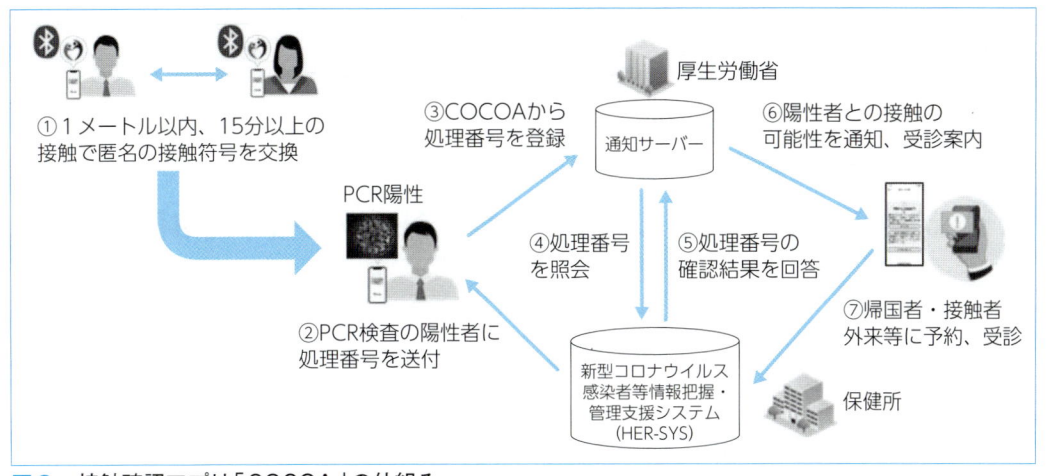

図2　接触確認アプリ「COCOA」の仕組み

出典：厚生労働省「接触確認アプリの概要」をもとに作成

2　コロナ禍で露呈した日本のデジタル化の惨状

(1) 給付金・助成金の申請トラブル

　コロナ禍では、日本のデジタル施策の脆さを露呈する事態が相次いだ。
　全国民に一律10万円を給付する「特別定額給付金」をめぐるオンライン申請のトラブルは、その代表例だ。書面による申請に加え、マイナンバーカードを使ったオンライン申請により速やかな給付が可能とされたが、申請者による誤入力を受け付けてしまうなどトラブルが多発した。その確認は各自治体での手作業となり、大きな混乱を招いた。このため、全体の98％にあたる約1,700自治体がオンライン申請を実施したが、7月30日までに111自治体が中止・停止に追い込まれている[9]。
　企業の休業手当を支援する「雇用調整助成金」のオンライン申請では、5月20日の受付開始から約1時間でシステムトラブルのために運用停止。6月5日に再開するも、トラブルにより約3時間で再び停止し、8月25日になって、ようやく運用再開となった。

(2) 老舗旅館化した行政システム

　接触確認アプリ「COCOA」では、6月19日の公開直後から次々と不具合が指摘され、3度にわたる修正版の公開など、混乱が続いた。
　感染者の報告は、当初は医療機関が手書きでまとめたものを保健所にファクスで送信し、保健所がそれをシステムに入力するという状況だった。厚生労働省は5月末に感染者データをオンラインで一元管理する新システム「HER‐SYS（ハーシス）」を立ち上げたが、入力項目の増大なども相まって、対象の全155自治体で利用が始まったのは9月に入って

からだった。

　組織ごとに異なる新旧システムと制度がモザイク状に入り組み、増築を重ねた老舗旅館のように、全体像も把握しきれない。そんな迷路にはまり込んでいるのが日本の現状だ。

3　DX加速のカギを握るのは明確なビジョンと根本的な価値転換

　先述した国連経済社会局による「電子政府調査」では、2年おきに加盟国政府のデジタル化をランキングしている[10]。2020年のトップ3はデンマーク、韓国、エストニア。日本は14位で、前回2018（平成30）年発表時の10位から、トップ10圏外に転落した。

　「世界最高水準の高度情報通信ネットワークの形成」をうたった「IT基本法」が成立したのは、ITバブルがピークを迎えた2000（平成12）年だ。以来、政府はデジタル化の旗を掲げ続けてきた。2019（令和元）年には、行政のデジタル化推進をうたう「デジタル手続法」も成立した。

　だが、この間に起きたのは、世界的なデジタルシフトとは対照的な、日本の競争力の地盤沈下だった。1989（平成元）年における企業の世界時価総額ランキングでは、1位のNTT以下、日本興業銀行、住友銀行、富士銀行、第一勧業銀行と、トップ5はすべて日本企業であったが、2018年では、1位のアップル以下、アマゾン・ドット・コム、アルファベット（グーグル）、マイクロソフト、フェイスブックとトップ5は米国IT大手が占めた。上位50社で日本企業は35位のトヨタ自動車のみである[11]。その行き着いた先が、今回の混乱だ。

　コロナ禍で表面化した問題点は、2020（令和2）年7月に閣議決定された「経済財政運営と改革の基本方針2020（骨太の方針）」でも「我が国も、デジタル化を原動力とした『Society 5.0』実現の取組を推進してきているが、行政分野を中心に社会実装が大きく遅れ活用が進んでおらず、先行諸国の後塵を拝していることが明白となった」と総括されている[12]。そのうえで、「社会全体のDXの推進に一刻の猶予もない」と述べている。

　9月16日に就任した菅義偉首相は、新政権の旗印として行政のデジタル化を掲げる。その目玉が、2021（令和3）年中の新設を目指す「デジタル庁」だ。マイナンバーカードの普及、さらに複数省庁にまたがるデジタル政策の取りまとめと推進役を担う。新型コロナ対応で4月に時限的措置として解禁した初診からのオンライン診療の継続や、小中学生が1人1台のパソコンやタブレット端末を使える「GIGAスクール構想」の推進も表明している。

　日本はコロナ禍をきっかけに、DXを加速できるのか。置き去りにされてきたのは"老舗旅館化"したシステムだけではない。生産性や競争力向上につながる社会の仕組みとカルチャーの根本的な転換だ。

　コロナ禍の渦中に、DXの成果を示した老舗企業がある。2021（令和3）年に創刊170年を迎える米ニューヨーク・タイムズだ。その歴史の大半を紙媒体のビジネスで築いてき

た同社は2020年8月、第2四半期（4～6月期）で、デジタル版の売り上げが史上初めて紙を上回ったことを明らかにした[13]。同社は6年前、現発行人のA・G・サルツバーガー氏を中心にDXの青写真となる報告書「イノベーション・レポート」をまとめ、組織とカルチャーの両面で、根本的な改革に乗り出した。紙の価値観を捨て、デジタル市場での競争力を主眼に据えた「デジタル・ファースト」への転換を果たす。そしてコロナ禍を追い風とし、3月には25億ページビューを達成。「米国成人の半数以上がアクセスした」という勢いが、紙とデジタルの収入逆転をもたらした。

明確なビジョンと根本的なデジタルへの価値転換。ニューヨーク・タイムズの事例からは、DXの成否のカギとして、そんなキーワードが読み取れる。日本のDXの成否もまた、そこに踏み込めるかどうかにかかっている。

■参考文献（いずれも 2020.9.3 閲覧）

1) UN DESA "UNITED NATIONS E-GOVERNMENT SURVEY 2020" 2020.7.10, p.216
   https://publicadministration.un.org/egovkb/Portals/egovkb/Documents/un/2020-Survey/2020%20UN%20E-Government%20Survey%20（Full%20Report）.pdf
2) 中華民国（台湾）外交部「マスクの購入が実名制に、購入できるのは7日に1度で1人2枚まで」TAIWAN TODAY, 2020.2.4
   https://jp.taiwantoday.tw/news.php?unit=148,149,150,151,152&post=170462
3) Lavania, D. "Agra smart city launches e-Doctor Seva amid lockdown." THE TIMES OF INDIA, 2020.4.11
   https://timesofindia.indiatimes.com/city/agra/agra-smart-city-launches-e-doctor-seva-amid-lockdown/articleshow/75092488.cms
4) "支付宝健康码7天落地超100城 数字化防疫跑出'中国速度'" 新华网, 2020.2.19
   http://www.xinhuanet.com/tech/2020-02/19/c_1125596647.htm
5) Altshuler, T.S., Hershkowitz, R.A. "How Israel's COVID-19 mass surveillance operation works," Brookings Tech Stream, 2020.7.6
   https://www.brookings.edu/techstream/how-israels-covid-19-mass-surveillance-operation-works/
6) Harari, Y.N. "Yuval Noah Harari: the world after coronavirus" FINANCIAL TIMES, 2020.3.20
   https://www.ft.com/content/19d90308-6858-11ea-a 3c 9- 1 fe 6 fedcca75
7) Sonn, JW. "Coronavirus: South Korea's success in controlling disease is due to its acceptance of surveillance" THE CONVERSATION, 2020.3.20
   https://theconversation.com/coronavirus-south-koreas-success-in-controlling-disease-is-due-to-its-acceptance-of-surveillance-134068
8) Apple, Google "Apple and Google partner on COVID-19 contact tracing technology" 2020.4.10
   https://blog.google/inside-google/company-announcements/apple-and-google-partner-covid-19-contact-tracing-technology/
9) 「10万円給付のウェブ申請、テスト不十分『開発10日』」朝日新聞デジタル，2020.8.21
   https://www.asahi.com/articles/ASN 8N 0F 8LN 8KUUPI00C.html
10) UN DESA, supra note 1, p.6- 9
11) 週刊ダイヤモンド編集部「昭和という『レガシー』を引きずった平成30年間の経済停滞を振り返る」2018.8.20
    https://diamond.jp/articles/-/177641?page= 2
12) 閣議決定「経済財政運営と改革の基本方針2020」 2020.7.17
13) The New York Times Company "The New York Times Company Reports 2020 Second-Quarter Results" 2020.8.5
    https://nytco-assets.nytimes.com/2020/08/NYT-Press-Release-6.28.2020-Final-for-posting.pdf

第 7 章

どうなる？ 医療のグローバル化
コロナ後に期待される新戦略

真野俊樹
中央大学大学院戦略経営研究科教授

　医療のグローバル化の代表例である医療ツーリズムは、コロナ禍によって、死に絶えたように見える。しかし、医療に限らず、世の中のグローバル化は、単に人や物が移動するだけではない。本稿では、そうした視点に立って医療の、ひいては医療インバウンド、アウトバウンドの将来を考えてみたい。筆者は、オンラインの進歩によって、医療インバウンドは新たな形になると考えているが、コロナ禍が長引きそうな今、そうなるまでには年単位の時間が必要であろうと考えている。

1 コロナ禍以前における医療のグローバル化

　筆者は、以前から医療がグローバル化するという方向性を予想していた。グローバル化の意味については後述するが、簡単に医療のグローバル化の流れを幅広い視点で振り返っておこう。

（1）なぜ、医療はグローバル化する必要があったのか

　そもそも医療は、社会保障という範疇にとどまっている限りにおいては、グローバル化する必要はなかった。すなわち、社会保険の始まりをつくったとされるドイツのビスマルク宰相の考えに代表されるように、社会保障はあくまでその国の国民に対してメリットを与え、国民に働いてもらうという趣旨のものであったからである。

　近年でこそ福祉国家の概念が広がり、さらには健康経営といった文脈のなかで、「国民を働かせる」といった乱暴な言い方はされないが、社会保障は本質的にその国の国民のためのものである。

　それは社会保障の財源が、その国の国民が支払う社会保険料や税金から成り立っていることから考えても明らかである。近年、海外からの渡航者が日本の社会保険を使うことに対して、それが合法であっても非難が出るのは、そうした感覚があるためである。

年金のように、相互の助けあいのために蓄えておいたお金を分配していく仕組みの場合は、社会保障の枠のなかにあっても何ら問題はなかった。しかし、ややこしいことに医療は、診断や治療法に技術の要素が入り込んでいる。すなわち、聴診、触診、視診などで診断している時代であれば、技術進歩の影響はほぼなかった（厳密には、電子的に聴診の音を解析したり、聴診したデータを遠隔に飛ばして専門医に判断してもらうといった技術が生まれてきている）が、近年のように、高額な薬剤や医療機器が治療に欠かせなくなってくると、お金は社会保障という枠、医療技術の開発は市場原理という、いわば分裂した構造になってしまっている。

　わかりやすく国に当てはめて考えてみよう。社会保障の要素を少なくし、技術開発部分の要素、つまり市場原理を強めている先進国はアメリカである。ヨーロッパは逆に社会保障の要素を強め、技術開発も無関心ではないが、やはり、前出のビスマルクやイギリスであればビバリッジのような伝統的に社会保障を重視している。これは日本の医師が最先端技術の研究などで留学する場合、その多くがヨーロッパよりもアメリカへ行くことからも裏付けられる。

（2）諸外国における医療ツーリズムの進展

　問題は、医療技術の開発には莫大な資金が必要であるということである。そして、市場原理で開発する以上、開発した企業はその資金を回収するという行動に出る。すなわち、高額な薬剤や医療機器が出現する一方、財源である税金や社会保険料には限りがあるため、どんどん進歩していく医療技術を国民皆保険という形でカバーするのが徐々に難しくなっていくことになる。

　幸いなことに日本では、国債を発行しながら（図1）、高度な医療技術や高額な薬剤を効果がある場合は保険収載するという原則が貫かれ、近年では、脊髄性筋萎縮症に対する薬剤であるゾルゲンスマが、1治療当たり1億6,700万円という国内最高額の公定価格（薬価）で保険収載されている。しかし、国によっては、こうした高額な薬剤をその国の医療技術が低いために使うことができないところもある。

　一方、よく知られているように、世界的には所得格差が広がっており（表1）、富裕層は高度な医療技術を求めている。そして、身近な例で言えば、中国の富裕層が日本の高度な医療技術を求めて医療ツーリズムを行うし、少し前であれば、中東諸国の富裕層が米国に医療ツーリズムを行うという現象が起きていた。

　コロナ禍で、「不要不急」という言葉が人口に膾炙するが、医療ツーリズムでは、がんや心臓バイパス手術など「不急」ではあるが、「不要」ではない医療を求めて、患者は移動する。筆者が著書『日本の医療、くらべてみたら10勝5敗3分けで世界一』（講談社刊）で示したように（表2）、日本の医療技術は世界的に見て高いレベルにある。そのため、中国をはじめとした海外から日本へ、「不急」ではあるが、「不要」ではない高度医療を求め

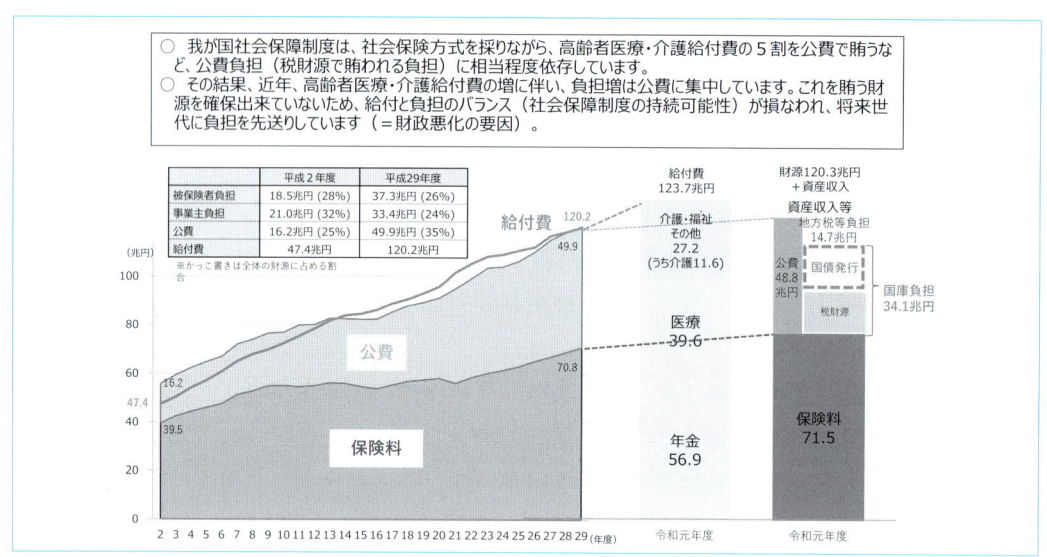

○ 我が国社会保障制度は、社会保険方式を採りながら、高齢者医療・介護給付費の5割を公費で賄うなど、公費負担（税財源で賄われる負担）に相当程度依存しています。
○ その結果、近年、高齢者医療・介護給付費の増に伴い、負担増は公費に集中しています。これを賄う財源を確保出来ていないため、給付と負担のバランス（社会保障制度の持続可能性）が損なわれ、将来世代に負担を先送りしています（＝財政悪化の要因）。

図1　社会保障給付費の増に伴う公費負担の増
出典：国立社会保障・人口問題研究所「平成29年度社会保障費用統計」、令和元年度の値は厚生労働省（当初予算ベース）

表1　所得格差に寄与した要因

IMFは1981～2003年にかけて51か国のパネルデータを用いて、固定効果モデルから所得格差に寄与した各要因を分析した。寄与度は下記のようで、社会における所得の不平等さを測る指標であるジニ係数と技術進歩が主たる要因であった。

ジニ係数	0.45
グローバル化	0.07
技術進歩	0.43
その他	−0.05

て患者が増加していた。しかしながら、日本は社会保障の文脈が非常に強いため、商業的な要素がある医療ツーリズムの受け入れ、いわゆる医療インバウンドには多くの病院が賛同せず、東南アジア諸国やアメリカに比べて普及してこなかった。

（3）日本における外国人観光客の急増

　そこにもう1つの流れが加わった。すなわち、世界から見て魅力的な国である日本における観光産業の隆盛である。観光産業が隆盛になれば、人が多く押し寄せることになり、スキーをすれば骨折の可能性もあるし、暑いところに行けば熱中症の可能性もある。そこで、日本国民と同様の医療リスクに対しての対応が、来日観光客にも必要になってきた。
　筆者は、日本への観光客数の増加が著しいために、観光客に対する医療ニーズ、さらには定住している外国人に対しての医療ニーズを捉えなければいけないという視点から、『インバウンド時代を迎え撃つ医療の国際化と外国人患者の受入れ戦略』（日本医療企画刊）という書籍を出している。その背景には、諸外国のように外国人に対応する医療が非常に注

表2　日本と世界の医療の比較

先進国同士の比較による日本vs.世界の医療「勝敗一覧」
○が日本の勝ち、×が日本の負け、△が引き分け

対戦ジャンル	比較項目	勝敗
医療のレベル	がん手術の技量	○
	看護師のサービス	○
	最先端医療への取り組み	×
医療の身近さ	国民皆保険制度	○
	医師の数	×
	家庭医の充実	○
投薬治療の状況	薬の値段	△
	処方される薬の量	×
	最新の薬への対応	△
医療の値段	国民医療費の総額	×
	個人負担額の割合	△
	公平性	○
病院の環境	病院の数	○
	病院の規模	×
	病院の設備	○
高齢化対策	介護保険制度	○
	在宅医療の充実	○
	地域包括ケアシステム	○

計10勝5敗3分けで、日本の勝ち

出典：真野俊樹『日本の医療、くらべてみたら10勝5敗3分けで世界一』（講談社）

目されるようになり、医療者の本能として国籍を問わず海外の人も診察して元気になってもらおうという流れができつつあったことがある。JMIP（Japan Medical Service Accreditation for International Patients：外国人患者受入れ医療機関認証制度）などの認証機関が増加していた。

　しかしながら、コロナ禍がこの状況を一変させた。言うまでもなく、東京オリンピック・パラリンピックが延期となり、外国人の観光客は激減、観光業も非常に大きなダメージを受けている。そんななかで、医療ツーリズムがほぼなくなり、ましてや観光客に対する医療ニーズも減っている。東京都では定住する外国人が減少している状況である。

2　医療ツーリズムの本質

　グローバル化、あるいはグローバリゼーションとは、「これまでの国家や地域などの境界を越えて、地球規模で複数の社会とその構成要素の間での結びつきが強くなることに伴う社会における変化やその過程」と定義されるであろう。社会のグローバル化、あるいは流動化は、①情報、②資本、③人（旅行者［健常者］、労働者）、④患者——の順で起きる。

情報がインターネットを通じてグローバルに伝わることは、論を待たない。そして、医療情報が国を越えて伝わることが、患者の流動化につながっていることも重要である。いわゆる医療ツーリズムの動きである。

　資本の場合でもグローバル化が進んでいる。ここで、1990年代前半から始まった東南アジア投資ブームに端を発する1997年の東南アジア通貨危機を思い出して欲しい。これは、「外国資本の流入を促し、資本を蓄積する一方で、輸出需要で経済成長する」という発想に基づき、グローバル化を利用しようとしたことで起きた。

　旧来は、経済発展および技術の進歩によって、消費者が欲しいものが順に表れた。かつての日本であれば、1950年代後半に白黒テレビ・洗濯機・冷蔵庫の家電3品目が「三種の神器」と呼ばれ、1960年代後半においては3C（カー［自動車］、クーラー［ルームクーラー］、カラーテレビ）のトリオがそれであった。ところが、現在の新興国の富裕層は、それらをすべて購入できる環境にある。

　健康や疾患を持たない生活こそが、人類が究極的に求めるものであるために、先進国では薬剤や医療機器、医療技術の研究が進み、高度化が進んだ。医療とは、究極に人が求めるものである。少し医療や健康の役割を考えてみよう。

　中国の古代皇帝は不老不死を求めた。徐福伝説というものがある。時は紀元前219年、秦の始皇帝の時代に「童男童女500人を含め総勢3,000人の集団を引き連れ、仙人と不老不死の仙薬を求めて中国大陸から東方の桃源郷、日本へ旅立った一団がいた。それを先導したのが秦の始皇帝からその命を受けた徐福であった……」というものである。

　すべての権力を握った人間が最終的に欲しいものが健康なのである。しかし、逆に言えば、すべての人が欲しいものも健康である。究極という意味は2つあり、最高権力者でも欲しいし、庶民でも欲しいものなのである。その意味では、差異がない。

　さらに、医療は不確実性をあわせ持つし、医療は健康という目的を達成するための派生需要であるので、健康あるいは疾患のない生活が確実に得られるとは限らないが、少なくともそこへ近づける可能性がある。そのため、新興国の富裕層にとって魅力である。すなわち、経済発展の過程において、新興国の富裕層と先進国の国民が同じレベルの財を欲するようになってきているのである。

　このように考えると、現在のようにIT化が進展した時代において、リアルにその人が国境を超えて移動する必要があるのだろうか、という疑問が出てくる。もちろん、五感で楽しむといったようなエンターテイメント性が強い観光であれば、やはり、現地に行って五感をフル活用して楽しむ、といったニーズが出てくるのは間違いない。しかし、医療ツーリズムの場合にはツーリズムと言っても、真の目的は移動することでも、観光でもない。あくまで病気を治すことが目的なのである。

　マーケティングの重鎮であるセオドア・レビットが提唱した例に、「鉄道会社の衰退」がある。レビットによると米国の鉄道会社は自らの事業を鉄道事業と捉えたため、自動車

や航空機等の台頭に対応できず、衰退してしまった。本来は、事業を輸送事業と捉えるべきであった。医療ツーリズムも同じである。本質をはき違えてはいけない。

3 コロナ後に期待される医療のグローバル化における新戦略

(1) 医療インバウンド

　ここまで述べてきたように医療インバウンドの目的は、移動にあるわけではない。そう考えると、IT化の進展により、かなりの変化が予想される。すなわち、医療分野でのさまざまなやりとりがリアルではなく、IT上で行われるという流れである。

　たとえば、技術はあったにせよ、一般には活用されてこなかったZoomなどによるコミュニケーション方法、あるいはオンライン会議システムが、これほどまで普及することは、コロナ禍以前では想像できなかった。

　もちろん、こうしたコミュニケーション方法にはかなりの限界が伴うので、そのリスクとベネフィットを明確に把握して使用することが重要であるが、距離を飛び越えて、かなり綿密な情報交換や意見交換ができるという利点は大きい。一部はリアルが残り、かなりの部分でリアルではない、IT上の医療情報の交換が盛んになっていくと思われる（これをツーリズムと言っていいかどうかわからないが）。

　また、手術などにおいても、ITを駆使したコミュニケーション手段により事前の情報交換が容易になることで、患者も安心し、医師も安心して治療することができる可能性がある。たとえば、実際に医療ツーリズムを行う前に、Zoomで複数回にわたって面談を行うといったような方法が想定される。このように、医療インバウンドは、形は変わるが、飛行機による移動もITの活用も、病気を治すという目的を達成するための手段だと考えれば、補完関係が想像できる。

　ただし、ある程度時間がかかると筆者は考えている。2021（令和3）年に東京オリンピック・パラリンピックが開催できるかどうかは、まだはっきりしないが、仮にオリンピックがあったとしても、やはり当初の移動はビジネスや研究といったものから始まり、コロナ禍の下では医療インバウンドの回復には時間がかかると考えている。

　それは、たとえばこういった想像をしてみるとわかりやすい。日本人はいくら医療レベルが高いと言われても、インドへ医療ツーリズムに行かない理由はなぜだろうか（仮定ではなく、インドは実際に心臓手術などには定評があり、英国からインドへ医療ツーリズムに行く患者は多い）。やはりインドに行くと、何か他の感染症などに罹ってしまったらどうするのかという心配があるからである。コロナ禍において他国がそれと同じような心配を日本に対してする可能性は低くはない、と筆者は考えている。

(2) 医療アウトバウンド

　医療インバウンド、すなわち医療ツーリズムにおいては、IT技術を駆使することで、実際リアルな移動がなくても顧客である患者のニーズを満たすことは不可能ではないかもしれない。しかし、医療の輸出である医療アウトバウンドは様相が異なる。もちろん、IT化の影響がまったくないとは言わないが、現地に病院という場を提供し、そこから医療が広がっていくという絵姿が、医療アウトバウンドにおいては通常の流れになろう。そう考えると、医療アウトバウンドは、あまり大きな変化はなく、むしろコロナが収束するまでの２年ほどのタイムラグを経て、動きが復活していくのではないだろうか。

　ただ、正確に言えば、復活するというよりも、流通大手のイオンがコロナ禍でも中国をはじめとする諸外国でビジネスを続けているように、多少の影響はあっても、今のままの流れが継続すると考えてもいいかもしれない。現地と必要な情報交換はオンライン会議システムで対応することができる。

(3) 世界の医療はダイナミックに変化する

　おそらく２年ほどでコロナがある程度収束したあと、リアル（対面）で行わなければいけない医療とそうでない医療が明確に分かれてくるであろう。医療ツーリズムも手術のような治療では、やはり患者が移動する状況が増えると思われる。しかし、診断やセカンドオピニオンといった情報をもらう、あるいは意見を聞くといった部分においては、ITを駆使して世界中から情報を得るという動きが出てくるであろう。

　ただ、それはすでに顕在化している格差を、医療分野でも助長する可能性がある。もっと言えば、医療ツーリズムという、人の移動を伴う医療においては必ずしも日本は先進性を発揮してこなかったが、日本の医療レベルが高いことは諸外国の認めるところではあるので、５年ぐらいのスパンで見れば、国境を越えた非対面の医療が加速度的に増えていく時代もありえるかもしれない。

　たとえば、すでに他国では行われているが、メイヨークリニックやクリーブランドクリニックの医師に自動翻訳機を通して自分の症状を訴え、セカンドオピニオンをもらったりするといったことも考えられる。

　いずれにしても、こうした動きは、地域を主体として医療制度を構築している日本をはじめとする多くの国において、かなりダイナミックな変化をもたらすことになるのは間違いない。

■参考文献
1) 真野俊樹『日本の医療、くらべてみたら10勝5敗3分けで世界一』講談社＋α新書、2017年
2) 真野俊樹『グローバル化する医療　メディカルツーリズムとは何か』岩波書店、2009年
3) 真野俊樹『アジアの医療提供体制』日本医学出版、2016年

4）真野俊樹『医療が日本の主力商品になる』ディスカヴァー携書、2012年
5）真野俊樹『インバウンド時代を迎え撃つ 医療の国際化と外国人患者の受入れ戦略（医療経営士テキスト 必修シリーズ4）』日本医療企画、2019年
6）真野俊樹『医療で「稼ぐ」のは悪いことなのか？』薬事日報社、2018年
7）水巻中正『令和 はばたく医療ツーリズム—国際貢献と連帯の新時代へ』中央公論新社、2019年
8）『公衆衛生 2019年 2月号：特集 インバウンドと在留外国人 その増加と諸課題』医学書院、2019年1月28日
9）渡辺英克『患者目線の医療改革』日本経済新聞出版、2019年

第4部 ポストコロナ時代の日本はどうあるべきか 医療再構築・社会変革に向けた提言

第 5 部

資料編

データと年表から読み解く新型コロナウイルス感染症

- **1 世界の感染状況**
- **2 国・地域別の感染状況**
- **3 日本の感染状況**
- **4 都道府県別の感染状況**
- **5 新型コロナウイルス感染症をめぐる世界と日本の動き**

牧　潤二
医療ジャーナリスト

1 世界の感染状況

●世界で判明した感染者

（2020年10月12日現在）

感染者数 3,800万2,699人	うち死亡 108万3,234人

注：日時は中央ヨーロッパ夏時間準拠
資料：WHO Coronavirus Disease (COVID-19) Dashboard

●世界の感染者・死亡者数の推移（週単位）

（2020年10月12日現在）

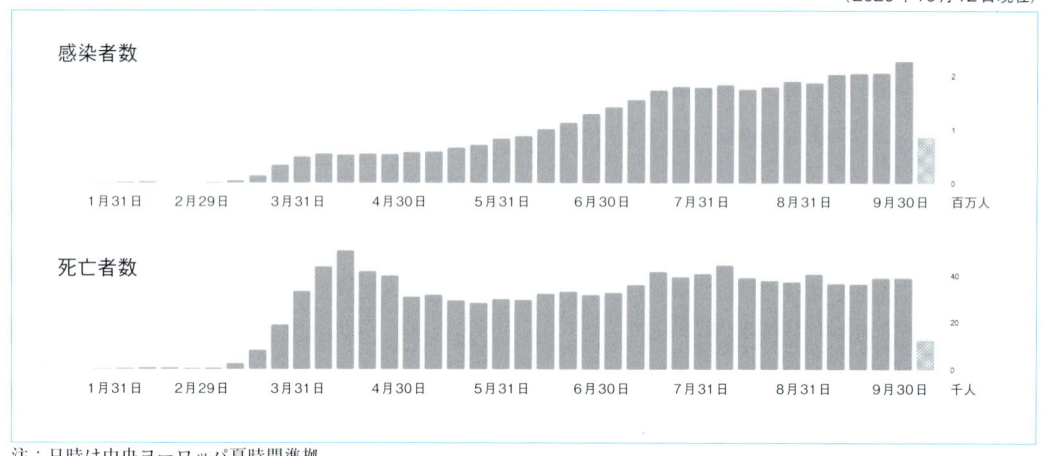

注：日時は中央ヨーロッパ夏時間準拠
資料：WHO Coronavirus Disease (COVID-19) Dashboard

　世界の感染者・死亡者数のおおよその傾向として、感染者数は3月および6月頃から増加の傾向を示し、10月にかけて増加のトレンドが続いている。死亡者数は3月から4月の初め頃にかけて増加する傾向を示したが、5月以降はほぼ一定数での増加となっている。

　上記傾向から、6月頃から死亡率（死亡者数／感染者数）が低下していることがうかがえる。ただし、全体的な傾向として、死亡率が低下しているのは医療制度・医療機関が整っている先進国であって、発展途上国では必ずしもそうではない。

　また、死亡率が低下している理由の1つとして、治療法の確立・進歩が挙げられよう。一方で、世界的にみた場合、もともと死亡リスクのあった者が比較的早く感染・死亡したという推測もある。

2 国・地域別の感染状況

●累計感染者数の上位10か国および中国・日本の感染状況

（2020年10月14日現在）

	累計感染者数	人口10万人当たり感染者数	累計死亡者数	人口10万人当たり死亡者数	人口（2020年推計、単位：千人）
アメリカ	7,728,436	2,334.9	213,626	64.5	331,003
インド	7,239,389	524.6	110,586	8.0	1,380,004
ブラジル	5,103,408	2,400.9	150,689	70.9	212,559
ロシア	1,340,409	918.5	23,205	15.9	145,934
コロンビア	919,083	1,806.3	27,985	55.0	50,883
アルゼンチン	903,730	1,999.6	24,186	53.5	45,196
スペイン	902,952	1,931.3	33,327	71.3	46,755
ペルー	851,171	2,581.5	33,357	101.2	32,972
メキシコ	821,045	636.8	83,945	65.1	128,933
フランス	728,745	1,116.4	32,679	50.1	65,274
中国	91,388	6.3	4,746	0.3	1,439,324
日本	90,140	71.3	1,638	1.3	126,476

注：日時は中央ヨーロッパ夏時間準拠
資料：WHO Coronavirus Disease（COVID-19）Dashboard、国連 World Population Prospects 2019 （人口関係）

●WHOの管轄地域ごとの感染状況

（2020年10月14日現在）

アメリカ	18,090,384
東南アジア	8,127,106
ヨーロッパ	7,219,501
東地中海	2,660,450
アフリカ	1,240,683
西太平洋	663,834

注：日時は中央ヨーロッパ夏時間準拠
資料：WHO Coronavirus Disease（COVID-19）Dashboard

　国・地域別の累計感染者数をみると、最も多いのはアメリカで約773万人。以下、インド約724万人、ブラジル約510万人と続く。

　新型コロナウイルス感染症が世界的に流行し始めた3月から4月にかけて、イタリアでの大流行が話題になった。10月14日現在、イタリアの累計感染者数は約37万人で、国別では17位だが、その流行は、8月にかけて、イタリアを含めたヨーロッパから北米や南米に中心を移した。しかし、9月から再びヨーロッパにおいて感染者が増加している。アメリカを含めた上位10か国のうち6か国が北米・中米・南米に位置するが、ヨーロッパでの感染者増を反映して、フランスが10位、イギリスが12位に上昇している。

　感染防止に向けた対応は、国・地域によって異なり、①ロックダウンなども含めて社会活動を抑制し、感染拡大を防ごうとする、②早めに集団免疫に達することを視野に入れ、ロックダウンなどはせず、社会活動・経済活動もほとんど抑制しない、③それらの中間――の3つに大別できる。①はヨーロッパ諸国やアメリカ、ニュージーランドなど。②はブラジルが代表的だが、スウェーデンなども該当する。③には日本も含まれる。

3 日本の感染状況

●日本で判明した感染者

（2020年10月15日現在）

感染者数 **9万907人**	うち死亡 **1,649人**

注：空港検疫、チャーター便帰国者を除く国内事例
資料：厚生労働省ホームページ「新型コロナウイルス感染症について」で提供される「オープンデータ」

●日本の感染者・死亡者数の推移

（2020年10月15日現在）

日本におけるPCR検査陽性者数（単日）と死亡者数（累計）
2020年10月15日まで

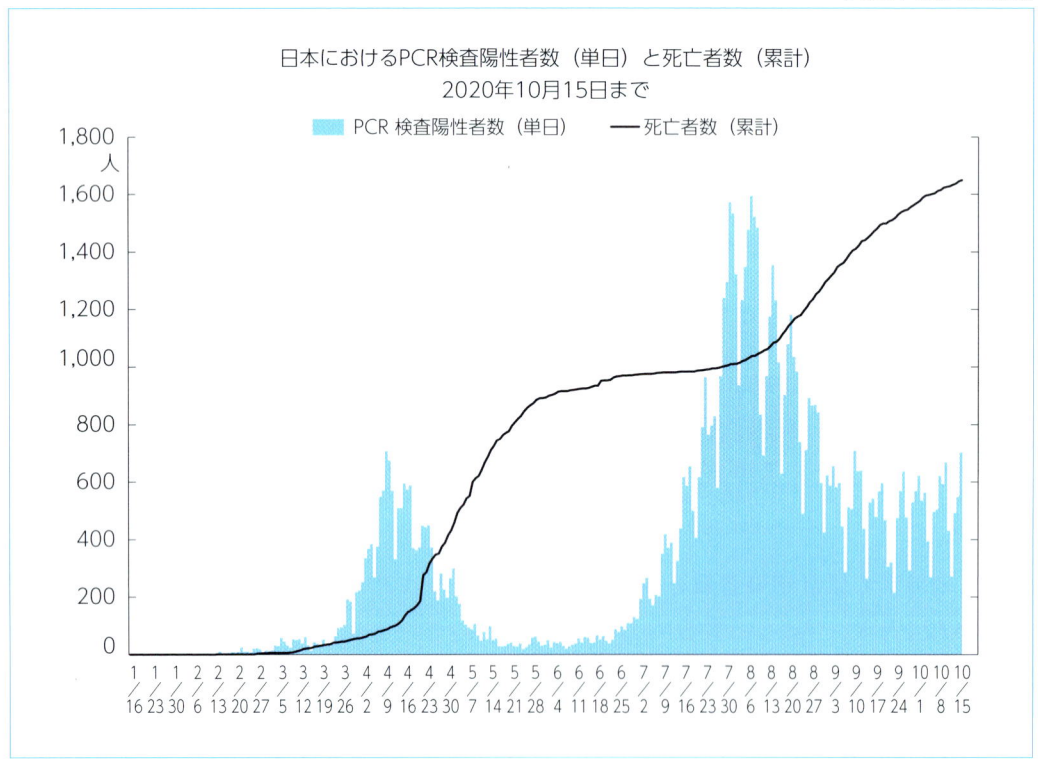

感染者数（PCR検査陽性者数）については、4月上旬、7月下旬～8月上旬にピークがあり、「第1波」「第2波」と呼ばれることがある。それぞれの最多は4月10日の708人、8月7日の1,595人である。実際の感染は、その約2週間前に起こっていると推定される。

また、死亡者数については、感染から約1か月後に現れる遅行指標とも見なされている。7月下旬～8月上旬をピークとする「第2波」を反映し、8月上旬から死亡者が増え始めたが、そこでの死亡率（一定期間での総死亡者数／総PCR検査陽性者数）は「第1波」のときと比べると、大きく低下している。この主な要因として、治療経験の増加などを背景にした治療法の確立・進歩が挙げられている。

4 都道府県別の感染状況

●各都道府県の検査陽性者の状況

（空港検疫、チャーター便帰国者を除く国内事例）　　　　　　（2020年10月15日現在）

都道府県名	陽性者数	人口10万人当たり陽性者数	PCR検査実施人数※1	PCR検査実施率	累計死亡者数	人口推計（2019年10月1日現在）単位：千人
北 海 道	2,430	46.3	67,282	1.28%	107	5,250
青 森	57	4.6	2,888	0.23%	1	1,246
岩 手	25	2.0	4,796	0.39%	0	1,227
宮 城	504	21.9	11,985	0.52%	2	2,306
秋 田	59	6.1	2,354	0.24%	0	966
山 形	81	7.5	5,326	0.49%	1	1,078
福 島	332	18.0	24,007	1.30%	5	1,846
茨 城	719	25.1	13,121	0.46%	18	2,860
栃 木	453	23.4	34,014	1.76%	1	1,934
群 馬	764	39.3	25,946	1.34%	19	1,942
埼 玉	5,234	71.2	160,965	2.19%	102	7,350
千 葉※5	4,430	70.8	109,745	1.75%	75	6,259
東 京※4	28,420	204.2	526,696	3.78%	427	13,921
神 奈 川	7,758	84.3	176,654	1.92%	153	9,198
新 潟	180	8.1	16,688	0.75%	0	2,223
富 山	422	40.4	13,796	1.32%	26	1,044
石 川	787	69.2	15,040	1.32%	47	1,138
福 井	249	32.4	10,331	1.35%	11	768
山 梨	199	24.5	11,139	1.37%	6	811
長 野	320	15.6	20,700	1.01%	3	2,049
岐 阜	640	32.2	24,739	1.25%	10	1,987
静 岡	572	15.7	38,804	1.06%	2	3,644
愛 知	5,596	74.1	87,290	1.16%	91	7,552
三 重	544	30.5	14,421	0.81%	7	1,781
滋 賀	520	36.8	13,209	0.93%	8	1,414
京 都	1,898	73.5	47,653	1.84%	27	2,583
大 阪	11,361	129.0	208,217	2.36%	224	8,809
兵 庫	2,946	53.9	62,442	1.14%	60	5,466
奈 良	607	45.6	22,972	1.73%	9	1,330
和 歌 山	254	27.5	9,858	1.07%	4	925
鳥 取	36	6.5	5,543	1.00%	0	556
島 根	140	20.8	5,980	0.89%	0	674
岡 山	168	8.9	8,654	0.46%	1	1,890
広 島※5	644	23.0	24,965	0.89%	3	2,804
山 口	209	15.4	10,769	0.79%	2	1,358
徳 島	149	20.5	7,130	0.98%	9	728
香 川	96	10.0	12,082	1.26%	2	956
愛 媛	115	8.6	4,215	0.31%	6	1,339
高 知	140	20.1	3,565	0.51%	4	698
福 岡	5,125	100.4	148,398	2.91%	99	5,104
佐 賀	249	30.6	6,369	0.78%	0	815
長 崎	241	18.2	20,496	1.54%	3	1,327
熊 本	726	41.5	18,138	1.04%	8	1,748
大 分	158	13.9	18,834	1.66%	2	1,135
宮 崎	366	34.1	8,699	0.81%	1	1,073

第5部　資料編　データと年表から読み解く新型コロナウイルス感染症

鹿児島	456	28.5	21,218	1.32%	12	1,602
沖縄	2,826	194.5	45,857	3.16%	51	1,453
(その他)※3	149	-	-	-	-	-
合計	90,354	71.6	2,153,990	1.71%	1,649	126,167

出典：厚生労働省ホームページ「新型コロナウイルス感染症の現在の状況と厚生労働省の対応について（令和2年10月16日版）」
※1 PCR検査実施人数は、一部自治体について件数を計上しているため、実際の人数より過大である。また、更新がなかった自治体については、前日の数値を記載している。
※2 PCR検査陽性者数から入院治療等を要する者の数、退院又は療養解除となった者の数、死亡者の数を減じて厚労省において作成したもの。なお、療養解除後に再入院した者を陽性者として改めて計上していない自治体があるため、合計は一致しない。
※3 その他は、長崎県のクルーズ船における陽性者。
※4 東京都の数値は次の出典より引用した：https://stopcovid19.metro.tokyo.lg.jp/
※5 空港検疫にて陽性が確認された事例を国内事例としても公表している自治体の当該事例数は含まれていない。
※6 東京都、滋賀県、京都府、福岡県及び沖縄県の重症者数については、都府県独自の基準に則って発表された数値を掲載しており、集中治療室（ICU）等での管理が必要な患者は含まれていない。
注：人口推計は総務省統計局「人口推計（2019（令和元）年10月1日現在）」
　　人口10万人当たり陽性者数、PCR検査実施率は、人口推計に基づく本書における試算
　　PCR検査実施率は「PCR検査実施人数／都道府県人口」

　PCR検査で新型コロナウイルスの遺伝子が確認されたとしても、それは実際に感染が成立していることを必ずしも意味しないが、ここでは便宜上、それを感染者としたうえで、都道府県別の類型感染者数、人口10万人当たり累計感染者数などをみていく。

　2020年10月15日までで、累計患者数が最も多いのは東京都で2万8,420人（人口10万人当たり204.2人）、最も少ないのは岩手県で25人（同2.0人）である。岩手県は新型コロナウイルス感染症の感染者が出ない唯一の県という状況が続いていたが、7月29日に同県において最初の感染者が確認された。その後も、患者の発生が少ない状況が続いている。

　たとえば、東京都、大阪府、福岡県など感染者の多い都道府県は一般に、人口10万人当たり陽性者数も多く、またPCR検査実施率（PCR検査実施人数／都道府県人口）も高い。これについては、①PCR検査を多く行っているから患者も多く発見できている、②症状のある者（患者）が多いためPCR検査も多くなっている——というように、2つの見方がある。それぞれ、結果と原因を逆にみているわけである。また、その根底には、無症状の者にも無差別的に検査をするか、保険制度のルールとしてあくまでも症状のある者に対して実施すべきか、という根本的な問いもある。

　いずれにしても、PCR検査だけでなく抗体検査なども含めて、疫学的なエビデンスを出すべき時期が来ている。

5 新型コロナウイルス感染症をめぐる世界と日本の動き

(2019年12月～2020年10月)

年月日	世界の主な出来事	年月日	日本の主な出来事
2019年 12月27日	●中国湖北省の中西医結合医院が武漢市江漢区疾病制御センターに原因不明の肺炎の症例を報告		
30日	●中国武漢市当局が、同市における原因不明のウイルス性肺炎の発生に関して発表 ●中国武漢市における病因不明の肺炎の集団発生がWHOに報告される		
31日			
2020年 1月7日	●中国疾病制御センター（CCDC）が新型コロナウイルスのウイルス株分離に成功	1月16日	●日本国内初の新型コロナウイルス感染者
21日	●米国疾病予防管理センター（CDC）がワシントン州で米国初となる新型コロナウイルス感染症の症例が確認されたと発表	30日	●政府が新型コロナウイルス感染症対策本部を設置
31日	●WHOが、中国武漢市での新型コロナウイルス関連肺炎の発生状況が「国際的に懸念される公衆衛生上の緊急事態」（PHEIC：Public Health Emergency of International Concern）に該当する、と発表		
2月7日	●世界の新型コロナウイルス感染者が3万人を超える ●WHOのテドロス事務局長が、世界中でマスクの需要が拡大し、本当に必要とする人の手に入らなくなっている、と警告	2月1日	●新型コロナウイルス感染症を感染症法上の指定感染症、検疫法上の検疫感染症に指定する政令が施行 ●厚労省が「新型コロナウイルス感染症に対応した医療体制について」の事務連絡。帰国者・接触者外来の設置等について都道府県に依頼
8日	●中国武漢市で日本人男性が新型コロナウイルス肺炎で死亡。新型コロナウイルス肺炎（感染症）による日本人初の死者	3日	●クルーズ船「ダイヤモンド・プリンセス号」が横浜港に到着。2月5日以降、乗客全員を自室待機にさせた上で、厚労省が感染防止策を講じる
11日	●ジュネーブ国連事務所で、新型コロナウイルス対策・感染拡大防止のための国際会議 ●WHOが、新型コロナウイルス感染症の正式名称を「COVID-19」と命名。コロナ（Corona）、ウイルス（Virus）、疾患（Disease）と、この疾患がWHOに報告された「2019年」の組み合わせに ●世界の新型コロナウイルス感染症の死者が1,000人を超える	7日	●厚労省が、感染症等に関する専門家によるアドバイザリー・ボードを設置（9月10日までに8回の会合）
		13日	●政府が「新型コロナウイルス感染症に関する緊急対応策」を決定
		14日	●新型コロナウイルス感染症を検疫法第34条の感染症の種類として指定する等の政令を施行。検疫法上の隔離・停留を可能に。また、無症状病原体保有者を感染症法の入院措置・公費負担等の対象に ●日本医師会が、新型コロナウイルス感染症対策の一層の充実を図るべく、厚生労働大臣に要望書
26日	●WHOのテドロス事務局長がジュネーブで記者会見、新型コロナウイルスがパンデミックでないものの、引き続き警戒するよう訴える		
27日	●国連のバチェレ人権高等弁務官が人権理事会で、新型コロナウイルスによって中国人と東アジア地域の人々に偏見が生じているとして、各国政府に取り組みを求める	16日	●政府の新型コロナウイルス感染症対策専門家会議が第1回会合

第5部 資料編 データと年表から読み解く新型コロナウイルス感染症

173

年月日	世界の主な出来事	年月日	日本の主な出来事
		17日	●厚労省が、一般向けに「新型コロナウイルス感染症についての相談・受診の目安」を発出
		25日	●政府が、今後の対策などをまとめた「新型コロナウイルス感染症対策の基本方針」を決定
		27日	●政府が、小中学校、高等学校などに対して3月2日からの臨時休業を要請
3月5日	●国連によると、新型コロナウイルス感染症の拡大により、13カ国で学校閉鎖、2億9,000万人を超える子どもの教育が停止された	3月1日	●政府の「新型コロナウイルス感染症対策の基本方針」を踏まえて、厚労省が都道府県などに対して「地域で新型コロナウイルス感染症の患者が増加した場合の各対策（サーベイランス、感染拡大防止策、医療提供体制）の移行について」を発出
6日	●世界の新型コロナウイルス感染者が10万人を超える	4日	●厚労省が、都道府県などに対して「新型コロナウイルス核酸検出の保険適用に伴う新型コロナウイルス感染症に対応した医療体制について（依頼）」の事務連絡。帰国者・接触者外来と同様の機能があるとして都道府県などが認めた医療機関においてPCR検査を実施するよう要請
11日	●WHOのテドロス事務局長が、新型コロナウイルス感染者がパンデミック（世界的な大流行）に至っているとの認識を示す		
12日	●WHOのテドロス事務局長が、一部の国が新型コロナウイルス感染者への対応を十分に図っていない、と警告 ●世界での新型コロナウイルス感染症の死者が5,000人を超える	6日	●PCR検査について保険適用
		10日	●政府が「新型コロナウイルス感染症に関する緊急対応策－第2弾－」をとりまとめ。感染拡大防止策と医療提供体制の整備、学校の臨時休業に伴って生じる課題への対応、事業活動の縮小や雇用への対応など
16日	●WHOのテドロス事務局長が、新型コロナウイルス感染症の感染が疑われるすべてのケースについて確実に検査を行うよう訴える ●世界食糧計画（WFP）が、中国で新型コロナウイルスの影響を最も受けた地域に人工呼吸器などを搬送	14日	●新型インフルエンザ等対策特別措置法の一部を改正する法律が施行。暫定的に、新型コロナウイルス感染症が新型インフルエンザ等対策特別措置法（特措法）の対象に
18日	●世界の新型コロナウイルス感染者が20万人を超える ●国際労働機関（ILO）が、新型コロナウイルス感染症によって、世界で約2.5億人の雇用が失われる恐れがある、と訴え	15日	●国民生活安定緊急措置法に基づき、一般消費者がアクセス可能な店舗やインターネットサイトなどを通じてマスクを販売する小売業者などを対象に、衛生マスクの転売を禁止
19日	●WHOが、現段階において、新型コロナウイルス感染症患者へのイブプロフェンの使用は勧告しない、とする ●新型コロナウイルス感染症の死亡者、イタリアが中国を上回り、世界最多に	17日	●厚労省が「新型コロナウイルス感染症（COVID-19）診療の手引き・第1版」を策定
		18日	●政府が新型コロナウイルス感染症対策として「生活不安に対応するための緊急措置」を決定
22日	●米疾病予防管理センター（CDC）が、日本での新型コロナウイルス感染症の拡大を踏まえて、日本への不要不急の渡航をすべて中止することを勧告	24日	●新型コロナウイルス感染症の世界的な流行により、国際オリンピック委員会（IOC）と東京オリンピック・パラリンピック競技大会組織委員会が、東京2020オリンピック・パラリンピック競技大会の2021年への延期を発表
23日	●国連のグテーレス事務総長が、新型コロナウイルス感染症という共通の敵に立ち向かうため世界各地の停戦を求めるメッセージ		
26日	●新型コロナウイルス感染症の死亡者、アメリカが世界最多に	26日	●政府が特措法に基づき、新型コロナウイルス感染症対策本部を設置

年月日	世界の主な出来事	年月日	日本の主な出来事
		28日	●政府が「新型コロナウイルス感染症対策の基本的対処方針」を決定（以後、4月7日、11日、17日、5月4日、14日、21日、25日変更）
		30日	●厚労省が、LINE株式会社と「新型コロナウイルス感染症のクラスター対策に資する情報提供に関する協定」を締結。LINEのサービス登録者に対して第1回「新型コロナ対策のための全国調査」を3月31日～4月1日に実施
4月3日	●国連総会で、新型コロナウイルス感染症に関する初の決議。同感染症に打ち勝つため国際協力の必要性を強調	4月1日	●日本医師会が、新型コロナウイルス感染症の感染拡大を踏まえて「医療危機的状況宣言」。医療提供体制維持のため、国民に対して適切な受診行動をとることなどを呼びかけ
6日	●国連のグテーレス事務総長が、新型コロナウイルス感染症の広がりにより家庭内暴力が増えていることを指摘、各国政府に対応を図るよう訴える	2日	●厚労省が、都道府県などに対して「新型コロナウイルス感染症の軽症者等に係る宿泊療養及び自宅療養の対象並びに自治体における対応に向けた準備について」の事務連絡。宿泊療養・自宅療養の対象、その解除の考え方を周知
7日	●世界保健デー。国連のグテーレス事務総長が、世界各地で新型コロナウイルスと闘う保健衛生の専門家に謝意を表明	3日	●日本ワクチン学会が、新型コロナウイルス感染症に対するBCGワクチンの効果に関する見解。エビデンスがないため、現時点では否定も肯定も、もちろん推奨もされない、と指摘
8日	●WHOによると、アフリカでの新型コロナウイルス感染者が1万人以上、死者が500人を超える ●ILOが、新型コロナウイルス感染症の影響で今後3カ月間に世界中で失業者が2億人近く増えると予想される、と発表		●日本小児科学会が「最近のBCGワクチンと新型コロナウイルス感染症（COVID-19）に対する報道に関連して～乳児へのBCGワクチンの優先接種のお願い～」の文書を公表
15日	●WHOが、新型コロナウイルスの感染拡大が一部の国で緩和し始めているが、感染数はピークアウトしていない、と警告 ●ユニセフが、新型コロナウイルス感染症の影響で子どもたちが学校に通えないなか、オンライン上でのいじめなどの脅威にさらされている、と警告	7日	●政府が、特措法第32条第1項に基づき緊急事態宣言を発令。東京、神奈川、埼玉、千葉、大阪、兵庫、福岡の7都府県が対象 ●政府が「新型コロナウイルス感染症緊急経済対策～国民の命と生活を守り抜き、経済再生へ～」を閣議決定。緊急支援フェーズ、V字回復フェーズに分けて、対策。オンライン診療・電話診療の拡充（初診対面原則の時限的緩和・診療報酬上の取扱いの見直し）を打ち出す。布製マスクを一住所当たり2枚配布も。従前の緊急対応策第1弾・第2弾など合わせると、事業規模の総額は約108兆円に。
16日	●WHOが、現段階において新型コロナウイルスの感染予防にポリオワクチンが効用を示す根拠はない、と見解		
17日	●国連食糧農業機関（FAO）が、新型コロナウイルス感染症の影響で中国の食物生産レベルが下がり、世界の何千万もの人々が十分に食べられない可能性が示されたとするとともに、国境を超えた食料の移動の自由を確保するよう訴える		
20日	●WHOが、ラマダンが始まることを踏まえて、宗教的なイベント開催についてのガイドラインを発表 ●国連難民高等弁務官事務所（UNHCR）が各国政府に対し、新型コロナウイルス感染症による外出制限によって女性・女児がジェンダーに基づく暴力の被害を受けていることについて対策を講じるよう促す	8日	●民間団体（一般社団法人）が、新型コロナウイルス感染症の治療においてエクモ（ECMO）などの高度な医療機器が逼迫したときにその機会を譲ってもいいという意思を伝えるための「譲（ゆずる）カード」を作成。6月頃になってマスコミで取り上げられ、批判的意見も

年月日	世界の主な出来事	年月日	日本の主な出来事
28日	●世界食糧計画(WFP)が、新型コロナウイルス感染症の直接的な影響として、東アフリカの国々での食料不足が深刻化している、と警告	10日	●政府の閣議決定(4月7日)を踏まえて、中央社会保険医療協議会(中医協)が、厚労省が提案した「新型コロナウイルス感染症患者の増加に際しての電話等を用いた診療に対する診療報酬上の臨時的な取扱い」について承認。「電話診療・オンライン診療」として患者側が通常の固定電話を使うことも想定したうえで、受診歴のない患者であっても医師が可能と判断した場合は「電話等を用いた初診」(初診料214点)を容認。併せて、保険薬局の薬剤師による「電話等による服薬指導」(オンライン服薬指導)も容認
30日	●アメリカでの新型コロナウイルス感染者が100万人を超える ●国連のバチェレ人権高等弁務官が各国に対し、新型コロナウイルス感染症への対応において障害者を置き去りにしないよう訴える		
		15日	●安倍総理が、総理大臣官邸で医療防護具等の増産貢献企業と懇談。医療用マスク、消毒液、医療用ガウン、人工呼吸器やECMOなどの医療機器の増産を要請 ●厚労省が「帰国者・接触者外来の増加策及び対応能力向上策について」の事務連絡。地域外来・検査センターの設置、ドライブスルー方式での外来診療などについて周知
		16日	●緊急事態宣言の対象を全国に拡大
		18日	●新型コロナウイルス感染症患者(中等症・重症)の受入れに係る特例的な対応として、人工呼吸器管理等を要する患者に対する救命救急入院料、特定集中治療室管理料、ハイケアユニット入院医療管理料などの点数を2倍に
		20日	●政府が、新型コロナウイルス感染症緊急経済対策を閣議決定。基準日(令和2年4月27日)において住民基本台帳に記録されている者に10万円給付へ
		24日	●厚労省が、新型コロナウイルス感染症対策の一環として、電話や情報通信機器による診療(広義のオンライン診療)を行う医療機関の一覧を公表。約1万の医療機関が、広義のオンライン診療に対応
		28日	●厚労省が「地域外来・検査センター運営マニュアル(第1版)」を発出
5月1日	●ユニセフによると、新型コロナウイルス感染症による規制の影響で医薬品輸送量が激減、世界各地でワクチン提供に支障が	5月上旬	●ゴールデンウィーク中、人の動きが大幅減。PCR検査の判定を待つ状態で帰省、同陽性が伝えられても高速バスで帰京した女性が、ネットで中傷を受ける
4日	●欧州連合(EU)が新型コロナウイルス感染症の治療薬・ワクチン開発のための資金拠出会議を開催 ●国際公文書館会議(ICA)は、新型コロナウイルス感染症流行を踏まえて、「文書化の義務は危機において停止するものではなく、より一層重要になる」と声明。「意志決定は記録されなければならない」「すべてのセクターにおいて記録とデータは保護・保存されるべきである」と呼びかけ	7日	●妊娠中の女性労働者の新型コロナウイルス感染症に関する母性健康管理措置が適用 ●新型コロナウイルス感染症の治療薬としてレムデシビル(製品名:ベクルリー)が国内で初めて薬事承認(特例承認)される。時限的・特例的な対応として、中医協が保険診療との併用を承認(5月8日)

年月日	世界の主な出来事	年月日	日本の主な出来事
7日	●世界観光機関（WTO）によると、新型コロナウイルス感染症の影響で世界の旅行者数は2020年第1四半期に22％減少	8日	●全日本空輸（ANA）が2020年度ゴールデンウィーク期間（4月29日～5月6日）の利用実績を公表。ANAグループの国内線は、新型コロナウイルス感染拡大に伴う外出自粛、緊急事態宣言の影響を強く受け、旅客数の前年比は3.5％（96.5％減）に
12日	●世界食糧計画（WFP）が、新型コロナウイルス感染症の影響により中東と北アフリカで4,760万人が十分な食料を得られない状況に陥っている、と警告	11日	●厚労省が、LINE株式会社との協定に基づく第1～4回「新型コロナ対策のための全国調査」から明らかになったことを公表。発熱者（37.5度以上の発熱が4日間以上）の回答者における割合（発熱率）は、全国調査第1回（3月31日・4月1日実施）から第3回（4月12・13日実施）にかけて全国的に上昇していたが、第4回（5月1・2日実施）では減少傾向がみられた
13日	●国連貿易開発会議（UNCTAD）によると、新型コロナウイルス感染症の影響で2020年の第1四半期において世界貿易は3％縮小		
14日	●国連のグテーレス事務総長が、すべての国に対して、新型コロナウイルス感染症のパンデミックの脅威のなかで人々のメンタルヘルスを守ることの重要性を訴える	13日	●COVID-19（新型コロナウイルス）迅速診断検査薬（抗原検査キット）が薬事承認される。それに対応して「SARS-CoV-2（新型コロナウイルス）抗原検出」を保険適用
20日	●WFPが、新型コロナウイルス感染症によって5歳未満の子どもたちの栄養不良が20％増える恐れがある、と警告	14日	●47都道府県のうち北海道・東京・埼玉・千葉・神奈川・大阪・京都・兵庫の8都道府県を除く39県で新型コロナウイルス対策の緊急事態宣言を解除
22日	●世界全体の新型コロナウイルス感染者が500万人を超える		●政府の新型コロナウイルス感染症対策専門家会議が「新型コロナウイルス感染症対策の状況分析・提言」。社会経済活動と感染拡大防止の両立にあたっての基本的考え、市民生活における「新しい生活様式の実践例」など示す
27日	●WHOが、新型コロナウイルス感染症に対する治療薬としてのヒドロキシクロロキンの臨床試験の中断を発表		
	●ILOが、新型コロナウイルス感染症の影響で若者の6人に1人以上が非就労の状態になっているとして、支援の拡大を求める	21日	●大阪・京都・兵庫の3府県について緊急事態宣言を解除
28日	●WHOが、アフリカで新型コロナウイルス感染者の急増がみられるなかで一部諸国が外出規制を緩和し始めていることについて、警戒継続を促す	22日	●日本看護協会が、新型コロナウイルス感染症対策として潜在看護師に復職を呼びかけた結果、約700人が復職し、継承施設や病院で活躍している、と発表
		25日	●首都圏1都3県と北海道の緊急事態宣言を解除。緊急事態宣言が全面解除に
		26日	●国民生活安定緊急措置法に基づき、消毒・除菌・抗菌・殺菌などを使用目的とした医薬品や医薬部外品の消毒用アルコール製品の転売を禁止。同様の使用目的であれば医薬品・医薬部外品以外でもアルコール濃度60％以上のものも対象に
			●重症・中等症の新型コロナウイルス感染症患者に対する診療の評価の見直しとして、特定集中治療室管理料等を算定する病棟に入院している場合の評価を従前（4月18日以降）の2倍から3倍に引き上げ。併せて、重症・中等症の新型コロナウイルス感染症患者の範囲を拡大

第5部 資料編 データと年表から読み解く新型コロナウイルス感染症

年月日	世界の主な出来事	年月日	日本の主な出来事
		27日	●政府が第2次補正予算案を閣議決定。「感染拡大の抑え込み」と「社会経済活動の回復」の両立を目指すための対策として追加額約5兆円に
		28日	●厚労省が、ソフトバンク株式会社、株式会社NTTドコモそれぞれと「新型コロナウイルス感染症のクラスター対策に資する情報提供等に関する協定」を締結
		29日	●政府の新型コロナウイルス感染症対策専門家会議が「新型コロナウイルス感染症対策の状況分析・提言」。今後の政策のあり方〜次なる波に備えた安全・安心のためのビジョン〜 など示す
6月1日	●WHOが、新型コロナウイルス感染症は非感染性疾患（noncommunicable diseases）の予防・治療サービスに負の影響を及ぼしている、と調査結果を発表	6月2日	●厚労省が、症状発症から9日以内の者については唾液を用いたPCR検査が可能、と発表
2日	●WHOによると、ヨーロッパでは新型コロナウイルス感染者が安定して減少しているが、ロシアおよび東欧の一部諸国ではこの傾向はみられない		●東京都知事が「東京アラート」を発動することを表明。東京都で新型コロナウイルスの新規陽性者が増え始めたことなどに対応（6月11日に「東京アラート」を解除）
3日	●国連のグテーレス事務総長が、コロナ禍において世界の移民・難民が7,000万人を超えるとして、移民・難民を保護するようアピール	16日	●厚労省が、国全体として過去に新型コロナウイルスに感染した人の割合を推定するために東京都、大阪府、宮城県の3都府県で6月第1週に実施した抗体保有調査の結果を公表。各自治体の抗体保有率は、東京都0.10%、大阪府0.17%、宮城県は0.03%で、依然として大半の人が抗体を保有していないという結果に
4日	●FAOによると、新型コロナウイルス感染症の影響もあって、2020年5月の世界の食料価格が4か月間連続で下降、需要が弱い、という		
5日	●WHOが、新型コロナウイルス感染症のパンデミックは収束していないとして、街頭デモ参加者に対して感染予防策を訴える	19日	●厚労省が、スマートフォンのBluetooth（近接通信機能）を活用した新型コロナウイルス接触確認アプリ（COCOA）をリリース。（9月14日現在、ダウンロード数は約1,685万件、陽性登録は749件）
10日	●国連のグテーレス事務総長が、新型コロナウイルス感染症のパンデミックにおいて、世界各国がサプライチェーンを保護するための迅速な行動をとらなければ世界的な食糧緊急事態で何億もの人々の命が危うくなると指摘、対応策も提示		●新型コロナウイルスの感染拡大により延期されていたプロ野球公式戦が開幕。観客は上限5,000人の入場制限
12日	●国連エイズ合同計画（UNAIDS）の事務局長が、新型コロナウイルス感染症のワクチンが開発された場合は地球公共財となるべきだ、と訴え	26日	●厚労省が、4〜5月における新型コロナウイルスの流行の医療提供体制への影響分析。患者数が多かった、特徴的なクラスター発生があった、患者用病床稼働率が高かった県を対象に
22日	●国際貿易センター（ITC）が、新型コロナウイルス感染症によって大企業と比べて小企業・零細企業は深刻な影響を受けている、と訴え		●独立行政法人製品評価技術基盤機構（NITE）が、新型コロナウイルスに対する消毒方法の有効性評価について、一定濃度以上の次亜塩素酸水、一定濃度以上の9種の界面活性剤は物品への消毒に活用できるとする最終報告をとりまとめ。後日、それを受けて厚労省は、「次亜塩素酸ナトリウム」と「次亜塩素酸水」は名前は似ているが異なる物質なので混同しないように、と注意を呼びかける
24日	●国連エイズ合同計画（UNAIDS）事務局長が、各国に対し、HIV/エイズとの闘いから得た教訓を新型コロナウイルス感染症との闘いに生かすようアピール		

年月日	世界の主な出来事	年月日	日本の主な出来事
29日	●世界での新型コロナウイルス感染者が1,000万人を超える		
30日	●ILOによると、新型コロナウイルス感染症の雇用への影響は深刻で、2020年第2四半期には世界の労働時間が14％減少、4億人分のフルタイム雇用が失われた ●世界での新型コロナウイルス感染症の死者が50万人を超える		
7月21日	●世界での新型コロナウイルス感染症の死者が60万人を超える	7月3日	●政府の新型インフルエンザ等対策有識者会議において新型コロナウイルス感染症対策分科会を設置（10月15日までに11回の会合）
22日	●ユニセフによると、新型コロナウイルス感染症による学校閉鎖で少なくとも4,000万人の子どもたちが就学前教育を受けられずにいる	4日	●2月末から中断していたサッカーのJ1リーグが上限5,000人の入場制限で再開
23日	●世界での新型コロナウイルス感染者が1,500万人を超え超える	14日	●厚労省が、東京都・大阪府・宮城県の3都府県で実施した抗体保有調査（6月16日公表）で検査で陽性となった8検体に対してウイルス感染阻害機能を持つ抗体量（中和抗体価）を測定したところ、全検体で中和抗体が確認された、と発表
28日	●WHOが、新型コロナウイルス感染症は他の呼吸器疾患と異なり、季節とは無関係である、と。その拡散を止めるため、身体的距離を保つことに注意を払うよう促す	17日	●厚労省が、無症状の者に対しても唾液を用いたPCR検査、LAMP検査、抗原定量検査を活用できることとした、と発表
29日	●国連世界観光機関（UNWTO）によると、新型コロナウイルス感染症により、2020年に入ってからの5カ月間で世界の観光に3,200億ドルの損失、旅行者は通常と比べて3億人減少	22日	●新型コロナウイルス感染症を全国に広める恐れがあるとの指摘のあるなか、政府の「Go To トラベル事業」が東京在住・東京発着を除外したうえで予定どおり開始（10月1日からは「東京在住・東京発着を除外」が解除される見込み）
30日	●米商務省が4〜6月期の実質国内総生産（GDP）速報値は前期比年率換算で32.9％減少と発表。1947年以降で最大のマイナス幅に	28日	●日本での新型コロナウイルス感染症の死者が1,000人に
		30日	●JR東日本が、2021年3月期第1四半期の連結業績（2020年4月1日〜6月30日）を公表。売上高は3,329億4,600万円（前年同期比△55.2％）、営業損益が1,783億円。新型コロナウイルス感染症の影響を大きく受ける
8月12日	●世界での新型コロナウイルス感染者が2,000万人を超える	8月6日	●厚労省が、新型コロナウイルス感染症対策として時限的・特例的な「電話診療・オンライン診療」に対応する医療機関の数が7月末で1万6,202、全国の医療機関の約15％にあたることを公表。うち4割程度が初診の患者にも対応
23日	●世界での新型コロナウイルス感染症の死者が80万人を超える	7日	●日本医師会が、感染防止対策をしっかり行っている医療機関に対して「みんなで安心マーク」の発行を開始
24日	●WHOが、北半球の多くの国々で学校が再開していることを踏まえて、子どもたちのマスク使用について指針を発表。12歳以上の子どもは大人と同様にマスクを着用すべき、としている	17日	●内閣府が2020年4〜6月期の国内総生産（GDP）速報値を発表。1〜3月期比で7.8％減、年率換算で27.8％減に。2009年1〜3月のリーマンショックを超え、戦後最悪の減少に
31日	●世界での新型コロナウイルス感染者が2,500万人を超える		

年月日	世界の主な出来事	年月日	日本の主な出来事
		19日	●厚労省が、中医協・総会において、医科のレセプト（入院・外来）件数が4月・5月は前年同月比でそれぞれ2割程度減少していることを報告
		21日	●厚労省が、第5回「新型コロナ対策のための全国調査」の結果を公表。全国の発熱者（37.5度以上の発熱が4日間以上）割合は0.103％で、第1回調査（0.113％）と比べて低い結果に
		28日	●政府の新型コロナウイルス感染症対策本部が「新型コロナウイルス感染症に関する今後の取組」を決定。軽症者や無症状者は宿泊療養・自宅療養で対応、医療資源を重症者に重点化、感染症法における権限の運用についても柔軟に
			●調査会社のゼネラルリサーチが「帰省と新型コロナウイルスにまつわる誹謗中傷被害」に関する意識調査の結果を公表。帰省先が関東以外の例が対象で、2020年のお盆には24％が帰省したが、そのうちの21％が帰省による誹謗中傷被害を受けていると判明
		29日	●マスクや消毒用アルコールの転売規制を解除
9月1日	●国連教育科学文化機関（ユネスコ）によると、新型コロナウイルス感染症の影響で世界の約4億5,000万人の子どもが新学期に学校に戻ることができない	9月10日	●全国医学部長病院長会議が、新型コロナウイルス感染症における重症症例に対する治療実態調査結果を公表。全82大学病院で7月31日までに治療を行った総重症症例数487、うち死亡症例数98（死亡割合20.1％）
3日	●アメリカでの新型コロナウイルス感染者が600万人を超える	11日	●内閣官房新型コロナウイルス感染症対策推進室が、11月末までの催物の開催制限等（9月19日施行）について事務連絡。収容率要件については、感染リスクの少ないイベント（クラシック音楽コンサート等）は100％以内に緩和、その他のイベント（ロックコンサート、スポーツイベント等）は50％以内とする
	●WHOが、新型コロナウイルス感染症の重症患者の治療にステロイドを使用することに関するガイダンスを発表		
9日	●英国・アストラゼネカが、同社およびオックスフォード大学の新型コロナウイルスワクチンについて、第Ⅲ相試験において原因不明の病状を呈する症例が出たため、国際的に行っているすべての臨床試験におけるワクチン接種を自主的に中断した、と発表	15日	●政府が、令和2年度一般会計新型コロナウイルス感染症対策予備費使用について閣議決定
10日	●世界での新型コロナウイルス感染症の死者が90万人を超える	16日	●菅義偉内閣が発足。記者会見の冒頭、「今、取り組むべき最優先の課題は新型コロナウイルス対策です。欧米諸国のような爆発的な感染拡大は絶対阻止をし、国民の皆さんの命と健康を守り抜きます。その上で社会経済活動との両立を目指します」と発言
18日	●世界での新型コロナウイルス感染者が3,000万人を超える		
22日	●WHOが、安全性と効果が確かめられない新型コロナウイルス感染症のワクチンをWHOが承認することはない、と発表		

年月日	世界の主な出来事	年月日	日本の主な出来事
24日	●国連のグテーレス事務総長が、世界中の商船の船員たちが新型コロナウイルスとの闘いに役割を果たしながらも身体的・心理的に疲弊しているとして、各国政府に支援を訴える	16日	●帝国データバンクが、9月16日16時現在判明分として「新型コロナウイルス関連倒産」は533件、うち「飲食店」が77件で全業種のなかで最多傾向が続く、と公表
29日	●世界での新型コロナウイルス感染症の死者が100万人を超える	中旬	●飛行機内で乗客のマスク着用拒否によるトラブルが続く。法令上の規定はない状況で、マスク着用が事実上義務化されていることへの国民の反発も背景に
		30日	●厚労省が、令和3年度の同省予算概算要求の概要を公表。「ウィズコロナ時代に対応した社会保障の構築」を重点要求として、①ウィズコロナ時代に対応した保健・医療・介護の構築、②ウィズ・ポストコロナ時代の雇用就業機会の確保、③「新たな日常」の下での生活支援──が柱に
10月5日	●世界での新型コロナウイルス感染者が3,500万人を超える	10月1日	●政府のGo Toトラベル事業で、東京都の取り扱いを変更。東京都を目的とする旅行、東京都在住の人の旅行について、10月1日以降に開始する旅行より同事業の支援対象に
6日	●WHOの欧州地域事務所長が、ヨーロッパ諸国で「COVID-19疲れ」のレベルが高まっている、と述べる	8日	●厚生労働、IT担当、行革担当の3大臣が、電話ではなく映像があることを原則としたうえで、初診も含めオンライン診療は原則解禁することで合意
9日	●国連貿易開発会議（UNCTAD）が、新型コロナウイルス感染症によって人々の消費活動がオンラインショッピングへとシフトしている、と指摘	13日	●日本経済学会が「新型コロナウイルス感染症に関する研究」サイトを開設。新型コロナウイルス感染症に関する同学会員の研究成果を紹介することが目的
		14日	●新型コロナウイルス感染症を指定感染症として定める等の政令の一部を改正する政令（政令第310号）公布、10月24日施行。新型コロナウイルス感染症について、入院措置の対象とする患者を65歳以上の者、呼吸器疾患を有する者等に限ることとするほか、所要の読替規定の整備を行った
			●厚労省が「最近の医療費の動向-MEDIAS-令和2年度6月」を公表。2020年度（4～6月）の医療費は9.9兆円（対前年同期比▲7.7％）、うち入院▲6.9％、入院外（外来等）▲10.6％、歯科▲10.2％、▲調剤3.9％で、外来と歯科が大きく低下。6月からは回復傾向に

資料：国連広報センター「世界の動きと国連」（「News in Briefから」）
　　　中国駐日大使館ホームページ
　　　WHO Coronavirus Disease（COVID-19）Dashboard

著者略歴

（掲載順・敬称略）

第2部

●**岩田健太郎**（いわた・けんたろう）

　神戸大学大学院医学研究科微生物感染症学講座感染治療学分野教授、神戸大学医学部附属病院感染症内科診療科長、神戸大学都市安全研究センター感染症リスク・コミュニケーション研究分野教授。1997年島根医科大学（現・島根大学）卒業。沖縄県立中部病院研修医、セントルークス・ルーズベルト病院（ニューヨーク市）内科研修医を経て、同市ベスイスラエル・メディカルセンター感染症フェローとなる。2003年に中国へ渡り北京インターナショナルSOSクリニックで勤務。2004年に帰国、亀田総合病院（千葉県）で感染症科部長、同総合診療・感染症科部長歴任。2008年より現職。米国内科専門医、感染症専門医、感染管理認定CIC、渡航医学認定CTHなどに加え、漢方内科専門医、ワインエキスパート・エクセレンスやファイナンシャル・プランナーなどの資格も持つ。主な著書に、『サルバルサン戦記』（光文社）、『抗菌薬の考え方、使い方Ver.4』（中外医学社）、翻訳本で『シュロスバーグの臨床感染症学(監訳)』（メディカルサイエンスインターナショナル）、近刊に『新型コロナウイルスの真実』（KKベストセラーズ）、『感染症は実在しない』（集英社インターナショナル）、『ぼくが見つけた いじめを克服する方法』（光文社）、『新型コロナウイルスとの戦い方はサッカーが教えてくれる』（エクスナレッジ）など、著書多数。

●**中西智之**（なかにし・ともゆき）

　株式会社T-ICU代表取締役。2001年京都府立医科大学医学部卒業。同大学外科学講座にて研修後、熊本赤十字病院にて心臓血管外科の研鑽を積む。その後、横浜市立大学麻酔科学教室に入局。2009年武蔵野赤十字病院救急救命センター、2013年守口生野記念病院救急科部長を経て、2016年10月に株式会社T-ICUを設立。現在に至る。集中治療専門医。

●**鴻池善彦**（こうのいけ・よしひこ）

　2009年久留米大学初期研修、2011年久留米大学医学部小児科学講座、2013年東京都立小児総合医療センター小児集中治療科、2015年久留米大学医学部救急医学講座、2017年兵庫県立こども病院小児集中治療科を経て、2020年株式会社T-ICUに参画。集中治療専門医、小児科専門医。

●**伊藤　守**（いとう・まもる）

　早稲田大学教育・総合科学学術院教授。専門は社会学、人文社会情報学。新潟大学人文学部教授を経て、2000年4月より現職。社会情報学会（SSI）会長、カルチュラル・スタディーズ学会代表幹事、日本学術会議社会学委員会メディア・文化研究分科会委員長を務めた。著書に『情動の社会学』（青土社）、『ドキュメント　原発事故をテレビはどう伝えたか』（平凡社新書）、『ニュース空間の社会学』（世界思想社）、『アフター・テレビジョン・スタディーズ』（せりか書房）等、多数がある。

●中谷内一也（なかやち・かずや）

　1962年大阪生まれ。同志社大学大学院文学研究科心理学専攻を単位取得退学後、日本学術振興会特別研究員、静岡県立大学、帝塚山大学などを経て現在、同志社大学心理学部教授。博士（心理学）。専門は社会心理学で、特に、人々の直感的なリスク認知や防災行動、信頼の問題について研究を進めている。論文" The Unintended Effects of Risk-Refuting Information on Anxiety" がRisk Analysis誌の2013年最優秀論文賞受賞。主な著書として『信頼学の教室』（講談社）、『安全。でも、安心できない』（筑摩書房）、『リスク』（翻訳：丸善サイエンス・パレットシリーズ）など。

●馬場園明（ばばぞの・あきら）

　1959年生まれ。1984年九州大学医学部卒業、1986年沖縄県立中部病院内科研修修了、1990年岡山大学医学研究科社会医学系衛生学修了。1993年ペンシルバニア大学大学院修士課程修了。岡山大学医学部講師、九州大学健康科学センター助教授を経て、2005年より九州大学大学院医学研究院医療経営・管理学講座教授。主な役職に、日本公衆衛生学会理事、日本健康支援学会理事、医療福祉経営マーケティング研究会理事長、日本医療・病院管理学会評議員、福岡県後期高齢者医療検討委員会会長、福岡県医療費適正化計画検討委員会委員長など。研究分野に、医療経営・管理、医療政策、医療経済、臨床疫学、高齢者ケアがある。

第3部

●榎木英介（えのき・えいすけ）

　1995年東京大学理学部卒。2004年神戸大学医学部卒。病理専門医、細胞診専門医、博士（医学）。神戸大学附属病院、近畿大学附属病院、赤穂市民病院病理診断科に勤務後独立。一般社団法人科学・政策と社会研究室代表理事として科学技術政策や医療問題をウォッチする活動を行っている。ほかに全国医師連盟理事を務める。『博士漂流時代』（ディスカヴァー・トゥエンティワン）にて科学ジャーナリスト賞2011受賞。医療に関する著書としては『医者ムラの真実』（ディスカヴァー・トゥエンティワン）がある。Yahoo！ニュース個人等でも医療に関する記事を執筆している。

●山本光昭（やまもと・みつあき）

　1960年3月神奈川県横浜市生まれ、兵庫県尼崎市育ち。1984年3月神戸大学医学部医学科卒業。医学博士。社会医学系専門医・指導医。大学卒業後すぐに公衆衛生を専攻し、横浜市の保健所において集団予防接種、結核健診や疫学調査をはじめ第一線の公衆衛生実務を経験。その後、旧厚生省での厚生行政に加え、内閣府での政府全体の政策立案とともに、感染症対策に関しては東京検疫所で所長、広島県庁で課長、茨城県庁及び兵庫県庁で部長を歴任。現在、東京都中央区保健所長、全国保健所長会常務理事、日本公衆衛生学会理事、日本医療・病院管理学会理事。

●山田悠史（やまだ・ゆうじ）
　慶應義塾大学医学部を卒業後、東京医科歯科大学医学部附属病院で研修。その後、川崎市立川崎病院、練馬光が丘病院等での勤務を経て、2015年から米国ニューヨークにあるマウントサイナイ大学ベスイスラエル病院の内科レジデンシー。2018年米国内科専門医を取得。埼玉医科大学総合診療内科助教を経て、現在はマウントサイナイ大学病院老年医学・緩和医療科のクリニカルフェロー。国内ではNewsPicks公式コメンテーター（プロピッカー）、米国内科学会日本支部の委員などとして、国外ではカンボジアでNPO法人APSARAの常務理事としても活動を行なっている。

●長尾和宏（ながお・かずひろ）
　1984年東京医科大学卒、大阪大学第二内科入局。現在、医療法人社団裕和会理事長、長尾クリニック院長。外来診療と在宅医療に従事。医学博士。公益財団法人日本尊厳死協会副理事長、日本ホスピス在宅ケア研究会理事、関西国際大学客員教授。ベストセラー『「平穏死」10の条件』（ブックマン社）、『痛くない死に方』（ブックマン社）、『病気の9割は歩くだけで治る』（山と渓谷社）など著書多数。

●原　聖吾（はら・せいご）
　株式会社MICIN代表取締役CEO。東京大学医学部卒、マッキンゼーを経て、株式会社MICINを創業。医師。厚生労働省「保健医療2035」事務局にて、2035年の日本における医療政策についての提言策定に従事した。横浜市立大学医学部非常勤講師。スタンフォードMBA。

●桐山瑶子（きりやま・ようこ）
　株式会社MICINデジタルセラピューティクス事業部RAスペシャリスト。京都大学医学部医学科卒業、国立国際医療研究センター病院救命センターでの勤務後、医薬品医療機器総合機構にて医療機器の審査・開発支援業務を経て、現職。平成29-30年度次世代医療機器・再生医療等製品評価指標作成事業人工知能分野WG委員、令和2年度厚生労働省医療機器産業海外実態調査事業における検討会委員。

●松尾未亜（まつお・みあ）
　株式会社野村総合研究所グローバル製造業コンサルティング部 Medtech & Life Science グループマネージャー。メドテック・ライフサイエンス分野に関わる日系メーカーのお客様との「経営戦略」、「事業戦略」、「新規事業開発」のプロジェクトに従事している。主なプロジェクトは、中期経営計画策定に伴うグローバル意思決定プロセスの改革、業界構造変化のシナリオとM＆A・提携戦略策定、新規事業戦略の策定と実行支援。近年、日系製造業のサービスビジネスの在り方や業態の変革を目的とした事業と組織のリデザインに取り組んでいる。

第4部

●**山森　亮**（やまもり・とおる）

　同志社大学経済学部教授。Basic Income Earth Network 理事。『*Cambridge Journal of Economics*』などに寄稿。著書に『*Basic Income in Japan*』（共編、Palgrave Macmillan）、『ベーシックインカム入門』（光文社）など。イギリス労働者階級の女性解放運動についてのオーラルヒストリー研究で 2014 年 *Basic Income Studies* Best Essay Prize。必要概念の経済思想史研究で 2017 年 European Association for Evolutionary Political Economy より Kapp Prize。

●**尾形裕也**（おがた・ひろや）

　1952 年兵庫県神戸市生まれ。東京大学工学部（都市工学科）、経済学部卒業。厚生省勤務を経て、2001 年〜 2013 年九州大学大学院医学研究院教授、2013 年〜 2017 年東京大学特任教授。2013 年より九州大学名誉教授。2016 年より厚生労働省「地域医療構想に関するワーキンググループ」座長。専門領域は、医療政策、医療経済、医療経営、社会保障政策、健康経営ほか。

●**田中秀明**（たなか・ひであき）

　東京工業大学工学部卒、同大学院修了。ロンドン・スクール・オブ・エコノミクス修士（社会保障政策）、政策研究大学院大学博士（政策研究）。専門は財政学・公共政策・社会保障制度。1985 年、大蔵省（現財務省）に入省し、予算・財政投融資・自由貿易交渉・中央省庁等改革などに携わる一方、内閣官房、内閣府、外務省、厚生省（現厚生労働省）などで勤務。また、オーストラリア国立大学や一橋大学経済研究所で教育・研究を行う。2012 年 4 月より現職。国際協力機構（JICA）、経済協力開発機構（OECD）、国際通貨基金（IMF）などのプロジェクトなどにも参画。

●**倉橋節也**（くらはし・せつや）

　計測・制御システム関連の民間企業に勤務しながら大学で学び、その後教員へ。1995 年放送大学教養学部産業と技術専攻卒業、2002 年筑波大学大学院経営・政策科学研究科企業科学専攻博士（システムズ・マネジメント）、2006 年筑波大学大学院ビジネス科学研究科助教授、2007 年筑波大学大学院ビジネス科学研究科准教授、2009 年 University of Groningen（オランダ）、University of Surrey（英国）客員研究員、2010 〜 2012 年科学技術振興機構研究開発戦略センター特任フェロー（兼務）、2015 年 University of Groningen（オランダ）客員研究員、2016 年筑波大学大学院ビジネス科学研究群教授（現職）。

●**米田雅子**（よねだ・まさこ）

　防災学術連携体代表幹事、慶應義塾大学環境・エネルギー研究センター特任教授。日本学術会議会員・防災減災学術連携委員長、建設トップランナー倶楽部代表幹事。防災減災、建設業、農林業、森林再生、地方公共政策など幅広い分野でフィールドワークを重視し、分野横断的な研究に取り組む。博士（環境）。

●**平　和博**(たいら・かずひろ)

桜美林大学リベラルアーツ学群メディア・ジャーナリズム専攻教授。国会図書館客員調査員。早稲田大学卒業後、1986年、朝日新聞社入社。横浜支局、北海道報道部、社会部、シリコンバレー(サンノゼ)駐在、科学グループデスク、編集委員、IT専門記者(デジタルウオッチャー)などを担当。2019年4月から現職。著書には『悪のAI論　あなたはここまで支配されている』(2019年)、『信じてはいけない　民主主義を壊すフェイクニュースの正体』(2017年)、『朝日新聞記者のネット情報活用術』(2012年、いずれも朝日新書)、訳書として『あなたがメディア！　ソーシャル新時代の情報術』(2011年)、『ブログ　世界を変える個人メディア』(2005年、いずれもダン・ギルモア著、朝日新聞出版)など。

●**真野俊樹**(まの・としき)

中央大学大学院戦略経営研究科教授、多摩大学大学院特任教授、名古屋大学未来社会創造機構客員教授。1987年名古屋大学医学部卒業。医師、医学博士、経済学博士、総合内科専門医、MBA。臨床医、製薬企業のマネジメント、大和総研主任研究員などを経て現職。厚生労働省独立行政法人評価有識者委員などを兼務。『入門 医療政策』『医療危機－高齢社会とイノベーション』(いずれも中央公論新社)、『日本の医療、くらべてみたら10勝5敗3分けで世界一』(講談社＋α新書)など著書多数。

第5部

●**牧　潤二**(まき・じゅんじ)

1950年生まれ。東京経済大学経済学部卒業。1982年フリージャーナリストとして独立し、「牧事務所」を開く。医療ジャーナリスト。主として医療保険／診療報酬制度、介護保険制度、がんや難病など重要な疾病について行政関係の動きを取材・執筆。主な著書は『官報の徹底活用法』(サンドケー出版局)、『在宅医療サービス徹底活用ガイド』(PHP研究所)、『すぐわかる介護保険』(KKベストセラーズ)、『詐病』(日本評論社)ほか。所属団体は、日本医学ジャーナリスト協会、日本医史学会、日本薬学会、日本写真学会など。

日本医療企画からのご案内

医療白書 2017-2018年版

AIが創造する次世代型医療
ヘルスケアの未来はどう変わるのか

人工知能は医療課題を解決する救世主となれるのか？

診断支援、個別化医療、疾病予防、創薬……etc
国内外の最新事例、有識者からの提言を通して最先端テクノロジーが切り拓く医療新時代を読み解く！

主な内容

第1部　総力特集
AIが創造する次世代型医療
──ヘルスケアの未来はどう変わるのか
　第1編　特別座談会
　最先端テクノロジーが導くヘルスケア革命
　第2編　AI・ビッグデータの進展で医療サービスはどう変わる？
　──社会実装に向けた課題と将来展望
　第3編　ここまで来た！AI研究・活用の最新事例
　──医療の高度・効率化と健康長寿に向けた挑戦
第2部
日本の医療の「現在」と「未来」がわかる
──2017年度医療制度・政策をめぐる重要論点
第3部　年表・資料編
「介護保険制度」創設以降における保健・医療・福祉・介護の歩み
2000(平成12)年〜2017(平成29)年

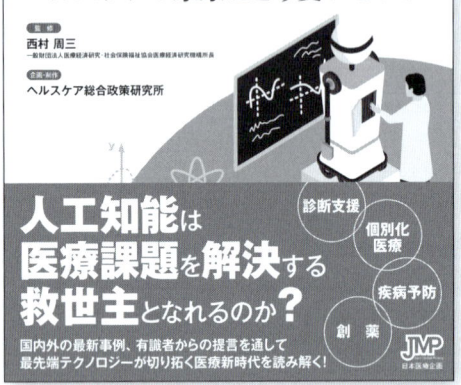

- ■監修：西村周三（一般財団法人医療経済研究・社会保険福祉協会医療経済研究機構所長）
- ■企画・制作：ヘルスケア総合政策研究所
- ■体裁：B5判・並製／200ページ
- ■定価：本体4,500円＋税
- ■ISBN：978-4-86439-567-0

日本医療企画からのご案内

医療白書 2018年度版

医療新時代を切り拓くデジタル革命の衝撃
AI、IoT、ビッグデータがヘルスケアの未来を変える

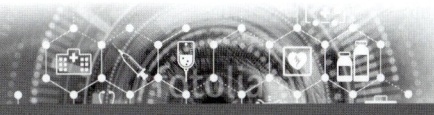

最先端テクノロジーによる
社会変革に向けた挑戦がいま幕を上げる！

デジタルホスピタル構想、治療アプリ、手術VR、データヘルス改革、データサイエンティストの育成…etc これまでの医療の常識を覆す最新事例が満載！

主な内容

第1部　総力特集
医療新時代を切り拓くデジタル革命の衝撃
── AI、IoT、ビッグデータがヘルスケアの未来を変える
　第1編　特別座談会
　　医療ベンチャーが目指す次世代ヘルスケア
　　── 医師の知見とテクノロジーの力で社会を変革する
　第2編　ヘルスケア分野に押し寄せるデジタル化の波
　　── イノベーション創発に向けた課題と展望
　第3編　ヘルスケア×テクノロジーの最前線
　　── 医療の質向上と効率化に向けた挑戦

第2部　日本の医療の「現在」と「未来」がわかる
　　── 2018年度医療制度・政策をめぐる重要論点

第3部　年表・資料編
「介護保険制度」創設以降における保健・医療・福祉・介護の歩み
2000（平成12）年～2018（平成30）年

■監修：西村周三（一般財団法人医療経済研究・社会保険福祉協会医療経済研究機構所長）
■企画・制作：ヘルスケア総合政策研究所
■体裁：B5判・並製／184ページ
■定価：本体4,500円＋税
■ISBN：978-4-86439-719-3

日本医療企画からのご案内

医療白書 2019年度版

創薬の技術革新が切り拓くヘルスケアの未来
次世代医療の実現に向けた挑戦

医療の常識を変える革新的治療薬は誕生するのか？

AI創薬、再生医療、ゲノム解析、個別化医療…etc
国内外の最新事例、有識者からの提言を通して
イノベーション創発に向けた課題と展望を読み解く！

主な内容

第1部　総力特集
創薬の技術革新が切り拓くヘルスケアの未来
　──次世代医療の実現に向けた挑戦
　　第1編　特別座談会
　　第2編　まだ見ぬ革新的治療薬は誕生するのか
　　　──イノベーション創発に向けた課題と展望
　　第3編　製薬業界はどこへ向かうのか
　　　──押し寄せる再編の波と求められる新たな戦略

第2部　日本の医療の「現在」と「未来」がわかる
　──2019年度医療制度・政策をめぐる重要論点

第3部　年表・資料編
「介護保険制度」創設以降における保健・医療・福祉・介護の歩み
2000(平成12)年〜2019(令和元)年

- ■監修：西村周三（一般財団法人医療経済研究・社会保険福祉協会医療経済研究機構所長）
- ■企画・制作：ヘルスケア総合政策研究所
- ■体裁：B5判・並製／208ページ
- ■定価：本体4,500円＋税
- ■ISBN：978-4-86439-845-9

■企画・制作　株式会社ヘルスケア総合政策研究所

2001年5月、民間初の医療研究機関「民間病院問題研究所」（1987年創立）を継承する形で発足したシンクタンク。ヘルスケア分野をフィールドに、常に最新の高度な専門情報を提供。自社企画による調査・研究レポート、専門書籍の企画・編集などを手がけている。

お問い合わせ：株式会社ヘルスケア総合政策研究所
　　　　　　　〒104-0032
　　　　　　　東京都中央区八丁堀3-20-5　S-GATE八丁堀

■表紙デザイン
株式会社ensoku 高田康稔

■表紙画像
©Gstudio - stock.adobe.com

■本文デザイン・本文DTP制作
株式会社明昌堂

■取材・編集協力
大正谷成晴：第1部特別座談会

医療白書　2020年度版

2020年11月12日　第1版第1刷発行

監　修　者　寺崎　仁
企画・制作　株式会社ヘルスケア総合政策研究所
発　行　者　林　諄
発　行　所　株式会社日本医療企画
　　　　　　〒104-0032　東京都中央区八丁堀3-20-5
　　　　　　S-GATE八丁堀
　　　　　　TEL 03-3553-2861（代表）
印　刷　所　図書印刷株式会社

ISBN978-4-86439-972-2 C3036　　　Printed and Bound in Japan,2020
（定価は表紙に表示してあります）